Wilfried Krenn
Herbert Puchta

Ideen

Deutsch als Fremdsprache
Arbeitsbuch **3**

Hueber Verlag

Produktion der Audio-CDs: Tonstudio Langer, Ismaning
Sprecherinnen und Sprecher: Fabian Feder, Katharina Kieslinger,
Johann Lang, Dascha Poisel, Jakob Riedl, Jana Weers u.a.

Gesamtlaufzeit: 110 Minuten

5. 4. 3. | Die letzten Ziffern
2019 18 17 16 15 | bezeichnen Zahl und Jahr des Druckes.
Alle Drucke dieser Auflage können, da unverändert,
nebeneinander benutzt werden.
1. Auflage

Verlagsredaktion: Erika Wegele-Nguyen, Hueber Verlag, Ismaning
Umschlaggestaltung: Martin Lange Design, Karlsfeld
Titelfoto: Florian Bachmeier Fotografie, Schliersee
Satz, Layout, Grafik: Martin Lange Design, Karlsfeld
Herstellung: Astrid Hansen, Hueber Verlag, Ismaning
Zeichnungen: Beate Fahrnländer, Lörrach
Druck und Bindung: Firmengruppe APPL, aprinta druck, Wemding
Printed in Germany
ISBN 978-3-19-011825-0
ISBN 978-3-19-101825-2 (mit CD-ROM)

Art. 530_03458_001_03

Inhalt

Modul 8

Modul 9

A1 — Nach dieser Aufgabe im Kursbuch kannst du die Übung lösen.

→ KB S. 12 — Beim Lösen dieser Übungen hilft dir der Text auf der angegebenen Kursbuchseite weiter.

1 3 — Hörtext auf den CDs zum Arbeitsbuch

Hier geht es um die Lesetexte aus den Kursbuch-Lektionen.

Übungen zum Wortschatz der Kursbuch-Lektionen

Bei diesen Übungen sollst du Wörter im Kursbuch suchen.

Übungen zur Grammatik

Hier kannst du die alltagssprachlichen Wendungen der Kursbuch-Hörtexte üben.

Diese Übungen helfen dir, die deutsche Aussprache zu trainieren.

zusätzliches Fertigkeitentraining zu Hören, Lesen und Schreiben

Hier kannst du die wichtigen Wörter der Lektion üben und in deine Muttersprache übersetzen.

Diese Übungen wiederholen den Stoff aus *Ideen 1–3*. In den Grammatikübersichten im Kursbuch 3 findest du mehr zu diesem Thema.

Lerntipp — Hier findest du nützliche Hinweise zum Selbstlernen.

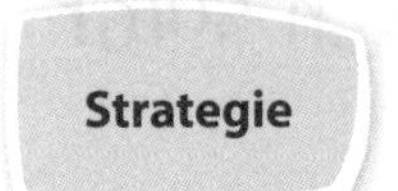

Lernstrategie-Tipps für die Fertigkeiten Hören, Lesen und Schreiben

Wer? Wie? Was? Wo?

1 Partnerinterviews. Ron hat Nadira interviewt, Inès hat mit Paolo gesprochen. Danach haben sie Texte über ihre Partner geschrieben. Lies die Texte. Was interessiert Nadira und Paolo besonders?

Das ist Nadiras letztes Jahr in der Schule. Es ist schwierig für sie, nach einem wunderbaren Sommer wieder mit der Schule anzufangen. Den Sommer hat sie **a** in der Türkei bei ihren Großeltern verbracht. **b** Nadira würde später am liebsten Schauspielerin werden, sie hat schon bei einem Filmprojekt mitgemacht. Ihre beiden **c** Brüder, Mustafa und Fikret, sind **d** jünger als sie. Die haben im Moment nur Fußball im Kopf. Nadira hat leider nicht viel Zeit, Freunde zu treffen. Unter der Woche muss sie für die Schule lernen und am Wochenende arbeitet sie im Restaurant ihres Vaters. **e** Dort verdient sie auch ein bisschen Geld.
Ron

Nadira interessiert sich für ... Schauspielerei

Wenn das Wetter schlecht ist, **f** verbringt Paolo seine Zeit am liebsten vor dem Computer. **g** Als Kind durfte er nie den Computer seiner Eltern benutzen, heute hat er seinen eigenen Laptop. Wenn das Wetter gut ist, trifft er sich aber lieber mit seinen Freunden auf verschiedenen Plätzen in der Stadt. Dort fahren sie mit ihren Skateboards. Paolo hat ein Trickfahrrad, das er dann immer dabei hat. Er ist schon ziemlich gut auf dem Rad. **h** Am meisten stört es ihn, wenn die Polizei das Skateboarden und Fahrradfahren auf den Plätzen in der Stadt verbieten will.
Inès

Paolo interessiert sich für ... Computer, und wenn er Freunde trifft geht er Skateboarden und Fahrradfahren.

2 Lies die Texte in Übung 1 noch einmal. Was waren wohl Inès' und Rons Interviewfragen zu den unterstrichenen Sätzen (a-h)?

3 Schreib einen Text zu deinem Interview aus dem Kursbuch. Die Beispiele in Übung 1 können dir helfen.

4 Das interessiert mich ... Nadira und Paolo haben Interviewfragen zu einem Thema geschrieben, das sie interessiert. Wer hat welche Fragen geschrieben? Ordne zu und schreib die Fragen.

N Nadira **P** Paolo

a viel Text – du – musstest – sprechen – ? N *Musstest du viel Text sprechen?*
b den Film – hat – man – gezeigt – wo – ? N Wo hat man den Film gezeigt?
c du – Angst – bei deinem ersten Trick – hattest – ? P Hattest du Angst bei deinem ersten Trick?
d du – gestürzt – schon einmal – schwer – bist – ? P Bist du shon einmal schwer gestürzt?
e dein schwierigster Trick – ist – was – ? P Was ist dein schwierigster Trick?
f hast – Rolle – du – welche – gespielt – in dem Film – ? N Hast du in dem Film Rolle gespielt?
g gekostet – hat – wie viel – dein Trickfahrrad – ? P Wie viel has dein Trickfahrrad gekostet
h das Gefühl – wie – war – zu – dich selbst – sehen – in diesem Film – ?
N Wie war das Gefühl in diesem Film dich selbst sehen?

5 Schreib einen Text über ein Thema, das dich besonders interessiert.

A2 **1** **Was weißt du noch? Ordne zu und ergänze die Wörter.**

✪ selbstständig ✪ unterrichten ✪ Inzwischen ✪ Pflegern ✪ ~~ungefähr~~ ✪ begann ✪ ✪ lernte ✪ erste ✪ sah ✪ Zeichen ✪ Lebewesen ✪ Mensch ✪ Afrika ✪ gefiel ✪

a Washoe war *ungefähr* ein halbes Jahr alt, ... (→ 6)
b Dort .... man ...
c Das .... „Wort" , das Washoe lernte, ...
d Wenn sie etwas Neues .... , ...
e Bald konnte Washoe ihren .... sagen, ...
f Ihr Sohn Loulis .... die Gebärdensprache von seiner Mutter, ...
g .... gibt es viele weitere Projekte mit Primaten, ...

1 ... Washoe in der Gebärdensprache zu ....
2 ... die zeigen, dass nicht nur Menschen sprachbegabte .... sind.
3 ... kein .... half ihm dabei.
4 ... was ihr .... und was sie nicht mochte.
5 ... war das .... für „mehr".
6 ... als sie von .... in die USA kam.
7 ... konnte Washoe dafür .... neue „Wörter" bilden.

B Grammatik und Wortschatz

Präteritum, temporale Nebensätze mit *als* und *(immer) wenn*

B1 **2** **Finde die Wörter im Kursbuch (A-B) und schreib die Definitionen. Schreib auch jeweils einen Satz wie im Beispiel.**

A1a ~~mitteilen~~ A1a umarmen A1a küssen A1a sich wohlfühlen A1a Vertrauen haben A1a warnen A2a gelingen A2a verwenden A2a selbstständig A2a erleben A2c die Voraussetzung B1 umziehen B1 pflegen B1 sich nähern B1 verlangen B1 der Handel B1 töten B1 sich beruhigen B1 der Tod

mitteilen ≈ jmdm. etwas sagen – Was möchten uns die Tiere mitteilen?

B2 **3** **Ergänze die Verben im Präterium. Welche Erfahrungen mit Tieren waren positiv ☺, welche waren weniger positiv ☹? Zeichne Smileys.**

a ⊙ Bist du schon einmal auf einem Pferd geritten?

◆ Als Kind *(wollen)* …… ich das immer. Letzten Sommer *(reiten dürfen)* …… ich dann einmal auf einem Pferd ……, aber es *(sein)* …… gar nicht so toll.

b □ *(sein)* …… du schon einmal auf einem Bauernhof auf Urlaub?

▶ Ja schon öfter. Das *(sein)* …… immer toll.
Wir *(melken dürfen)* …… sogar die Kühe …….

c ⊙ *(haben)* …… du jemals ein Haustier?

◆ Ja, ich *(haben)* …… einmal Meerschweinchen, aber ich *(mögen)* …… sie nicht wirklich. Jede Woche *(putzen müssen)* …… ich ihren Käfig …… und sie *(sein)* …… ziemlich langweilige Tiere.

d □ Ihr *(sollen)* …… doch schon seit zwei Stunden zu Hause sein. Wo *(sein)* …… ihr so lange?

▶ Wir *(sein)* …… im Zoo. Man *(sehen können)* …… heute zum ersten Mal die Löwenbabys ……, die sind total süß.

B2 **4** **Finde die Präteritum-Formen der Infinitive und ordne sie in der Tabelle zu.**

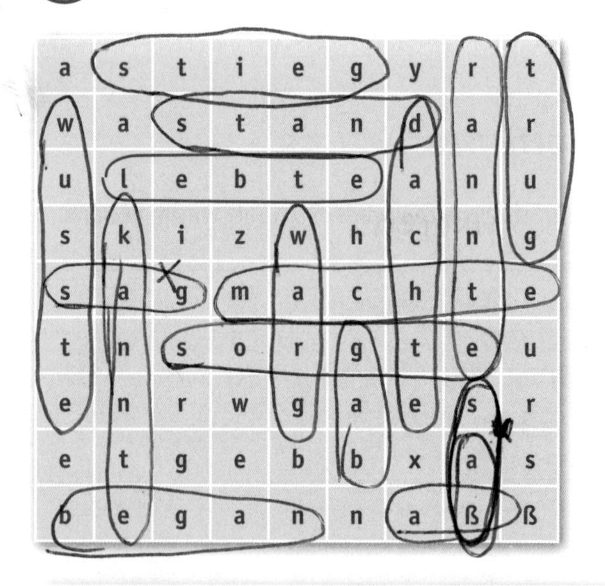

Infinitive:
✪ stehen ✪ denken ✪ sitzen ✪ leben ✪
✪ geben ✪ machen ✪ steigen ✪
✪ sein ✪ wissen ✪ rennen ✪ tragen ✪
✪ beginnen ✪ essen ✪ kennen ✪ sorgen ✪

Präteritum mit -te (wie *wollte*)	Präteritum Mischverben (wie *brachte*)	Präteritum besondere Verben (wie *war*)	

B2 **5 Lies die Sätze, unterstreiche die Verben im Präteritum und schreib den Infinitiv wie im Beispiel.**

a Das alles passierte im Jahr 1979. *passieren*
b Washoe bekam ein Baby. bekommen
c Washoes Baby starb bei der Geburt. sterben
d Washoe ging es sehr schlecht. gehen
e Roger Fouts schlug vor, ein anderes Baby für Washoe zu suchen. vorschlagen
f Die Wissenschaftler fuhren zu einer Primatenstation. fahren
g Dort sah Roger Fouts einen kleinen Schimpansen. sehen
h Roger Fouts nannte ihn Loulis. nennen
i Er holte ihn aus seinem Gefängnis und brachte ihn zu Washoe. holen, bringen

B2 **6 Loulis wird von Roger Fouts abgeholt. Lies den Text und ergänze die Verben im Präteritum.**

... Wir **a** *(gehen)* *gingen* einen langen Gang entlang. Im Gang **b** *(stehen)* standen Schimpansenkäfige. In jedem Käfig **c** *(sitzen)* saßen ein oder zwei Schimpansen. Einige starrten stumm vor sich hin, andere **d** *(schreien)* schrien wie verrückt. Es war schrecklich. Wir **e** *(sehen)* sahen diese intelligenten Lebewesen in ihren Käfigen sitzen, ganz ohne jeden sozialen Kontakt. Was die Sache noch schlimmer **f** *(machen)* machte: In keinem Käfig **g** *(geben)* gab es ein Spielzeug, einen Ast oder auch nur eine Decke. Der Chef des Primateninstitutes **h** *(bringen)* brachte uns dann zum „Kinderzimmer". Beim Namen „Kinderzimmer" **i** *(denken)* dachte ich an ein gemütliches, warmes Spielzimmer für Schimpansenkinder. Doch das Spielzimmer **j** *(sein)* war nur ein leerer Raum mit zwei Käfigen. Wir **k** *(holen)* holten Loulis aus seinem Gefängnis und **l** *(fahren)* fuhren mit ihm so schnell es ging zu Washoe, seiner Adoptivmutter ...

B2 **7 Was gefiel Roger Fouts im Institut nicht ⊖? Wie muss die Situation für die Schimpansen sein, wenn sie sich wohlfühlen und gut lernen sollen ⊕? Mach zwei Listen mit Stichwörtern.**

⊖ *Die Schimpansen saßen ...* ⊕ *Schimpansen sollten ...*

B3 **8 Erzähle die Geschichte von Arko und Ambra. Ordne die Sätze zu und finde das Lösungswort.**

a Arko traf Ambra,
b Arko freute sich sehr,
c Auch Ambra freute sich,
d Als Arko sie vier Monate später wieder traf,
e Als Arko ihre Kinder sah,

1 hatte Ambra vier Kinder.
2 als er Ambra am nächsten Tag im Park wiedersah.
3 als er im Park spazieren ging.
4 verlor er das Interesse an Ambra.
5 als sie ihn wiedererkannte.

Lösungswort: (U H D E N) H U N D E sind schlechte Väter.

B3 **9** **Unterstreiche *als* und das Verb in den Sätzen in Übung 8 wie im Beispiel.**

Arko traf Ambra, als er im Park spazieren ging.

Lerntipp – Wortschatz
Achtung: *als* hat mehrere Bedeutungen:
1 *Als ich drei Jahre alt war, bekam ich mein erstes Haustier.* = Wann? *als* + Nebensatz in der Vergangenheit (meistens mit Präteritum)
2 *Jan ist älter als Julian.* = Vergleich
3 *Er arbeitet als Arzt.* = Rollenbezeichnung / Berufsbezeichnung

B3 **10** **Vergleiche die Biografien der Geschwister und schreib Sätze mit *als*. Welches Ende gefällt dir besser? Schreib zwei weitere Sätze.**

	a	b	c	d	e		
Ruth	in den Kindergarten kommen	ersten Milchzahn verlieren	lesen lernen	ins Gymnasium kommen	mit dem Studium beginnen	...	...
Benni	in die Schule gehen	erstes Fahrrad bekommen	im Verein Fußball spielen	mit der Schule aufhören	als Fußballprofi ins Ausland gehen	...	...

a Als Ruth in den Kindergarten kam, ging Benni schon ... in die Schule
b Als Benni ... sein erstest Fahrrad bekam verlor Ruth gerade ... ihren ersten Milchzahn
c

B3 **11** **Mit dem alten Nachbarn gab es Probleme, jetzt ist alles besser. Finde die Sätze und ordne zu: Welche Sätze passen zum neuen Nachbarn, welche zum alten Nachbarn?**

a Immer wenn wir in Urlaub fahren,
b Immer wenn unsere Katze in seinem Garten war,
c Jedes Mal wenn wir eine Party gefeiert haben,
d Wenn es im Sommer sehr heiß ist,
e Immer wenn wir nicht zu Hause waren,
f Wenn wir für eine Party Teller und Gläser brauchen,

1 können wir sie bei ihm ausleihen.
2 wollte er die Polizei anrufen.
3 passt er auf unsere Katze auf.
4 hat er einfach unsere Gartenstühle benutzt.
5 dürfen wir seinen Pool benützen.
6 hat sein Hund sie gejagt.

Unser alter Nachbar: Immer wenn unsere Katze ... in seinem Garten war, hat sein Hund sie gejagt.

Der neue Nachbar: Immer wenn wir in Urlaub fahren, füttert er unsere Katze. Wenn es im Sommer sehr heiß ist, dürfen wir seinen Pool benützen.

B3 **12** **Ergänze *als* und *wenn*.**

a Als ich ein Kind war, war Britta jahrelang meine beste Freundin. Wir trafen uns jeden Tag. Immer **b** wenn wir zusammen im Park waren, kletterten wir auf einen Baum und erzählten uns Geschichten. Und **c** wenn es im Sommer sehr heiß war, sprangen wir in den See im Park und schwammen.
d Als dann aber Susanne in unsere Klasse kam, wurde alles anders. Britta reagierte gar nicht mehr, **e** wenn ich sie fragte, ob wir in den Park gehen wollen. Jeden Tag, **f** wenn die Schule aus war, ging sie einfach mit Susanne fort und ließ mich alleine stehen. Zuerst war ich tief traurig, **g** als ich merkte, dass Britta nicht

mehr meine Freundin war. Aber **h** als ich aufs Gymnasium kam, lernte ich viele neue Freunde kennen und war nicht mehr traurig. Heute tut es Britta wohl leid, denn immer **i** wenn ich sie auf der Straße treffe, ist sie sehr nett und wir unterhalten uns kurz. Aber Freundinnen sind wir nicht mehr.

B3 **13** **Schreib mindestens fünf persönliche Sätze.**

Als ich zum ersten Mal im Schwimmbad / im Kino / ... war, ...
Immer wenn ich krank war, ...
Ich habe mein erstes Haustier bekommen, als ...
Meinen Eltern habe ich nichts gesagt, als ...
Ich habe mein erstes Handy bekommen, als ...
Als ich zum ersten Mal im Ausland war, ...
Immer wenn ich bei meinem Freund / bei meinen Großeltern / ... war, ...
Immer wenn ich Angst hatte, ...
Ich war glücklich / traurig / wütend / ..., als ...

Wenn ich war fier yare alt, habe ich meinem bein gebrochen. Aber als ich im krackenhause war habe ich fiel geweint. Als ich klein war, war mene lieblichs fabe pink aber getst es ist blau. Aber das can auch neon faben, so wie gelb, grün, blau, pink, liela und orange.

C Wortschatz

Sprache, Körpersprache

C1 **14** **Was machen die Leute? Ergänze die passenden Verben.**

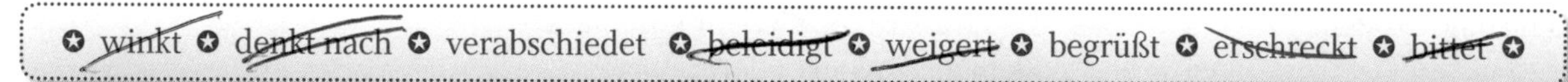
winkt · denkt nach · verabschiedet · beleidigt · weigert · begrüßt · erschreckt · bittet

a „Aaah! Was war denn das?"
Jemand erschreckt sich.

d „Ach bitte, komm doch mit!"
Jemand bitter um etwas.

b „Spinnst du? Du Idiot!"
Jemand beleidigt jemanden.

e „Warte mal. ... Wie war das gleich?"
Jemand denkt nach.

c „Hallo!" oder „Tschüs!"
Jemand begrüßt oder verabschiedet jemanden, sie / er winkt mit der Hand.

f „Nein, das mache ich nicht!"
Jemand weigert sich, etwas zu tun.

C2 **15 Was passt? Ordne zu.**

a Ich kann mit ihm kein Gespräch führen.
b Sie schaut immer weg, wenn du mit ihr sprichst.
c Ich freue mich immer, wenn ich sie sehe.
d Du nickst mit dem Kopf.
e Er hat die Arme verschränkt und sich zurückgelehnt.
f Sie haben dieselbe Art zu sprechen.
g Er hat mir sicher zugehört.

1 Ganz besonders mag ich ihr angenehmes Lächeln.
2 Ich denke, sie verstehen sich wirklich gut.
3 Vielleicht will sie gar nicht hören, was du sagst.
4 Er gestikuliert immer so wild mit seinen Händen.
5 Er hat mir in die Augen geschaut und genickt.
6 Das heißt, du gibst mir recht, richtig?
7 Er war ganz sicher nicht einverstanden.

D Hören: Alltagssprache

D **16 Was weißt du noch? Ordne zu.**

a Ben hat Lisa lange nicht gesehen. 5
b Lisa erzählt von ihren Berufsplänen. 3
c Ben erzählt von seinem Ferienjob. 4
d Ben warnt Lisa vor einem Hund. 2
e Frau Dr. Lehnhardt denkt anders über ihren Hund als Ben. 1

1 ☐ Rollo ist absolut friedlich, ein bisschen verspielt vielleicht, aber sonst ...
◆ ... Sie lässt ihn wirklich frei laufen.

2 ◆ Radfahrer mochte er überhaupt nicht, die wollte er alle beißen ... Das gibt's nicht. Da vorne, das ist er! Komm dem Köter ja nicht zu nahe!

3 ⊙ ... Bei Expeditionen mitmachen, das würde mir später mal gefallen.
◆ Das wär' nichts für mich. Ich hatte im Sommer genug Praxis.

4 ◆ Ich habe die Hunde ausgeführt, immer drei oder vier gleichzeitig.
⊙ Klingt gut.

5 ◆ Hi, Lisa. Bist du wieder in Bremen?
⊙ Sieht ganz so aus, oder?
◆ Naja, vielleicht bist du ja nur zu Besuch hier. Wär' doch möglich.

D **17 Was passt? Ordne zu und ergänze den Dialog.**

Wär' doch ...	... gut
Lange nicht ...	... möglich
Sieht ganz ...	... gesehen
das wär' nichts ...	... lieber nicht zu nahe
Klingt ...	... für mich
dem komme ich ...	... so aus

Tim: Hi Arno! a Lange nicht gesehen.
Arno: Hallo Tim, bist du wieder in Köln?
Tim: b Sieht ganz so aus, oder?
Arno: Na ja vielleicht bist du nur zu Besuch hier.
c Wär' doch möglich, oder?

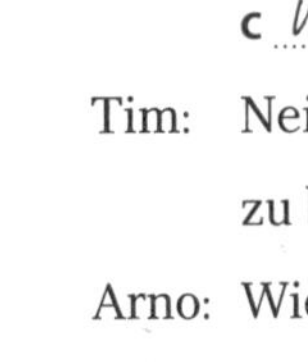

Tim: Nein, ein Jahr in Paris ist genug. Für immer dort zu bleiben, d das wär nichts für mich.
Arno: Wie wär's mit einem Kaffee?
Tim: e Klingt gut, jetzt gleich?
Arno: Ja, gehen wir zu Angelo. In seinem Café gibt's noch immer den besten Cappuccino.
Tim: Nein, f dem komme ich lieber nicht zu nahe. Kannst du dich an die Geburtstagsparty erinnern? Die war vielleicht doch etwas zu wild. Er war ziemlich sauer.
Arno: Ach komm, das war vor einem Jahr, das hat er längst vergessen.

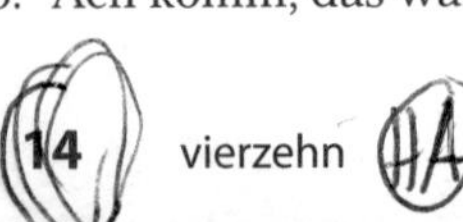

Aussprache

18 **Was hörst du? Hör die Dialoge und unterstreiche.** 1 2

a ⊙ Hast du den Maulkorb für Rollo?
◆ Ja, ich gebe ihn | geb'n dir gleich. ✓

b ⊙ Warum gehst du nicht hinein?
◆ Ich habe | hab' Angst. Sie haben 'nen | einen Hund. ✓

c ⊙ Wie kommst du nach Hause?
◆ Ich hab'n | habe ein Fahrrad. ✓

d ⊙ Seit letztem Monat spiel' | spiele ich Tennis.
◆ Toll. Macht's | Macht es Spaß? ✓

e ⊙ Kommst du mit?
◆ Das | – geht nicht. ✓

19 **Ergänze die Regeln.**

geschriebene Sprache	gesprochene Sprache (sehr oft)
Ich **habe**, **spiele**, **gehe**, ...	Ich hab', ... ich spiel', ich geh'
ein Fahrrad, **ein** Auto, ...	'n* Fahrrad, 'n Auto
einen Hund, **einen** Koffer, ...	'nen Hund, 'nen Koffer
Ich **gebe ihn** dir, ich **habe ihn** verloren, ...	Ich geb'n dir, ich hab'n verloren
Macht es Spaß? **Geht es** dir gut? ...	Macht's Spaß? Geht's dir gut?
Das geht nicht. **Das** klingt gut, ...	-geht nicht, - klingt gut

einen buch/'nen buch.

20 **Wie klingt das wohl in der gesprochenen Sprache? Ändere die unterstrichenen Dialogteile. Hör zu und sprich nach.** 1 3

⊙ Ich **a** komme nicht mit. Ich komm' nicht mit. ✓

◆ Hast du **b** ein Problem? Hast du 'n Problem?

⊙ Kein Problem, aber **c** einen Termin, ... mit Ralf. Kein Problem, aber 'nen Termin, ... mit Ralf.

◆ **d** Das klingt interessant. Wie geht **e** es ihm? Ich **f** habe ihn schon lange nicht gesehen. Klingt interessant. Wie geht's ihm? Ich hab'n schon lange nicht gesehen.

E Grammatik

du – Sie, Gebrauch von Perfekt und Präteritum

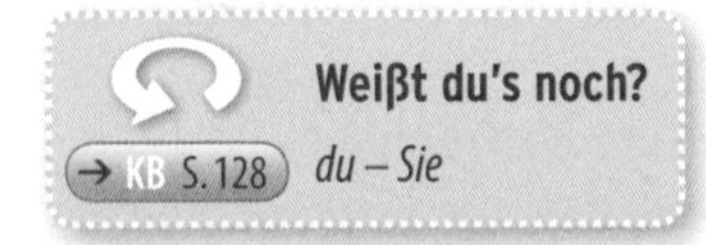

E1 **21** **Ergänze die Pronomen und Artikel in der Tabelle.**

	„Duzen"		„Siezen" (Singular und Plural)
	Singular	Plural	
Nominativ		*ihr*	
Akkusativ	*dich*		
Dativ		*euch*	
Possessivartikel	Ist das .... Computer? .... Buch? .... Tasche? Sind das .... Bücher?	Ist das .... Computer? .... Buch? .... Tasche? Sind das .... Bücher?	Ist das *Ihr* Computer? .... Buch? .... Tasche? Sind das .... Bücher?
Indefinitpronomen	Ist das *deiner/deins/* ....? Sind das .... ?	Ist das *eurer/eures/eure*? Sind das .... ?	Ist das .... ? Sind das .... ?

E1 **22** **Ergänze die richtigen Artikel und Pronomen aus Übung 21. Welche Tiere werden in den Dialogen genannt? Unterstreiche die Tiere.**

a
- ⊙ Ist das *dein* Buch, Thomas?
- ◆ Wie bitte?
- ⊙ Ich habe .... gefragt, ob das Buch .... gehört.
- ◆ „Menschenaffen in Afrika"? Nein, sicher nicht.
- ⊙ Ich habe gedacht, es ist .... Vom wem habe ich das Buch wohl ausgeliehen?

b
- ⊙ Ich habe .... beide schon gesucht.
- ◆ Warum?
- ⊙ Gerda und ich haben zwei Kinokarten für „Unter Haien". Die können wir .... schenken.
- ◆ Toll! Warum könnt .... nicht gehen?
- ⊙ Wir haben heute eine Konzertprobe.

c
- ⊙ Gefällt .... das rote Auto dort drüben, Frau Bäcker?
- ◆ Ist das .... ? Die kleine Katze vorne auf dem Auto finde ich hübsch.
- ⊙ Das ist ein Jaguar. Wollen .... eine Probefahrt machen?
- ◆ Mit .... immer, Herr Neubauer.

Lerntipp – Grammatik
Duzen oder Siezen?
Jugendliche duzen sich. Auch in der Familie und unter Freunden duzt man sich. Jugendliche sollten Erwachsene siezen. Erwachsene müssen ausmachen, ob sie sich duzen oder siezen. Meist bietet der ältere Erwachsene dem jüngeren das *Du* an.

E2 **23** **Hör Ralfs Geschichte. Schreib dann die Sätze (a-h) und ordne sie Ralf oder den Kindern der Nachbarn zu.** 1 4

a haben – den Hund – gelassen – Wir – aus dem Haus – .
b ist – passiert – Etwas Seltsames – .
c ist – ein Hase – Vor einigen Tagen – gestorben – .
d gebracht – hat – einen toten Hasen – Der Hund – .
e begraben – haben – ihn – Wir – im Garten – .
f dieser Hase – wieder – in seinem Käfig – hat – Einige Tage später – gelegen – .
g den Hasen – Ich – sauber gemacht – habe – .
h ihn – in den Käfig – ich – habe – gelegt – Dann – .

Das hat Ralf erzählt:

a Wir haben den Hund aus dem Haus gelassen
d) Der Hund hat einen toten Hasen gebracht.
g) Ich habe den Hasen sauber gemacht. h) Dann habe ich ihn in den Käfig gelegt

Das haben die Kinder des Nachbarn erzählt:

b) Etwas Seltsames ist passiert.
c) Vor einigen Tagen ist ein Hase gestorben
e) Wir haben ihn im Garten begraben.
f) Einige Tage später hat diese Hase wieder in seinem Käfig

E2 **24** **Unterstreiche das Perfekt in Übung 23 wie im Beispiel.**

Wir haben den Hund aus dem Haus gelassen.

Weißt du's noch?
→ KB S. 128 Perfekt

E2 **25** **Ergänze das Präteritum.**

Hund rettet Familienglück

„Dass wir wieder alle zusammen sind, das verdanken wir Senta", meint die zwölfjährige Sabrina N. „Es ist eine unglaubliche Geschichte." Alles **a** *(beginnen)* begann im Oktober letzten Jahres, als sich Sabrinas Eltern nach einem Streit **b** *(trennen)* trennten. Die Mutter **c** *(bleiben)* blieb mit den beiden Kindern in Neuringen, der Vater **d** *(ziehen)* zog mit der Hündin Senta nach Ottensburg. Ottensburg liegt 150 km von Neuringen entfernt. Der Vater **e** *(sehen)* sah vom ersten Tag an, dass sich der Hund in der neuen Stadt nicht **f** *(wohlfühlen)* wohlfühlte. Eines Tages **g** *(sein)* war Senta weg. Der Vater **h** *(suchen)* suchte den Hund überall. Er **i** *(schreiben)* schrieb Flugblätter und **j** *(aufgeben)* gab Anzeigen in der Zeitung auf, doch Senta **k** *(bleiben)* blieb verschwunden. Vier Wochen später **l** *(bekommen)* bekam Sabrinas Vater einen Anruf aus Neuringen. Seine Frau **m** *(sein)* war am Telefon: „Senta ist wieder da, gestern hat sie todmüde vor unserer Tür gelegen", erzählte sie. Als Sabrinas Eltern **n** *(sehen)* sahen, wie wichtig die Familie für Senta **o** *(sein)* war, **p** *(beschließen)* beschloßen sie, wieder zusammenzuziehen.

E2 **26** **Erzähle die Geschichte aus der Sicht von Sabrina, Sabrinas Vater oder Sabrinas Mutter im Perfekt.**

Sabrina: Meine Eltern haben sich getrennt. Mein Vater ist nach Ottensburg gezogen. Er hat Senta mitgenommen. Ich bin mit meinem Bruder bei meiner Mutter geblieben. Eines Tages ist Senta verschwunden. Zum Glück ist Senta wieder zu uns gekommen. Schließlich ist Papa wieder zu uns gezogen.

Finale: Fertigkeitentraining

27 **Lies Lisas E-Mail. Warum kann sie nicht mit Carla telefonieren? Was möchte sie wissen? Unterstreiche Lisas Fragen.**

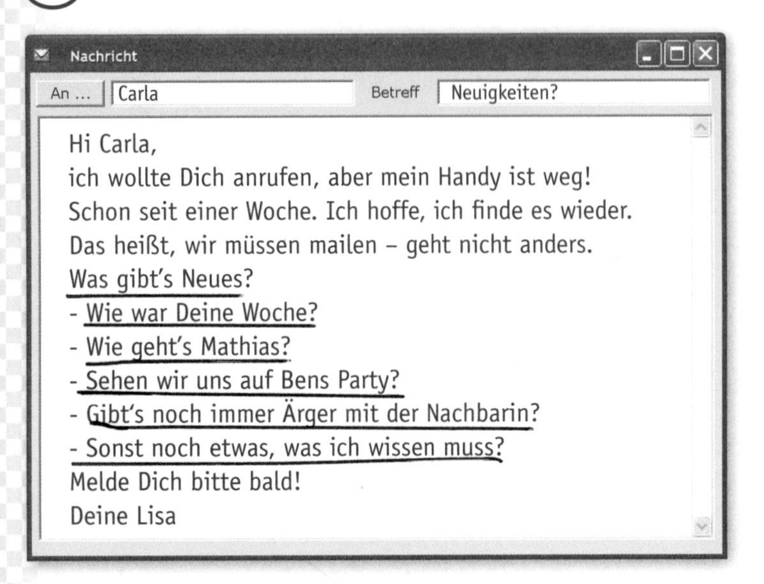

Nachricht

An ... Carla Betreff Neuigkeiten?

Hi Carla,
ich wollte Dich anrufen, aber mein Handy ist weg!
Schon seit einer Woche. Ich hoffe, ich finde es wieder.
Das heißt, wir müssen mailen – geht nicht anders.
Was gibt's Neues?
- Wie war Deine Woche?
- Wie geht's Mathias?
- Sehen wir uns auf Bens Party?
- Gibt's noch immer Ärger mit der Nachbarin?
- Sonst noch etwas, was ich wissen muss?
Melde Dich bitte bald!
Deine Lisa

28 **Lies Carlas E-Mail. Welche Fragen beantwortet sie Lisa? Was stimmt mit den unterstrichenen Textteilen nicht?**

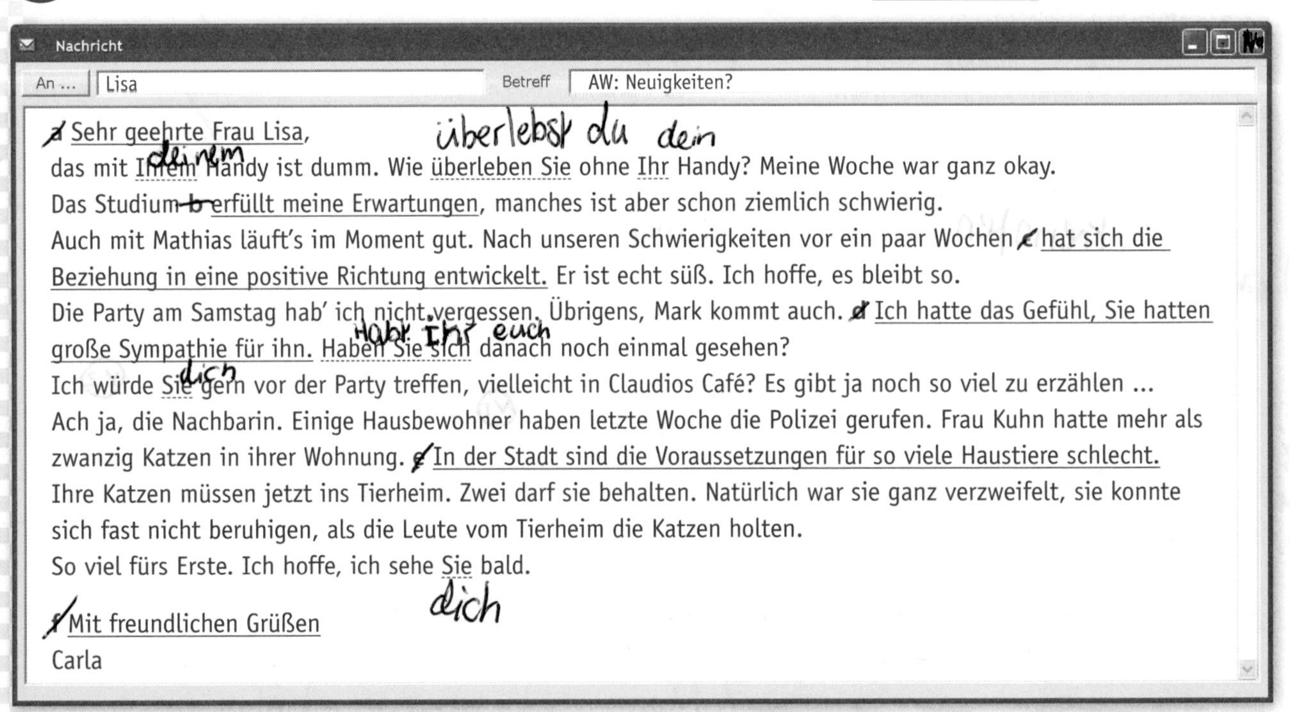

Nachricht

An ... Lisa Betreff AW: Neuigkeiten?

Sehr geehrte Frau Lisa,
das mit Ihrem Handy ist dumm. Wie überleben Sie ohne Ihr Handy? Meine Woche war ganz okay.
Das Studium erfüllt meine Erwartungen, manches ist aber schon ziemlich schwierig.
Auch mit Mathias läuft's im Moment gut. Nach unseren Schwierigkeiten vor ein paar Wochen hat sich die Beziehung in eine positive Richtung entwickelt. Er ist echt süß. Ich hoffe, es bleibt so.
Die Party am Samstag hab' ich nicht vergessen. Übrigens, Mark kommt auch. Ich hatte das Gefühl, Sie hatten große Sympathie für ihn. Haben Sie sich danach noch einmal gesehen?
Ich würde Sie gern vor der Party treffen, vielleicht in Claudios Café? Es gibt ja noch so viel zu erzählen ...
Ach ja, die Nachbarin. Einige Hausbewohner haben letzte Woche die Polizei gerufen. Frau Kuhn hatte mehr als zwanzig Katzen in ihrer Wohnung. In der Stadt sind die Voraussetzungen für so viele Haustiere schlecht.
Ihre Katzen müssen jetzt ins Tierheim. Zwei darf sie behalten. Natürlich war sie ganz verzweifelt, sie konnte sich fast nicht beruhigen, als die Leute vom Tierheim die Katzen holten.
So viel fürs Erste. Ich hoffe, ich sehe Sie bald.

Mit freundlichen Grüßen
Carla

29 **Ersetze die unterstrichenen Satzteile in Übung 28 (a-f) den Satzteilen (1-6). Ersetze auch alle *Sie*-Formen durch *Du*-Formen.**

1 ☐ Du fandest ihn ja ganz sympathisch, das letzte Mal, oder?
2 ☐ Alles Liebe
3 ☐ Das geht einfach nicht, wir wohnen ja nicht auf dem Land, sondern mitten in der Stadt.
4 ☐ Liebe Lisa,
5 ☐ läuft ganz gut,
6 ☐ geht's jetzt besser.

30 Hör die Interviews. Sind die Aussagen richtig oder falsch? Welche Tiere haben die Sprecher zu Hause?

Strategie – Beim Hören

Bei dieser Aufgabe hörst du mehrere Sprecher, die zum selben Thema ihre Meinung sagen.

- Lies die Aussagen gut durch. Konzentriere dich auf Negationen (*nicht, kein, ohne* usw.) und auf die Unterschiede zwischen den Aussagen.
- Im Hörtext benutzen die Sprecher manchmal andere Wörter als in den Aussagen. Denk daran, wie man die Meinung des Sprechers eventuell anders sagen kann, wenn du die Aussage liest.
  Zum Beispiel: *In einer Stadtwohnung sollte man nur Goldfische halten.* ≈ *In einer Stadtwohnung sollte man keine anderen Tiere außer Goldfische halten.*
- Manchmal glaubt man, dass der Sprecher einer Aussage zustimmt, in Wirklichkeit sagt er das Gegenteil.
  Zum Beispiel: *Manche Menschen denken, dass ..., aber ich finde ...*
- Achtung: Bei dieser Aufgabe geht es um die Meinung der Sprecher, nicht um deine eigene Meinung.

	richtig	falsch
Person 1: In einer Stadtwohnung sollte man nur Goldfische halten. eigene Tiere: 20 fische	✓	☐
Person 2: In der Stadt sollte es nur kleine Hunde geben. eigene Tiere: ein hund wofy	✓	☐
Person 3: Haustiere sind in der Stadt kein Problem. eigene Tiere: Hühner, Hunde und Katzen	☐	✓
Person 4: Exotische Tiere kann man nicht in einer Stadtwohnung halten. eigene Tiere: Schlangen	☐	✓

Du hast ein Haustier, das deinen Nachbarn stört, oder dein Nachbar hat ein Haustier, das dich stört. Schreib eine E-Mail an eine Freundin / einen Freund und erzähle ihr / ihm von deinem Problem.

Schreib etwas zu allen vier Punkten unten. Überlege dir eine passende Reihenfolge für die Punkte.

- 2. Was stört dich / deinen Nachbarn?
- 4. Was hast du schon getan, um das Problem zu lösen?
- 3. Welche Ratschläge hast du schon bekommen?
- 1. Was für ein Haustier hast du / hat dein Nachbar?

Nachricht

An ... Marleen | Betreff

1. Meine Nachbarien hat einen großen hund der dauernd bellt. Das geht mir total auf die Nerven. Meine Mama hat mir geraten, mir Ohr-stöpsel zu besorgen. Ich hohre jetst immer laute Musik, und benotze kopf hohre.

Lernwortschatz

Nomen

Vertrauen, das (Sg.)	trust
Laune, die, -n	feeling
Zeichen, das, –	sign
Kommunikation, die (Sg.)	communication
Stimme, die, -n	voice
Gegenstand, der, ⸚e	everything
Form, die, -en	form
Voraussetzung, die, -en	require
Station, die, -en	station
Geburt, die, -en	birth
Heim, das, -e	home
Tod, der, -e	died
Ecke, die, -n	corner
Handel, der (Sg.)	customer ↕
Kunde, der, -n	trade
Vergangenheit, die, -en	past
Gegenwart, die (Sg.)	
Inhalt, der, -e	
Spiegel, der, -	mirror
Rolle, die, -n	
Kontakt, der, -e	contact
Erwachsene, die/der, -n	
Situation, die, -en	situation
Richtung, die, -en	direction
Polizist, der, -en	police
Geschwindigkeit, die, -en	
Unterschied, der, -e	
Reihenfolge, die, -n	
Wunde, die, -n	
Abfahrt, die, -en	
Beziehung, die, -en	
Wagen, der, -	weighing scale

Verben

verteilen	share
mitteilen	tell
umarmen	hug
küssen	kiss
sich wohlfühlen	to feel well
warnen	warning
gelingen	succeed
verwenden	use
erleben	experience
sich unterhalten	chat
erfüllen	fulfill
fangen	catch
sterben	die
umziehen	move house
pflegen	
sorgen (für jmdn.)	worrie
etw./jmdn. wiegen	weigh
sich nähern	
verlangen	
sinken	sink
töten	dieing
springen	jump
schreien	scream
sich beruhigen	
begrüßen	
jmdn. verabschieden	
winken	
jmdn. beleidigen	
sich weigern	
sich erschrecken	
nachdenken	
nicken	
lächeln	
beißen	
behandeln	
sich trennen (von jmdm.)	
jmdn. retten	
stoßen	
beobachten	
entwickeln	
füttern	
fressen	
(sich) umdrehen	

Adjektive

selbstständig	
stumm	don't speek
ähnlich	
angenehm	
wild	wild
fair	fair
schriftlich	
gebrochen sein (sich etw. brechen)	
fröhlich	
aufmerksam	
schlimm	

andere Wörter

einzig- ....
allerdings ....
kaum ....
ebenfalls ....
jeweils ....
jedoch ....

Wichtige Wendungen

über Gefühle sprechen

Das Gespräch war angenehm.
Mein Partner hat mich nie angeschaut, das hat mich nervös gemacht.

Alltagssprache

Lange nicht gesehen.
Sieht ganz so aus, oder?
Wär doch möglich.
Das wär' nichts für mich.
Klingt gut.

Das kann ich jetzt ...

	... gut.	... mit Hilfe.	Das übe ich noch.

1 Wörter

Ich kann zu den Themen sechs Wörter nennen:

	... gut.	... mit Hilfe.	Das übe ich noch.
a Sprache: *mitteilen*, fröhlich, schlimm, selbstständig, wild, schriftlich	✓	✓	○
b Körpersprache: *nicken*, fangen, winken, fressen, küssen, trinken, beißen	✓	✓	○

2 Sprechen

	... gut.	... mit Hilfe.	Das übe ich noch.
a Von einer Begegnung mit Tieren erzählen: *Letzten Monat habe ich ...*	✓	✓	○
b Erzählen, wie man sich bei einem Gespräch gefühlt hat: *Das Gespräch war angenehm. Ich habe mich gut gefühlt. Mein Partner hat mich nie angeschaut, das hat mich gestört.*	○	✓	○
c Von einem Unfall berichten: *Was ist passiert? Ich bin ...* nach hause *gefahren. Neben dem Fahrradweg standen zwei Frauen ...* mit einen hut auf.	✓	✓	○

3 Lesen und Hören

Die Texte verstehe ich:

	... gut.	... mit Hilfe.	Das übe ich noch.
a Mit Tieren sprechen → KB S. 11	✓	○	○
b Washoes Biografie → KB S. 12	✓	○	○
c Ein gutes Gespräch führen → KB S. 14	✓ und	✓	○
d Hundegeschichten → KB S. 15	✓	○	○
e Kiras Abschied → KB S. 17/144	○	✓	○

4 Schreiben

	... gut.	... mit Hilfe.	Das übe ich noch.
In einer E-Mail eine Geschichte erzählen.	○	✓	○

Das finde ich lustig!

A Text

A2 **1 Was weißt du noch? Kreuze die richtigen Antworten an.**

a Frau Lehmann findet Ideen für ihre Zeichnungen
- [x] in Tageszeitungen.
- [ ] auf der Straße.
- [ ] auch im Supermarkt.

b Es ist für Frau Lehmann wichtig,
- [x] dass ihr Publikum lacht.
- [ ] dass sie jeden Tag eine Karikatur zeichnet.
- [ ] dass sie keine Witze über wichtige Dinge macht.

c Frau Lehmann möchte
- [ ] Autoritätspersonen beleidigen.
- [ ] keine Witze über Autoritätspersonen machen.
- [x] zeigen, dass Autoritätspersonen normale Menschen sind.

d Wenn jemand Frau Lehmanns Karikaturen kritisiert,
- [ ] ärgert sie sich.
- [x] wundert sie sich manchmal.
- [ ] freut sie sich.

e Wenn man Karikaturen zeichnet,
- [ ] bildet man die Realität ab.
- [ ] zeichnet man Autoritätspersonen.
- [x] zeichnet man Situationen und Personen anders als in der Realität.

f Frau Lehmann meint, dass viele Menschen
- [ ] nicht in ihren Karikaturen vorkommen möchten.
- [x] gern von ihr gezeichnet werden.
- [ ] gern Karikaturen ansehen.

B Grammatik und Wortschatz

Plusquamperfekt, *nachdem*, Präpositionen

B1 **2 Lies die Definitionen und finde die passenden Wörter im Kursbuch (A-B). Schreib jeweils einen Satz wie im Beispiel.**

✪ sich beschweren ✪ verbinden ✪ übertreiben ✪ sich wundern ✪ durchschnittlich ✪ zufällig ✪ der Blick ✪ vorbei sein ✪ erscheinen ✪ das Zeug ✪ geschmacklos ✪

a A1a manchmal mehr, manchmal weniger, insgesamt aber eine bestimmte Zahl ≈ durchschnittlich

b A2a etwas wird gedruckt, sodass man es lesen kann ≈ ~~ersh~~ erschinen

c A2a jmdm. mitteilen, dass man nicht zufrieden ist ≈ sich beschweren – Nur einmal hat sich jemand beschwert.

d A2a etwas seltsam finden ≈ sich wundern
e A1a zu Ende sein ≈ vorbei sein
f A2a etwas passt nicht, hat keinen Stil ≈ gesmacklos
g A2a etwas größer/kleiner/... machen, als es ist ≈ übertreiben
h B1b wohin ich schaue ≈ der Blick
i B1b billige Sache, die stört ≈ das Zeug
j B1b nicht geplant ≈ zufällig
k B1b zwei Teile zusammenstecken ≈ verbinden

Lerntipp – Wortschatz

Wenn du ein neues Wort lernen möchtest, kannst du es in deine Muttersprache übersetzen und in dein Vokabelheft schreiben. **Zum Beispiel:** *sich beschweren (über etwas) = complain (about sth.)*

Besser ist es aber, die neuen Wörter im Kontext zu lernen. Wenn du das Wort richtig verwenden möchtest, musst du wissen, wie das Wort im Satz verwendet wird. Deshalb ist es besser, sich das Wort mit einem ganzen Satz zu merken. **Zum Beispiel:** *Haben sich Personen, die Sie gezeichnet haben, schon einmal beschwert?*

Interessante Sätze, die die neuen Wörter im Kontext zeigen, findest du im Kurs- und Arbeitsbuch. Du merkst dir die Wörter noch besser, wenn du mit ihnen persönliche Sätze schreibst.

B1 3 **In welcher Reihenfolge sind die Ereignisse passiert?**
Lies den Text, ergänze die Namen in den Sätzen (a-h) und ordne die Sätze chronologisch.

Der Mann im Schlafzimmer

Als Frau Esmeralda Klein von ihrem Urlaub nach Hause kam, war in ihrem Wohnzimmer eine furchtbare Unordnung: Überall auf dem Boden lagen Gegenstände und Kleider. Auf dem Esstisch standen Lebensmittel und schmutziges Geschirr. Esmeralda rief sofort die Polizei. Als die Polizisten kamen, fanden sie im Schlafzimmer einen Mann. Er lag in Esmeraldas Bett und schlief. Die Polizei hatte den Mann schon lange gesucht. Er hieß Bruno K. und war vor einiger Zeit aus dem Gefängnis ausgebrochen.

Bruno K. war durch das Fenster in Esmeraldas Wohnung gestiegen. Er hatte in der Wohnung nach Geld gesucht. Doch dann war er hungrig geworden. Im Kühlschrank hatte er Essen gefunden. Nach dem Essen hatte er sich in Esmeraldas Bett gelegt. Dort war er schließlich eingeschlafen.

E Esmeralda **B** Bruno K.

1 2 3 4 5 6 7 8
e

a B sucht in Esmeraldas Wohnung nach Geld.
b E findet in ihrem Wohnzimmer eine große Unordnung vor.
c E ruft die Polizei.
d B schläft in Esmeraldas Bett ein.
e B bricht aus dem Gefängnis aus.
f Die Polizei findet B.
g E kommt nach Hause.
h B findet in der Küche etwas zu essen.

ausbrechen ≈ sich aus einer unangenehmen Situation befreien

B1 **4** **Unterstreiche im Text in Übung 3 das Plusquamperfekt und schreib die Formen in die Tabelle.**

Präteritum von ***haben*** oder ***sein***	Partizip II	Präteritum von ***haben*** oder ***sein***	Partizip II
hatte	gesucht	war	geworden
war	ausgebrochen	hatte	gefunden
war	gestiegen	hatte	gelegt
hatte	gesucht	war	eigeschlafen

B1 **5** **Mitgehört! Witzige Situationen aus dem Alltag. Ergänze das Plusquamperfekt in den Sätzen (a-d) und ordne die Situationen (1-4) zu.**

a „Mama, der Mann dort drüben isst seine Suppe mit der Gabel", *(erzählen)* hatte Lukas seiner Mutter ganz aufgeregt erzählt ...

b Eine halbe Stunde *(stehen, warten)* hatte Herr Huber an der Haltestelle gestende und auf den Bus gewarter. Der Bus *(kommen)* ist nicht gekommen ...

c Marks Freundin *(machen)* hatte vor Kurzem mit Mark Schluss gemacht ...

d „Beweise mir, dass die Erde sich um die Sonne dreht", *(verlangen)* hatte der Lehrer von Sebastian verlangt ...

1 ... „Du hast etwas Besseres verdient", versuchte Susanne ihn jetzt zu trösten. „Dich?", fragte er hoffnungsvoll. „So etwas Gutes auch wieder nicht!", antwortete sie.

2 ... „Das habe ich nie behauptet", antwortete er.

3 ... „Gib jetzt endlich Ruhe", meinte diese nur, „und bring dem Onkel die Brille zurück."

4 ... Als der Bus endlich kam, zeigte er wütend auf seine Armbanduhr. Der Busfahrer stieg aus und sagte freundlich: „Wirklich eine tolle Uhr! Wo haben Sie die denn gekauft?"

B1 **6** **Was ist vorher passiert? Notiere V (= vorher, zuerst) oder N (= nachher, danach). Ergänze dann in jedem Satz das Perfekt und das Plusquamperfekt.**

a [V] Alex *(vergessen)* hatte sein Geld vergessen, [N] deshalb *(bezahlen)* hat Julia sein Getränk bezahlt.

b [N] Letztes Jahr *(fahren)* bin ich nach Italien gefahren. [V] Ich *(sein)* war vorher noch nie im Ausland gewesen.

c [V] Mein Bruder und meine Schwester *(essen)* haben alles aufgegesen. [N] Auch im Kühlschrank *(finden)* hatten wir nichts gefunden.

d [V] Ich *(verlieren)* hatte die Rechnung verlogen, [N] deshalb *(umtauschen)* hatte das Geschäft die Hose nicht umgetauscht.

e [N] Wir *(gehen)* sind nicht auf die Party gegangen, [V] weil Kevin uns nicht *(einladen)* eingelahden hatte.

f [N] Wir *(zurückfahren)* sind noch einmal zurüchgefahren, [V] da wir Marias Skischuhe *(vergessen)* vergessen hatten.

HW

B2 **7** **Lies die Infinitivtexte und schreib sie mit *nachdem* wie im Beispiel. Schreib auch eigene Infinitivtexte.**

a

Fernsehabend
~~heimkommen~~
~~Fernseher einschalten~~
~~hinsetzen~~
~~einschlafen~~
~~aufwachen~~
~~Fernseher ausschalten~~
~~ins Bett gehen~~

Nachdem er heimgekommen war, schaltete er den Fernseher ein.
Nachdem er den Fernseher eingeschaltet hatte, sezte er sich hin. Nachdem er sich hin gezetzt hatte, ist er eingeschlafen. Nachdem er eingeschlafen war wachte er drei schunden schperte wieder auf. Nachdem er aufwachten war, schaltete er den fernseher aus und ging ins Bett.

b

Im Schwimmbad
Eintrittskarte kaufen
Rock und Bluse ausziehen
Bikini suchen
sich ärgern
Rock und Bluse anziehen
wieder nach Hause fahren

immer mit Nachdem in anfang

B3 **8** **Ordne die Präpositionen in der Tabelle zu.**

gegen → ← ✪ um ✪ mit ✪ in (ins, im) ✪ auf ✪ von (vom) ✪ durch ✪ an (ans, am) ✪ über ✪ vor ✪ für ✪ neben ✪ seit ✪ hinter ✪ unter ✪ zwischen ✪ ohne ✪ zu (zum, zur) ✪ bei (beim)

Weißt du's noch?
→ KB S. 128 Präpositionen

Präpositionen (Preposition) (wo ist es)		Wechselpräpositionen		
mit Akkusativ		**mit Dativ und Akkusativ**		**mit Dativ**
gegen	für	in (ins, im)	neben	mit
um	ohne	an (ans, am)	hinter	von (vom)
durch		über	unter	seit
		vor	swischen	zu (zum, zur)
			auf	bei (beim)

9 Wo? → Dativ / Wohin? → Akkusativ

B3 **9** **Ergänze die Artikel. Warum hat der Mann auf der Insel ein Schwimmbecken gebaut?**

Man sieht eine kleine Insel . Um **a** *die* Insel ist Meer. In **b** der Mitte der Insel ist ein Schwimmbecken . **c** *(in)* Im Schwimmbecken ist Meerwasser, denn zwischen **d** dem Schwimmbecken und **e** dem Meer gibt es einen kleinen Kanal 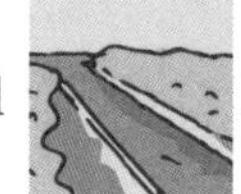. Neben **f** dem Schwimmbecken steht ein Sprungturm . Auf **g** dem Sprungturm steht ein Mann in einer Badehose. Er möchte gerade h *(in)* ins Wasser springen. Neben i dem Schwimmbecken stehen Palmen .

Unter j den Palmen liegen eine Säge und eine Schaufel . Der Mann hat das Schwimmbecken

selbst gegraben und dann den Sprungturm gebaut. Rund um k die Insel schwimmen nämlich Haifische

l *(in)* im Meer.

Der Mann …

C Wortschatz

Gefühlswörter; Adjektive auf *-ig, -lich, -isch*; Nomen auf *-ung, -heit, -keit*

10 Finde die Nomen zu den Adjektiven.

a einsam – *die Einsamkeit*
b überrascht – die überraschung
c zornig – der Zorn
d besorgt – die Besorgtheit
e komisch – die Komig
f verzweifelt – die Verzweifelung
g eifersüchtig – die eifersüchtung

C1 **11 Welches Wort passt am besten? Unterstreiche die richtigen Wörter.**

a Frau Müller wohnt jetzt ganz allein. Sie bekommt kaum Besuch, und ist oft sehr überrascht | eifersüchtig | einsam.
b Plötzlich lief die Katze vor mein Fahrrad. Ich war so überrascht | zornig | verzweifelt, dass ich nicht bremsen konnte.
c Meine kleine Schwester hat seit zwei Tagen Fieber, meine Eltern sind ziemlich besorgt | einsam | zornig.
d Anita ist gestern mit Max in die Disco gegangen. Ihr Freund Pedro war sehr eifersüchtig | einsam | komisch.
e Die Katze meiner Schwester Sandra ist seit drei Tagen verschwunden. Sandra ist schon ganz einsam | verzweifelt | überrascht.

C1 **12 Finde die 14 Nomen in der Welle, bilde die Adjektive und ordne sie in der Tabelle zu.**

LOCKESYMPATHIEFREUNDFLEIßTYPSONNEROMANTIKWITZANGSTVORSICHTEGOISTDURCHSCHNITTRESTOPTIMIST

-ig	-lich	-isch
der Fleiß – fleißig	der Freund - freundlich	die Romantik - Romanisch
die Vorsicht - Vorsichtig	die Angst - Angstlich	die Sympathie Sympathisch
der Witz - Witzig	der Rest - Restlich	der Optimist - Optimistisch
die Locke - Lockig		der Egoist - Egoistisch
die Sonne - Sonnig	der Durchschnitt - Durchschnittlich	der Typ - Typisch

C1 **13 Ergänze die Dialoge mit Nomen oder Adjektiven aus Übung 12.**

a ⊙ Jan denkt immer nur an sich.
◆ Stimmt, er ist ziemlich egoistisch.

b ⊙ Wie lange übst du jeden Tag Klavier?
◆ Im durchschnitt zwei Stunden.

c ⊙ Jakob hat sich am Herd verbrannt.
◆ Ich habe ihm gesagt, dass er vorsichtig sein soll.

d ⊙ Unser neuer Nachbar hat zwei Hunde.
◆ Ja, ich habe große Angst, wenn ich an seinem Haus vorbeigehe.

e ⊙ Es ist schon wieder neblig.
◆ Macht nichts, morgen scheint wieder die Sonne.

f ⊙ Ich glaube, ich schaffe die Prüfung am Freitag nicht.
◆ Du musst optimistisch sein. Ich bin sicher, du schaffst es.

D Hören: Alltagssprache

D2 **14 Was weißt du noch? Ordne die Antworten (1-5) den Fragen (a-e) zu und ergänze die Konjunktionen *als*, *weil* und *nachdem*.**

a Wann haben sich Lisa, Karin und Roman kennengelernt?
b Warum ist Roman nicht mit Lisa in den Kinosaal gegangen?
c Wann bemerkte Roman, dass er seine Kinokarte verloren hatte?
d Wo und wann hat Lisa Roman nach dem Film wiedergesehen?
e Warum musste Roman ins Krankenhaus?

1 weil er gegen die Glastür des Kinocafés gelaufen ist und seine Nase gebrochen war.
2 Im Kinocafé, nachdem sie den Film alleine gesehen hatte.
3 Als er in den richtigen Kinosaal gehen wollte.
4 Als sie gemeinsam in der Disco waren.
5 Weil er noch Popcorn und Cola kaufen wollte.

D2 **15 Ordne die Sätze (a-i) den Situationen (1-3) zu.**

a Könntest du/Könnten Sie das wiederholen und etwas deutlicher sprechen?
b Hast du/Haben Sie mich gefragt, ob/warum/wer/...?
c Könntest du/Könnten Sie das noch einmal sagen?
d Könntest du/Könnten Sie etwas langsamer sprechen?
e Heißt das, dass ...?
f Das habe ich nicht ganz verstanden.
g Hast du/Haben Sie gesagt, dass ...?
h Wie bitte? Ich verstehe dich/Sie nicht.
i Bedeutet das, dass ...?

1 Sagen, dass man etwas nicht verstanden hat: f, h, d, h,
2 Um Wiederholung bitten: a, c
3 Nachfragen und zusammenfassen: b, i, g, e

D2 **16** **Hör zu. Richtig oder falsch? Kreuze an und korrigiere die falschen Sätze.** 1 6

			richtig	falsch
Dialog 1	a	Julia möchte für sechs Uhr abends einen Tisch für sechs Personen reservieren.	☐	☐
	b	Um achtzehn Uhr ist im Restaurant kein Tisch frei.	☐	☐
Dialog 2	c	Marion hat eine Karte für das Konzert in München bekommen.	☐	☐
	d	Markus möchte mit Nina zu einem Konzert nach Stuttgart fahren.	☐	☐
Dialog 3	e	Die Frau spricht persönlich mit einem Angestellten der Firma Compo.	☐	☐
	f	Die Frau kann erst am Montag jemanden erreichen.	☐	☐

D2 **17** **Hör noch einmal. Welche Sätze (a-i) aus Übung 15 kommen in den Dialogen in Übung 16 vor?** 1 6

Dialog 1: *a, ...* .... Dialog 2: .... Dialog 3: ....

E Grammatik

bevor, während, nachdem

E **18** **Wer sagt was (a-f) zu wem (1-3)? Ordne zu und schreib Sätze mit *bevor*.**

a an den Strand gehen – das Gepäck ins Zimmer bringen müssen
b nach Hause gehen – das Lager in Ordnung bringen müssen
c von zu Hause ausziehen können – einen Job finden müssen
d einen Ausflug buchen – die verschiedenen Angebote vergleichen können
e in die Disco gehen – die Hausaufgaben machen müssen
f Mittagspause machen – Frau Kohl die fertigen Rechnungen bringen müssen

1 Der Chef zu seiner Angestellten: *Bevor Sie nach Hause gehen, ...* müssen Sie das Lager in Ordnung bringen.

2 Die Reiseleiterin zu den Touristen: *Bevor Sie ...* an den Strand gehen, müssen Sie das Gepäck in Zimmer bringen.

3 Eltern zu ihrem Sohn: *Bevor du ...* in die Disko gest, müsst du die Hausaufgaben machen.

E **19** **Wer hat es besser? Tom arbeitet im Seehotel, Carla macht dort Urlaub.**
Ergänze Tom *T* **oder Carla** *C* **und schreib Sätze mit *während* wie im Beispiel.**

a *C* schlafen – *T* das Frühstück vorbereiten

Während Carla schläft, bereitet Tom das Frühstück vor.

b T die Küche sauber machen – C Tennis spielen

Wähhrend Tom die Küche sauber macht, spielt Carla Tennis.

c C im See baden – T Gewürze, Schinken und Gebäck einkaufen

Während Carla im See badet, kauft Tom Gewürze, Shinken und Gebäck.

d T Pizzas in den Backofen schieben – C zu Mittag essen

Während Tom Pizza in den Backofen schiebt, ~~esst~~ ist Carla Mittag.

e C spazieren gehen – T das Geschirr in den Geschirrspüler räumen

Während Carla spazieren geht, räumt Tom das Geschirr ins Geschirrspüler.

f T mit ihrem Cabrio ins Einkaufszentrum fahren – C eine halbe Stunde schlafen

Während Tom mit ihrem Cabrio ins Einkaufszentrum fahrt, schläft Carla eine halbe Stunde.

E **20** ***Während, bevor*** **oder** ***nachdem*****? Ordne passende Sätze zu.**

1 Bevor wir ins Kino gehen, ... b f g

2 Während wir den Film sehen, ... a c e

3 Nachdem wir im Kino waren, ... d h i

a sollten wir auch auf die Filmmusik hören.
b sollten wir Carina fragen, ob sie mitkommt.
c möchte ich zwischen dir und Mario sitzen und Popcorn essen.
d können wir unseren Freunden von dem Film erzählen.
e sollten wir nicht telefonieren.
f sollten wir die Filmtrailer im Internet ansehen.
g sollten wir das Kinoprogramm lesen.
h haben wir weniger Geld als vorher.
i wissen wir, ob der Film gut war.

E **21** ***Während, bevor*** **oder** ***nachdem*****? Unterstreiche die richtigen Wörter in den Sätzen (a-f) und ergänze sie mit den Informationen aus der Tabelle.**

Auf dem Campingplatz			
Zeit	Manuel	Loretta	Sandra
8:00 Uhr	schlafen	schlafen	Frühstück machen
9:00 Uhr	duschen	frühstücken	frühstücken
10:00 Uhr	frühstücken	zum Strand gehen	zum Strand gehen
11:00 Uhr	ein Buch lesen	surfen	ein Eis essen

a <u>Während</u> | Bevor Manuel und Loretta noch *schlafen*, macht Sandra Frühstück.
b <u>Bevor</u> | Nachdem Loretta und Sandra zum Strand gehen, ... sie gemeinsam.
c Nachdem | Während Loretta und Sandra ...., duscht ....
d Bevor | Nachdem Manuel .... hat, ... er vor dem Zelt ....
e Nachdem | Während Sandra und Loretta .... haben, ... sie ....
f Bevor | Während Sandra am Strand ...., geht .... surfen.

E **22** **Schreib fünf Fragen zur Tabelle in Übung 21. Tauscht in der Klasse eure Fragen und beantwortet sie.**

Was macht / machen ..., bevor / während / nachdem ...?

Was macht Loretta, bevor surfen?

Was macht Loretta, bevor Manuel duscht?

Aussprache

23 Hör zu und markiere die Satzmelodie 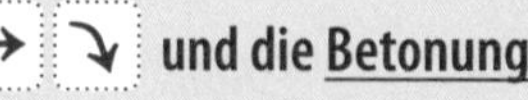 **und die Betonung.** 

a Bevor der Clown kam, → hatte Max bei der Geburtstagsfeier viel Spaß. ↘

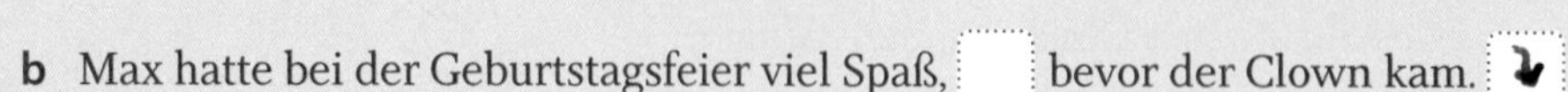

b Max hatte bei der Geburtstagsfeier viel Spaß, bevor der Clown kam. ↘

c Während der Clown seine Späße machte, versteckte Max sich unter dem Tisch. ↘

d Max versteckte sich unter dem Tisch, während der Clown seine Späße machte. ↘

e Nachdem der Clown gegangen war, musste Frau Huber Max trösten. ↘

f Frau Huber musste Max trösten, nachdem der Clown gegangen war. ↘

g Max hatte Angst vor Clowns.

24 „Grammatikgymnastik" im Kopf. Sprich die Sätze (1-3) ohne Stimme und achte auf die Satzmelodie. Ergänze die Sätze mit den Informationen aus a und b wie in den Beispielen.

1 Bevor ich gehe, rufe ich an. Ich rufe an, bevor ich gehe.

a zu Ronalds Party – meine Freundin Anna

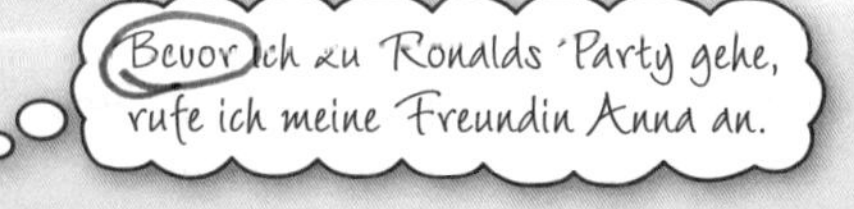

b ganz allein zu Ronalds Party – schnell meine Freundin Anna

Ich rufe schnell meine Freundin Anna an, bevor ...

2 Während ich tanze, unterhält sich Anna sehr gut. Anna unterhält sich sehr gut, während ich tanze.

a mit Andreas – mit Ronald

b kurz mit Andreas – mit Ronald in der Küche

...

3 Nachdem Anna gegangen ist, bin ich allein. Ich bin allein, nachdem Anna gegangen ist.

a mit Andreas und Tobi – wieder

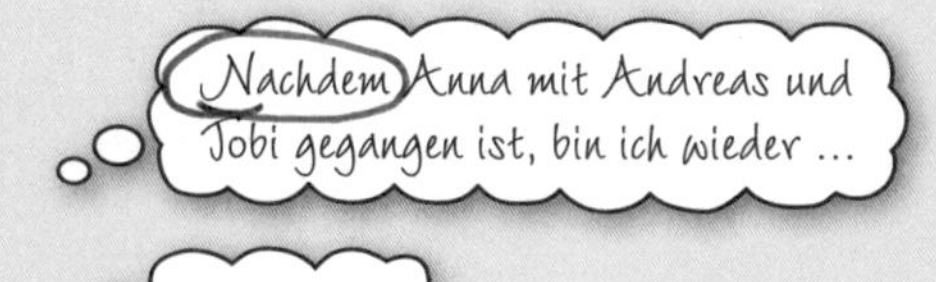

...

b mit Andreas und Tobi nach Hause – wieder auf der Party

25 Hör alle Sätze auf der CD, achte auf die Betonung und Satzmelodie und sprich nach. 

Finale: Fertigkeitentraining

26 Lies den Text, ordne die Satzhälften zu und ergänze *während*, *bevor* und *nachdem*.

Lach dich gesund! Clowns im Krankenhaus

Seit sechs Wochen ist die fünfjährige Miriam im Krankenhaus. Sie ist schwach und sehr müde. Bei einer Operation hat es ernste Probleme gegeben, und jetzt muss sie länger im Krankenhaus bleiben. Da hört sie im Gang vor dem Krankenzimmer Musik. Sofort setzt sie sich auf und lächelt. Sie weiß, heute kommen die ÄRZTE-CLOWNS zu Besuch.
Schon stecken Dr. Bröseline und der Clownpräsident Dr. Mampf ihre Köpfe zur Tür herein, und bald tanzen die ersten Seifenblasen durch das Zimmer. Dr. Bröseline holt eine Handpuppe aus ihrer Tasche. Es ist ein hungriger kleiner Geist. „Ich will Präsidenten fressen", sagt er. Ängstlich versteckt sich Dr. Mampf hinter Miriam. „Das geht doch nicht", meint er. „Vegetarisch essen ist doch viel gesünder." Miriam holt einen Apfel aus ihrem Nachttischchen und schenkt ihn dem Geist. Jetzt muss er Dr. Mampf nicht mehr fressen. Viel zu schnell vergeht die Zeit. Während die Clowns noch ihre Späße machen, kommt schon die Krankenschwester mit dem Abendessen und der Medizin für Miriam. Mit einem lustigen Lied verabschieden sich die Clowns und verlassen das Krankenzimmer. Zuerst müssen sie aber versprechen, bald wiederzukommen.
Seit vier Jahren arbeiten Anna Brödel (= Dr. Bröseline) und Manfred Kletter (= Clownpräsident Dr. Mampf) schon als ÄRZTE-CLOWNS. Anna ist ganz zufällig zu den ÄRZTE-CLOWNS gestoßen. Sie hatte bei einer Theatergruppe mitgespielt und eine Kollegin hatte die Idee gehabt, bei den Clowns mitzuarbeiten. Manfred hatte in einer Bank gearbeitet, bevor er zu den ÄRZTE-CLOWNS kam. „Die Begegnung mit den kleinen Patienten macht mir ganz großen Spaß. Es ist wunderbar, die Reaktionen der Kinder zu sehen. Sie sind ja in einer schwierigen Situation. Manche Kinder sind wochenlang im Krankenhaus, von manchen Kindern wissen wir, dass sie nie wieder ganz gesund werden. Aber wenn es uns gelingt, sie zum Lachen zu bringen, dann vergessen sie für eine Zeit lang ihre Krankheit und können sich wieder am Leben freuen."
Die ÄRZTE-CLOWNS arbeiten intensiv mit den Ärzten und Krankenschwestern zusammen. Bevor sie zu den kleinen Patienten in die Krankenzimmer gehen, sammeln sie möglichst viele Informationen über sie. So können sie sich besser um ihre kleinen Patienten kümmern. Die Clowns arbeiten immer zu zweit. So bemerken sie sofort, ob sich die Kinder bei ihren Witzen und Späßen auch wirklich amüsieren.
In der Zwischenzeit arbeiten die Clowns nicht nur in Krankenhäusern, sondern kümmern sich auch um alte Menschen in Pflege- oder Altenheimen. Auch dort gelingt es ihnen, den Menschen mithilfe des Humors Kraft, Lebensmut und Lebenswillen zu schenken.

- **a** Nachdem es bei einer Operation ernste Probleme gegeben hat, ...
- **b** .... Miriam der Handpuppe einen Apfel schenkt, ...
- **c** .... die Clowns ihr Abschiedslied gesungen haben, ...
- **d** .... Anna ein ÄRZTE-CLOWN wurde, ...
- **e** .... Manfred Kletter jahrelang in einer Bank gearbeitet hatte, ...
- **f** .... die Clowns die Kinder zum Lachen bringen, ...
- **g** .... die Clowns zu den Patienten gehen, ...

1. ... verlassen sie das Zimmer.
2. ... hatte sie bei einer Theatergruppe mitgespielt.
3. ... wurde er ein ÄRZTE-CLOWN.
4. ... vergessen sie meist ihre Krankheit.
5. ... bekommen sie von den Ärzten und Krankenschwestern Informationen.
6. ... muss Miriam länger im Krankenhaus bleiben.
7. ... wollte die Puppe Dr. Mampf fressen.

27 Hör zu und kreuze die richtigen Antworten an.

Person 1

a Jan hat

- [ ] eine Erkältung bekommen.
- [ ] mit seinem Vater Spiele gespielt.
- [ ] mit seinem Vater auf seine Operation gewartet.

b Nachdem die ÄRZTE-CLOWNS bei Jan gewesen waren,

- [ ] konnte Jan nach Hause gehen.
- [ ] war Jan müde, aber froh.
- [ ] war Jan viel ruhiger.

Person 2

c Als die ÄRZTE-CLOWNS das Altenheim besucht haben, war

- [ ] das Wetter schön.
- [ ] das Wetter schlecht.
- [ ] es Mai.

d Während die ÄRZTE-CLOWNS den Frauen Blumen geschenkt haben,

- [ ] haben sie Lieder gesungen.
- [ ] Kunststücke gezeigt.
- [ ] Fotos im Gang aufgehängt.

Person 3

e Nachdem Markus einen Unfall beim Reiten gehabt hatte,

- [ ] musste er operiert werden.
- [ ] lag er sehr lange im Tiefschlaf.
- [ ] holten ihn seine Eltern bald nach Hause.

f Nachdem der Clown Markus begrüßt hatte,

- [ ] erwachte Markus aus dem Tiefschlaf.
- [ ] machte er für Markus' Eltern und seine Schwester Kunststücke.
- [ ] kümmerte sich Markus' Schwester um ihren Bruder.

28 Schreib eine lustige Geschichte.

Es kann eine Geschichte sein, die du selbst erlebt hast.
oder: Eine Geschichte, die ein Bekannter, Verwandter oder Freund erlebt hat.
oder: Ein Witz.
oder: Eine Geschichte oder eine witzige Situation, die du in einem Film gesehen oder in einem Buch gelesen hast.
oder: Eine Geschichte, die du selbst erfindest.

Mach Notizen und schreib deine Geschichte so, dass der lustigste Teil am Ende erzählt wird.

Strategie – Beim Schreiben

So schreibt man interessante Geschichten:

1 Organisation

- Am Anfang solltest du dem Leser wichtige Informationen geben, zum Beispiel: Wo spielt deine Geschichte? Wer sind die Hauptpersonen?
- Beginne für jeden neuen Abschnitt eine neue Zeile.
  Zum Beispiel:
  Abschnitt 1 – Der Hintergrund deiner Geschichte, die wichtigsten Informationen
  Abschnitt 2 – Die Handlung
  Abschnitt 3 – Das Ende. Versuche, ein möglichst lustiges Ende zu schreiben.

2 Sprache

- Wenn du eine interessante Geschichte schreiben willst, brauchst du verschiedene Zeiten: das Präteritum, das Perfekt (wenn jemand etwas erzählt) und das Plusquamperfekt. Verwende in deiner Geschichte auch Adjektive und Adverbien, die deinen Text interessanter machen.
- Lies deinen Text am Ende noch einmal gut durch. Bei einer Prüfung solltest du für das Durchlesen mindestens fünf Minuten einplanen.

Lernwortschatz

Nomen

Humor, der (Sg.)
Ding, das, -e thing
Reaktion, die, -en reaction
Kritik, die, -en
Zigarette, die, -n sigarette
Direktor, der, -en director
Zeug, das (Sg.) staff
Rezeption, die, -en reseption
Blick, der, -e
Kellner, der, –
Geschirr, das (Sg.) dishes
Rechnung, die, -en
Schnitzel, das, –
Krankheit, die, -en sickness
Drucker, der, –
Stecker, der, –
Steckdose, die, -n
Passagier, der, -e
Ort, der, -e
Schinken, der, –
Dose, die, -n
Ofen, der, ¨
Gewürz, das, -e
Kamera, die, -s
Geldbeutel, der, –
Tüte, die, -n
Unterhaltung, die, -en
Gebäck, das (Sg.)
Alltag, der (Sg.)
Erzählung, die, -en
Zorn, der (Sg.)
Gesundheit, die (Sg.)

Verben

erwarten
etw. entscheiden
sich beschweren
erscheinen
sich wundern
vorkommen
drucken
verstecken
funktionieren
stecken
verbinden
starten
sich vorstellen
verlassen
zerstören
bemerken
stehlen
schneiden
sich kümmern
an etw. riechen
schieben
begegnen
handeln
einwerfen
stoppen
sich amüsieren
einfallen
besorgen
protestieren

Adjektive

durchschnittlich
aktuell
ernst
kritisch
zufällig
einsam
zornig
durstig
wütend
böse
(un)gewöhnlich
voll

andere Wörter

insgesamt
solch-
überhaupt
eben
manch-
nachdem
übrigens
nachher
gleichzeitig
während
bevor
sowieso
sobald

Wichtige Wendungen

etwas nicht verstehen und nachfragen

Tut mir leid, ich habe dich nicht verstanden.
Ich verstehe gar nichts, kannst du das noch einmal sagen?
Sprich bitte deutlicher.
Hast du mich gefragt, ob ich ihn kenne?

Alltagssprache

Hast du schon die Geschichte mit Roman gehört?
Was ist denn mit dem?
Na ja, nicht gerade mein Geschmack.
Das ist richtig gemein.
Aber pass auf, ... die Geschichte ist noch nicht aus.

Das kann ich jetzt ...

1 Wörter

Ich kann zu den Themen sechs Wörter nennen:

	... gut.	... mit Hilfe.	Das übe ich noch.
a Gefühle: *Zorn,* erge, gluck, freude,	○	✓	○
b Adjektive auf -ig, -lich, -isch: *traurig,*	○	✓	○
c Nomen auf -ung, -heit, -keit: *Zufriedenheit,*	○	✓	○

2 Sprechen

	... gut.	... mit Hilfe.	Das übe ich noch.
a Komische Situationen beschreiben:	○	○	○

Ich finde es komisch, wenn ...
Ich lache, wenn ...
Ich lache über

	... gut.	... mit Hilfe.	Das übe ich noch.
b Etwas nicht verstehen und Nachfragen:	○	○	○

Tut mir leid, ich habe dich nicht verstanden.
Kannst du das noch einmal sagen?
Hast du mich gefragt, ob ...?

3 Lesen und Hören

Die Texte verstehe ich:

	... gut.	... mit Hilfe.	Das übe ich noch.
a Lachen befreit ... → KB S. 19	✓	○	○
b Witze → KB S. 20	○	○	○
c Schadenfreude → KB S. 23	○	○	○
d Pizzaparty → KB S. 24	○	○	○
e Mit versteckter Kamera → KB S. 25	○	○	○

4 Schreiben

	... gut.	... mit Hilfe.	Das übe ich noch.
Eine Antwort auf eine Umfrage in einer E-Mail.	○	✓	○

Ich weiß, woran du denkst ...

Text

A2 ① **Was weißt du noch? Ordne zu und ergänze die passenden Wörter.**

Körpersprache ✪ Zahnbürsten ✪ Tricks ✪ Fähigkeiten ✪ Bungeeseil ✪ „Cold Reading“ ✪ falsche

a Womit begeistern Mentalisten ihr Publikum?
b Woran sollten die Zuschauer in Manuel Horeths Fernsehshow denken?
c Wozu forderte Horeth eine Kandidatin in seiner Show auf?
d Wovor hatte die Kandidatin Angst?
e Worauf vertrauen Mentalisten in ihren Shows?
f Worauf achten Mentalisten, wenn sie mit ihren Kandidaten arbeiten?
g Worauf verlassen sich Mentalisten, wenn sie ihren psychologischen Fähigkeiten nicht ganz vertrauen?

1 Auf einfache Tricks, wie zum Beispiel versteckte Kameras.
2 An Bilder von Zahnbürsten, die Horeth am Eingang aufgehängt hatte.
3 Sie vertrauen auf eine Technik, die Cold reading genannt wird.
4 Er forderte sie dazu auf, ein Bungeeseil auszusuchen.
5 Auf die Körpersprache ihrer Kandidaten.
6 Sie hatte Angst davor, das falsche Bungeeseil auszuwählen.
7 Ganz allein mit ihren geistigen Fähigkeiten.

B Grammatik und Wortschatz

Verben + Präposition *(denken an)*, Präpositionalpronomen *(woran?, daran)*

B1 ② **Ordne die Satzhälften zu und schreib die Verben mit Präposition.**

a Ben *freut sich*
b Jan *interessiert sich*
c Floretta *hat Angst*
d Kerim *denkt* oft
e Juliana *hatte* heute große *Lust*
f Tim *wartet* am Morgen 30 Minuten lang
g Michael *ärgert* sich
h Sandra *spricht* oft *mit* Karin

1 *für* Schach.
2 *auf* +Akk. Schokoladeeis.
3 *an* +Akk. den Ausflug nach Berlin.
4 *über* +Akk. ihre Probleme bei der Arbeit.
5 *vor* +Dat. dem Fliegen.
6 *über* +Akk. seinen dummen Streit mit Lars.
7 *auf* +Akk. die Wanderung in die Berge.
8 *auf* +Akk. den Schulbus.

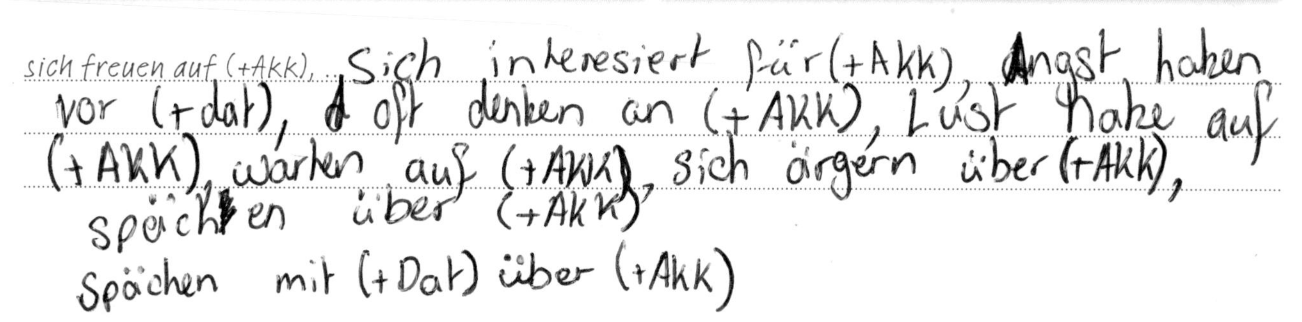

(Dat)

B1 **3** **Träume zeigen unsere Wünsche, Gefühle und Ängste ... Wovon träumen die Personen aus Übung 2 wohl? Schreib zu jeder Person einen Satz.**

✪ ~~von Bauern, Türmen und Königen~~ ✪ ~~von einem Moped~~ ✪ ~~von ihrer Lieblingseisdiele in der Stadt~~ ✪ ~~von Flugzeugen~~ ✪ ~~von der letzten Party bei Lars~~ ✪ von ~~Mountainbikern und Bergsteigern~~ ✪ von ihrer Chefin ✪ ~~vom Brandenburger Tor~~ ✪

Jan träumt von Bauern, Türmen und Königen. Ben träumt von Mountainbikern und Bergsteigern. Floretta träumt von Flugzeugen. Kerim träumt vom Brandenburger Tor. Juliana träumt von ihrer Lieblingseisdiele in der Stadt. Tim träumt von einem Moped. Michael träumt von der letzten Party bei Lars. Sandr träumt von ihrer Chefin.

B2 **4** **Finde zu den Definitionen die passenden Verben im Kursbuch (A-B). Schreib zu jedem Verb einen Satz.**

Lerntipp – Grammatik

Viele Verben werden im Satz mit ganz bestimmten Präpositionen verwendet, z.B. *sich interessieren **für*** ... Du solltest diese Verben immer gemeinsam mit der Präposition lernen. Eine Liste mit den wichtigsten Verben und Präpositionen findest du auf Seite 184.

Bei Wechselpräpositionen musst du auch lernen, welchen Kasus die Präposition braucht, **zum Beispiel:** *denken an* + **Akk**.

Wenn du Probleme hast, dir ein bestimmtes Verb mit Präposition zu merken, finde ein Nomen, das dieselben Anfangsbuchstaben wie die Präposition hat. Stell dir dann diesen Satz als Bild vor. Das Bild kannst du dir viel besser merken als das Verb mit Präposition. **Zum Beispiel:** *Ich habe Angst **vor Vorhängen**.*

✪ ~~zweifeln an~~ + Dat. ✪ ~~sich kümmern um~~ ✪ ~~jmdn. hindern an~~ + Dat. ✪ ~~jmdn. überzeugen von~~ ✪ einverstanden sein mit ✪ ~~achten auf~~ + Akk. ✪ ~~vertrauen auf~~ + Akk. ✪ ~~sich erinnern an~~ + Akk. ✪

a A1ⓔ genau zusehen oder zuhören ≈ *achten auf – Der Mentalist achtet auf die Körpersprache seines Gesprächspartners.*

b A1ⓓ nicht sicher sein ≈ sich zweifeln

c A2ⓐ jmdn. etwas nicht tun lassen ≈ jmdn hindern an

d B2ⓐ jmdm. etwas so erklären, dass diese Person die Erklärung richtig findet ≈ jmdn überzeugen von

e B1ⓐ an etwas Vergangenes denken ≈ sich erinnern

f A2ⓐ glauben, dass etwas klappt ≈ vertrauen auf

g B2ⓒ einer Person helfen, die Hilfe braucht ≈ sich kümmern um

h B2ⓐ etwas akzeptieren ≈ einverstanden ~~an~~ sein mit.

B2 **5 Ergänze die Sätze mit Verben und Präpositionen aus Übung 4.**

a ⊙ *Zweifelst* du *an* der Lösung?
◆ Nein, nein. Ich ~~ze~~ vertraue ganz auf deine Rechenkünste.

b ⊙ Wir fahren am Wochenende weg.
◆ Soll ich mich um deine Katze kümmern?

c ⊙ Ich finde deine Idee gut.
◆ Dann müssen wir nur noch Alex ~~an~~ von unserem Plan ~~sich~~ ~~erinnern~~ überzeugen.

d ⊙ Fahren wir morgen nach Hause?
◆ Ja, wenn das Wetter uns nicht an der Abreise hindert.

e ⊙ Kennst du den Jungen dort drüben?
◆ Ja, aber ich kann mich nicht mehr an seinen Namen ~~sich~~ erinnen.

B2 **6 Ein Helfer des Mentalisten soll Informationen über zwei Kandidaten sammeln. Was will der Mentalist wissen? Schreib seine Fragen auf wie im Beispiel.**

				Bei Personen:
1	denken	a	*Woran denkt sie/er oft?*	b *An wen denkt sie/er oft?*
2	sich interessieren	a	*Wofür* interessiert sie sich?	b Für wen interessiert sie sich?
3	träumen	a	~~Was~~ Wovon träumt sie?	b Von wem träumt sie?
4	sich ärgern	a	Worüber ärgert sie sich?	b Über wen ärgert sie sich?
5	sich freuen	a	Worauf freut sie sich?	b Auf wen freut sie sich?
6	Angst haben	a	Wovor hat sie Angst?	b Vor wem hat sie Angst?

Lerntipp – Wortschatz
Vergleiche:
*freuen **auf**: Ich freue mich auf den nächsten Feiertag.* (Der Feiertag kommt noch.)
*freuen **über**: Ich freue mich über diesen Feiertag.* (Der Feiertag ist heute.)

B2 **7 *Woran* ... oder *An wen* ...? Lies die Notizen des Helfers. Ordne die passenden Fragen aus Übung 6 zu und schreib zwei kurze Texte über die beiden Kandidaten Franz Berger und Sarah Winter.**

A

Franz Berger

an seinen Ferienjob,	*1a*
an seinen Chef	1b
für Motorräder	2a
von einem furchtbaren Sturm	3a
über seinen Nachbarn	4b
auf sein neues Motorrad	5a
vor engen Räumen	6a

B

Sarah Winter

an ihre Schwester	1b
für romantische Liebesfilme	2a
für Hollywoodschauspieler	2b
von weißen Pferden	3a
über die Lügen ihrer Nachbarin	~~4b~~ 4a
auf den Urlaub am Meer (in Kroatien)	5a
vor Steckdosen	6a

A Franz Berger denkt an ...

B2 **8** **Immer das Gegenteil! Ergänze die richtigen Präpositionen. Ersetze dann die Nomen durch Präpositionalpronomen.**

a ⊙ Ich mag Fußball.
◆ Für Fußball interessiere ich mich überhaupt nicht. Dafür interessiere ich mich nicht.

b ⊙ Toll, jetzt kommt ein Horrorfilm im Fernsehen.
◆ Auf den Horrorfilm freust du dich? Ich nicht. Darauf freue ich mich nicht

c ⊙ Ich hasse Friedhöfe.
◆ Vor Friedhöfen habe ich gar keine Angst. Davor habe ich keine Angst.

d ⊙ Ich finde die Geschichte ziemlich blöd.
◆ Ich ärgere mich nicht über diese Geschichte. Darüber ärger ich mich nicht

e ⊙ In meinem letzten Traum war ich auf dem Dach eines Hochhauses.
◆ Von einem Hochhaus habe ich noch nie geträumt. Davon ich noch nie geträumt.

f ⊙ Martin will Minigolf spielen. Was meinst du dazu?
◆ Ich bin mit der Idee einverstanden, ich mag Minigolf. Damit bin ich einverstaden.

B2 **9** **Lies Ausschnitte aus einem Dialog und ergänze die Präpositionen und Präpositionalpronomen.**

✪ an (2x) ✪ daran ✪ wovor ✪ darauf ✪ vor ✪ über (2x) ✪ woran ✪ darüber ✪ worüber ✪

Georg: a Woran denkst du gerade, Ulli?
Ulli: b An gar nichts. Und du?
Georg: c An die Party bei Ingo.
Ulli: d Daran will ich gar nicht denken.
(...)
Georg: Ich weiß nicht, ich freue mich e darauf, Tom und Rita kommen auch.
Ulli: Auch das noch! f Über Rita habe ich mich letztens ziemlich geärgert.
Georg: g Worüber denn genau?
Ulli: Na, h Über die Geschichte mit Max.
(...)
Georg: Ich verstehe ja, dass du dich i darüber ärgerst, aber vielleicht können wir trotzdem gemeinsam auf die Party gehen, ... oder hast du Angst?
Ulli: j Wovor soll ich Angst haben?
Georg: k Vor dem tiefen Wasser in Ingos Pool?
Ulli: Georg!

B2 **10** **Hör den ganzen Dialog und vergleiche. Hör noch einmal, mach Notizen und beantworte dann die Fragen.** 1 10

a Wovon bekommt Ulli schlechte Träume? – Von Ingos Party.
b Wofür interessieren sich Max und Ulli? – Für Wasserskifahren.
c Worüber hat sich Ulli so geärgert? – Über die geschichte mit Max
d Wovon hat Rita Max etwas erzählt? – Von Ulli's angst vor tiefem wasser

C Grammatik

um ... zu, brauchen ... + zu

C1 **11** **Ergänze die Namen und schreib Infinitivsätze mit *zu*.**

Markus: Ich komme immer zu spät.
Miriam: Ich mag keine Hamburger.
Jasper: Ali zeigt mir, wie man in seiner Muttersprache schreibt.
Martina: Ich finde meine Schlüssel nicht.
Silvana: Was bedeutet „vertrauen"? Ich kann mir das nicht merken.
Karin: Ich schlafe am Sonntag immer sehr lang. Das muss sich ändern.

a *(am Sonntag früher aufstehen)* Karin hat beschlossen, früher aufzustehen
b *(Arabisch lernen)* Jasper hat angefangen, Arabisch zu lernen
c *(Wörter lernen)* Für Silvana ist es schwierig, Wörter zu learnen
d *(ihr Zimmer öfter aufräumen)* Martina will versuchen, ihr zimmer öfter auf-zu-räumen.
e *(Fast Food essen)* Miriam hat keine Lust, Fast Food zu essen
f *(pünktlicher sein)* Markus hat vor, immer pünktlich zu sein

C1 **12** **Warum machen sie das? Schreib zu den Personen aus Übung 11 Sätze mit *weil* wie im Beispiel.**

a Markus – eine Armbanduhr kaufen
Markus kauft eine Armbanduhr, weil er pünktlicher sein möchte.

b Jasper – einen Arabischkurs besuchen
Jasper besucht einen Arabischkurs, weil er Ali's Muttersprache lernen möchte.

c Martina – ein neues Regal kaufen
Martina kauft ein neues Regal, weil sie ihr Zimmer aufräumen möchte.

d Silvana – schwierige Wörter auf Kärtchen schreiben
Silvana schreibt Wörter auf Karten, weil sie sie lernen möchte.

e Karin – den Radiowecker sehr laut einstellen
Karin stellt den Radiowecker sehr laut, weil sie am Sonntag früher aufstehen möchte.

f Miriam – kochen lernen
Miriam lernt kochen, weil sie nicht Fast Food essen möchte.

C1 **13** **Schreib die Sätze aus Übung 12 mit *um ... zu*.**

a) *Markus kauft eine Armbanduhr, um pünktlicher zu sein.*
b) Jasper besucht einen Arabischkurs, um Arabisch zu lernen.
c) Martina kauft ein neues Regal, um ihr Zimmer aufzuräumen.
d) Silvana schreibt Wörter auf Karten, um sie zu lernen.
e) Karin stellt den Radiowecker auf laut, um früher aufzustehen.
f) Miriam lernt kochen, um Fast Food nicht zu essen.

C1 14 Ergänze die Nomen oder die Infinitive mit *zu*.

✪ eine Badehose ✪ keine Angst zu haben ✪ nur zu fragen ✪ seine Telefonnummer ✪ gar nicht anzufangen ✪ nie mehr abzuwaschen ✪ eine Schere ✪

a Karin möchte Bilder aus der Zeitung ausschneiden. Sie braucht eine Schere.
b Ich möchte Martin anrufen. Ich brauche seine Telefonnummer.
c Unser Hund ist sehr freundlich. Ihr braucht keine Angst zu haben.
d Wir haben jetzt einen Geschirrspüler. Wir brauchen nie mehr abzuwaschen.
e Martina hilft dir sicher bei der Matheaufgabe. Du brauchst sie nur zu fragen.
f Wir haben keine Zeit für das Spiel. Ihr braucht gar nicht anzufangen.
g Wenn du zum Schwimmen mitkommen willst, brauchst du eine Badehose.

C1 15 Veränderungen. Was brauchen die Personen nicht mehr zu tun? Schreib Sätze mit *nicht mehr brauchen + zu.*

✪ den Laptop seines Bruders benutzen ✪ für Tests lernen ✪ mit dem Bus zur Schule fahren ✪ jeden Tag hart trainieren ✪ im Restaurant essen ✪ die Wäsche mit der Hand waschen ✪

a Jan geht nicht mehr zur Schule. Er braucht nicht mehr für Tests zu lernen.
b Emma spielt nicht mehr Basketball. Sie braucht nicht mer jeden Tag hart zu trainiern.
c Mark hat einen eigenen Computer mit Internet. Er braucht nicht mer den laptop seines Bruders zu benutzen
d Herr Prikopil hat einen Kochkurs gemacht. Er braucht nicht mehr im Restaurant zu essen
e Georgs Bruder hat ein Moped. Er braucht nicht mehr mit dem Bus zur Schule zu fahren.
f Frau Schmidt hat eine Waschmaschine gekauft. Sie braucht nicht mehr die Wäsche mit der Hand zu waschen.

D Hören: Alltagssprache

D 16 Was weißt du noch? Ordne die Ereignisse den beiden Geschichten (A - B) zu. Ordne die Sätze dann chronologisch.

a B Sabrina braucht ein Moped, um in die Fahrschule zu fahren.
b A Sabrina muss für die Führerscheinprüfung lernen.
c B Tom möchte nicht 20 Stunden auf dem Tennisplatz stehen.
d A Mark nimmt Sabrina auf seinem Moped mit.
e B Mark leiht Sabrina sein Moped.
f A Tom fragt Sabrina, ob er etwas anderes für sie tun kann.
g B Sabrina fragt Mark, ob sie mit seinem Moped fahren darf.
h A Sabrina fragt ihn, ob er für sie Babysitten kann.
i A Sabrina fragt Tom, ob er ihre Tennisstunden übernehmen kann.
j A Mark zeigt Sabrina, wie man mit dem Moped fährt.

A Sabrina und Tom: Tür-ins-Gesicht-Technik
B Sabrina und Mark: Fuß-in-der-Tür-Technik

	1	2	3	4	5
A	b				
B	a				

D **17** **Hör den gekürzten Dialog aus dem Kursbuch und ordne zu.** 

Ich ...	... nicht aus
... kennst du dich ...	... der nächste Schritt
Wie kommt ...	... so schwer „nein“ sagen
Das ist ...	... fürchte
Man kann ...	... das denn

D **18** **Ergänze den Dialog mit den Ausdrücken aus Übung 17. Welche Kommunikationsstrategie (s. Kursbuch S. 31) hat Manfred verwendet? Kreuze an.**

Tina: Kommst du mit zu Manuel?
Ralf: **a** Ich fürchte, ich kann nicht. Ich muss Manfreds Moped reparieren, mit ihm zusammen.
Tina: **b** wie kommt das denn?
Ralf: Manfred hat gesagt, ich kenne mich mit Mopeds nicht aus.
Tina: Mit Mopeds **c** kennst du dich ja wirklich nicht aus.
Ralf: Ja, aber es hat mich geärgert, dass er das gesagt hat.
Tina: Und dann hat er gesagt, du hast sicher keine Lust, mit ihm sein Moped zu reparieren.
Ralf: Woher weißt du das?
Tina: **d** Das ist der nächste Schritt.
Ralf: Stimmt, das hat mich auch geärgert. Da muss man ja widersprechen.
Tina: Und dann hat er gefragt, ob du ihm hilfst, und du hast „ja“ gesagt.
Ralf: Du kennst Manfred. **e** Man kann so schwer 'nein' sagen.

Kommunikationsstrategie:

- [x] Kontrasuggestion
- [ ] Fuß-in-der-Tür-Technik
- [ ] Tür-ins-Gesicht-Technik

E Grammatik

damit, um ... zu, statt ... zu, ohne ... zu

E1 **19** **Philips Vater hat ein großes neues Zweitauto gekauft. Für wen hat er das gemacht? Kreuze an. Welche Argumente findest du gut ☺, welche nicht ☹? Zeichne Smileys.**

Philips Vater hat das neue Auto gekauft,	für sich	für seine Kinder	für seine Frau	
a ... damit die Kinder mehr Platz haben.	☐	☒	☐	☺
b ... um schneller bei der Arbeit zu sein.	☒	☐	☐	☺
c ... damit seine Frau ein eigenes Auto hat.	☐	☐	☒	☺
d ... um ein größeres Auto als der Nachbar zu haben.	☒	☐	☐	☹
e ... damit seine Frau im Urlaub mehr Gepäck mitnehmen kann.	☐	☐	☒	☺
f ... damit Philipp sein Surfbrett mitnehmen kann.	☒	☒	☐	☹
g ... um auf Geschäftsreisen sicherer unterwegs zu sein.	☐	☐	☐	☺

ich | er

E1 **20** **Was passt? Ordne zu und schreib Sätze mit *um ... zu* oder *damit*.**

✪ die Tänze aus dem Tanzkurs zu Hause üben können ✪ ein Eis für Marina kaufen ✪ ihre Kinderlieder hören können ✪ seiner Freundin Loretta in Rom E-Mails schreiben können ✪ Philipp zur Schule bringen ✪ gesund bleiben ✪

a Philips Vater hat sich ein neues Auto gekauft, *um Philip zur Schule zu bringen.*

b Philip leiht seiner Schwester Marina seinen MP3-Player, da mit sie ihre kinde-lieder hören kann.

c Marina bringt ihrer Mutter den Geldbeutel, da mit sie ein Eis kaufen kann.

d Philips Mutter macht eine Gemüsediät, um gesund zu bleiben.

e Philipps Schwester schenkt ihren Eltern eine CD mit Tanzmusik, da mit sie die Tänze aus dem Tanzkurs zu hause üben können

f Philipp lernt Italienisch, um seiner Freundin Loretta in Rom E-mails zu schreiben können.

E1 **21** **Welche Strategien findest du fair ☺, welche Strategien findest du unfair ☹? Zeichne Smileys, schreib die Sätze (a-h) mit *damit* und zwei eigene Sätze.**

a Martin kauft seiner Schwester ein Handy. Sie soll sich nicht immer seines ausleihen. ☺

Martin kauft seiner Schwester ein Handy, damit sie sich nicht immer seines ausleiht.

b Der Lehrer gibt schlechte Noten. Die Schüler sollen mehr lernen. ☹

Der lehrer gibt schlechte Noten, damit die Schüler mehr lernen sollen.

c Maria tanzt mit Markus. Franz soll eifersüchtig werden. ☹

Maria tanzt mit Markus damit Franz eifersüchtig wird.

d Der Chef bezahlt seinen Arbeitern mehr Geld. Sie sollen mehr arbeiten. ☺

Der chef bezahlt seinen Arbeitern mehr Geld damit sie mehr arbeiten.

e Cornelia hört laute Musik. Die Nachbarn sollen sich ärgern. ☹

Cornelia hört laute Musik. damit die Nachbarn sich ärgern.

f Tobias lernt kochen. Seine Freundin soll bei ihm bleiben. ☺

Tobias lernt kochen damit seine freundin bei ihm bleibt.

g Martina lässt Kimi die Hausaufgabe nicht abschreiben. Er soll die Übungen alleine machen. ☹ ☺

Martina lässt Kimi die Hausaufgabe nicht abschreiben damit er die Übungen alleine macht.

h Tom erzählt Daniel, dass Fabian ihn beleidigt hat. Daniel soll einen Streit mit Fabian beginnen. ☹

Tom erzählt Daniel, dass Fabian ihn beleidigt hat, da mit Daniel ein Streit mit Fabian beginnt.

E2 **22 Marko ist anders als seine Geschwister. Ordne zu und schreib Sätze mit *statt ... zu*.**

a Er schreibt Briefe.	1 Sie gehen in die Disco.
b Er liest Bücher.	2 Sie fahren immer mit dem Bus oder Moped.
c Er geht viel zu Fuß.	3 Sie schicken SMS und E-Mails.
d Er kocht selbst.	4 Sie sehen viel fern.
e Er hört zu Hause klassische Musik.	5 Sie kaufen sich neue Kleider.
f Er bleibt am Wochenende zu Hause.	6 Sie gehen aus.
g Er trägt die Kleider seines älteren Bruders.	7 Sie essen Pizza oder Hamburger.

a3) *Er schreibt Briefe statt SMS und E-Mails zu schicken.*

b4) Er liest bücher statt viel fern zu sehen.

c2) Er geht viel zu Fuß statt mit einem bus order Moped zu fahren.

d7) Er kocht selbst statt Pizza order Hamburgers zu essen.

e1) Er hört zu hause klissische Musik statt in die Disco zu gehen.

f6) Er bleibt am Wochenende zu hause statt auszugehen.

g5) Er trägt die Kleider seines älteren Bruders statt neuen zu kaufen.

E2 **23 Gewohnheiten. Schreib Sätze mit *nie* und *ohne ... zu* (= unterstrichener Satz) wie im Beispiel.**

a Sabrina: Ich mache jeden Tag meine Yogaübungen. Erst danach frühstücke ich.
Sabrina: Ich frühstücke nie, ohne vorher meine Yogaübungen zu machen.

b Claudia: Ich gehe gern ins Kino. Aber ich nehme immer meine Freundin mit.
Claudia: Ich gehe nie ins Kino, ohne ... meine Freundin mit zu nehmen.

c Bernhard: Ich besuche jede Woche meine Großeltern. Ich rufe sie immer vorher an.
Bernhard: Ich besuche nie meine Großeltern, ... ohne sie vorher anzurufen.

d Levin: Wir fahren jedes Wochenende zu unserem Wochenendhaus. Ich packe immer meinen MP3-Player ein.
Levin: Ich fahre nie ... zu unserem Wochenendhaus, ohne meinen MP3-Player einzupacken

e Petra: Ich bin oft im Einkaufszentrum. Ich kaufe immer etwas ein.
Petra: Ich bin nie ... im Einkaufszentrum, ohne etwas einzukaufen.

E2 **24 Wünsche und Ratschläge. Wer sagt das zu wem? Ordne die Sätze (a-f) der passenden Personengruppe (1-6) zu.**

a „Wir würden lieber zu Hause bleiben, statt die Großeltern zu besuchen."
b „Sie sollten uns nicht Überstunden machen lassen, ohne sie auch zu bezahlen."
c „Ihr solltet nicht ausgehen, ohne eure Jacken und eure Handys mitzunehmen."
d „Ich würde lieber Sport unterrichten, statt immer in der Klasse stehen zu müssen."
e „Sie sollten keine Tests machen, ohne vorher mit uns zu üben."
f „Ich würde auch lieber Urlaub machen, statt immer in der Firma sein zu müssen."

1	Lehrer (→ Schüler)	e
2	Schüler (→ Lehrer)	d
3	Eltern (→ Kinder)	c
4	Kinder (→ Eltern)	a
5	Chef (→ Arbeiter)	f
6	Arbeiter (→ Chef)	b

E2 **25 Schreibt ähnliche Sätze für die Personengruppen (1-6) aus Übung 24. Lest eure Sätze im Unterricht vor. Die anderen raten, welche Personengruppe den Wunsch oder Ratschlag geschrieben hat.**

Aussprache

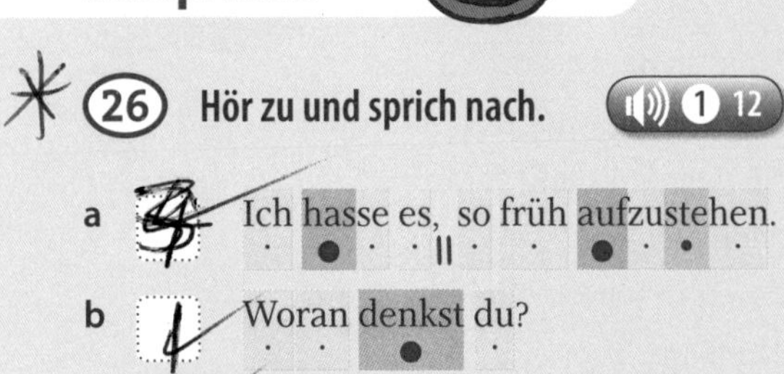

26 **Hör zu und sprich nach.** 1 12

a Ich hasse es, so früh aufzustehen.

b Woran denkst du?

c Schlaf jetzt, ohne mich zu nerven.

d Schlaf lieber, statt zu schimpfen.

e An Morgen.

f Ich brauche Musik, um einschlafen zu können.

27 **Hör die Sätze jetzt geklatscht. Du hörst den Rhythmus, die Betonung und die Pausen der Sätze. Klatsche die Sätze.** 1 13

28 **Hör noch einmal. In welcher Reihenfolge werden die Sätze geklatscht? Errate die Sätze und ordne sie in Übung 26 in der richtigen Reihenfolge (1-6).** 1 14

29 **Hör zu und vergleiche.** 1 15

30 **Welche Sätze (1-6) passen zu den Satzmustern (A-C). Kreuze an. Zeichne die Satzmuster auch für die anderen Sätze. Versuche dann, zu den Satzmustern neue Sätze zu finden.**

A

1 ☐ Sie sind in der Stadt, um einzukaufen.

2 ☐ Er ruft sie an, damit sie ihn abholt.

B

3 ☐ Worüber ärgerst du dich?

4 ☐ Mit wem triffst du dich?

C

5 ☐ Ich kann nicht weiter laufen, ohne eine Pause zu machen.

6 ☐ Wir spielen lieber Fußball, statt ins Kino zu gehen.

Finale: Fertigkeitentraining

(31) Lies den Ausschnitt aus dem Radioprogramm. Welche Fragen diskutiert die Reporterin mit Dr. Ginsberg? Unterstreiche die Fragen im Text.

Traumwelten
Warum träumen wir? Was bedeuten unsere Träume? Was sind REM-Phasen? Träumen eigentlich alle Menschen? Über diese und andere Fragen diskutiert Alexandra Bischof mit dem Traumforscher Dr. Ginsberg. Wie immer können Sie als Hörer oder Hörerin per Telefon oder Internet Ihre Fragen an den Experten stellen.

„Dimensionen" Radiojournal — 14:00 -15:00 Uhr

(32) Hör das Interview. In welcher Reihenfolge werden die vier Fragen aus Übung 31 in der Sendung diskutiert?

Frage 1: ~~Warum~~ Träumen eigentlich alle Menschen?
Frage 2: Was sind REM-Phasen?
Frage 3: Warum träumen wir?
Frage 4: Was bedeuten unsere Träume

(33) Hör noch einmal und ordne zu. Achtung: Drei Halbsätze passen nicht.

1 16

- **a** REM-Phasen erkennt man daran,
- **b** Menschen werden krank, wenn sie schlafen,
- **c** Wenn wir etwas gelernt haben, träumen wir oft davon,
- **d** Manche Menschen glauben daran,
- **e** Traumdeuter machen gute Geschäfte,

1. ohne träumen zu dürfen.
2. dass Träume uns die Zukunft verraten können.
3. statt zu schlafen.
4. ohne die Bedeutung von Träumen wirklich erklären zu können.
5. um das Gelernte zu wiederholen.
6. statt etwas Neues zu lernen.
7. dass sich unsere Augen im Schlaf schnell bewegen.
8. dass Träume keine Bedeutung haben.

(34) Wovon träumen die Personen wohl? Lies die Situationen (a-h) und die Texte zu den Traumbildern (1-7). Ordne zu. Es ist auch möglich, dass es für eine Situation keinen Text gibt, der passt.

Strategie – Beim Lesen
Von der Situation zum Text

In manchen Prüfungsaufgaben musst du Situationen und Texte zuordnen. Diese Texte können z.B. auch Zeitungsanzeigen oder Anzeigen im Internet sein.

- Lies die Aufgabe gut durch. Dann weißt du, ob du wirklich für jede Situation einen Text finden musst.
- Lies dann alle Situationen. Unterstreiche in jeder Situation die Hauptinformation.
  Zum Beispiel: *Erik lernt im Moment sehr viel, um den nächsten Mathetest zu schaffen.*
- Beginne dann wieder mit der ersten Situation. Überfliege die Texte (= Lies nur die fett gedruckten Wörter) und kreuze mit dem Bleistift die Texte an, die zu der Situation passen könnten.
- Lies am Schluss die Texte genauer, die du nicht zuordnen konntest.

Situationen:

- **a** Erik lernt im Moment sehr viel, um den nächsten Mathetest zu schaffen.
- **b** Judith ist endlich mit der Schule fertig. Jetzt möchte sie reisen und die Welt kennenlernen.
- **c** Michaela ist seit einer Woche mit Kevin zusammen. Sie ist verliebt.
- **d** Karin schläft sonntags gern lang. An ihre Träume kann sie sich nicht erinnern.
- **e** Der Geschichtslehrer hat Olivia sehr unfair behandelt. Sie war sehr wütend, hat sich aber nicht beschwert.
- **f** Uwe hat einen Preis als bester Spieler des Basketballturniers bekommen.
- **g** Timon hat von seinem Großvater 2000 € bekommen.
- **h** Iliana hat ihren Freund gestern mit einem anderen Mädchen im Kino gesehen.

Traumbilder und ihre Bedeutung

Manche Träume führen uns zurück zu Situationen, die wir während des Tages erlebt haben und die für uns sehr wichtig waren. Wir können uns an diese Situationen meist gut erinnern und verstehen, warum wir davon geträumt haben. Manche Träume zeigen uns aber Bilder, die wir nicht verstehen. Der Traum gibt uns Rätsel auf. Traumdeuter versuchen, diese Rätsel zu lösen. Sie versuchen, Traumbilder, die bei vielen Menschen häufig vorkommen, zu erklären. Solche Erklärungen zu lesen, kann Spaß machen. Aber wir sollten sie nicht zu ernst nehmen. Hier sind einige Traumbilder und die Erklärungsversuche der Traumdeuter:

Im Traum ein Motorrad zu fahren, bedeutet **Erfolg**. Ein Unfall mit dem Motorrad bedeutet **Schwierigkeiten mit einem Bekannten oder Freund**.

Ein schöner großer Baum ist ein **Glückssymbol**. Wenn der Baum Früchte trägt, darfst du mit einem **Gewinn** rechnen.

Wenn du davon träumst, einen steilen Berg hinaufzusteigen, hast du noch viele **Schwierigkeiten** und **Mühen** vor dir. Wenn du auf einem Berggipfel stehst, bist du bald am **Ziel**.

Ein freundlicher Hund ist das Zeichen für eine **gute Freundschaft**. Ein aggressiver Hund bedeutet **Ärger** oder **Eifersucht**.

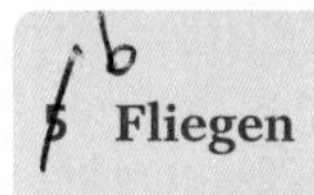

Wenn du vom Fliegen träumst, dann wünschst du dir **Freiheit** und **Unabhängigkeit**. Der Traum zeigt, dass sich dein Leben in Zukunft positiv verändert.

Der Traum von einem Messer zeigt, dass du dich über etwas **sehr geärgert** hast. Statt deinen Ärger zu zeigen, musstest du aber **höflich bleiben**.

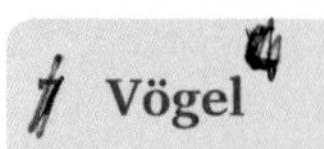

Vögel, die fliegen, sind Glückssymbole. Ein Vogel, der singt, bedeutet **Glück in der Liebe**.

35 **Beschreibe einen Traum. Beantworte die Fragen und plane deinen Text, bevor du beginnst.**

- Wo warst du in deinem Traum? Beschreibe den Ort.
- Was hast du gesehen?
- Was hast du getan?
- Wie hast du dich gefühlt?
- Was bedeutet der Traum vielleicht?

Lernwortschatz

ich weis aber, ~~weis~~ nicht wie zu es translaten.

Nomen

Publikum, das (Sg.)	public
Vorstellung, die, -en	
Zukunft, die (Sg.)	futere
Methode, die, -n	method
Zuschauer, der, –	look or watch
Gedanke, der, -n	your thaughts
Wahrheit, die, -en	truth
Zweifel, der, –	
Macht, die, ¨-e	do (action)
Mühe, die, -n	
Kollege, der, -n	~~college~~ college
Österreich	a country
Zahnbürste, die, -n	tooth brush
Turm, der, ¨-e	tower
Länge, die, -n	length
Sprung, der, ¨-e	spring (jump)
Technik, die, -en	technique
Psychologie, die (Sg.)	
Zeile, die, -n	writhing lines.
Lüge, die, -n	lie
Verbot, das, -e	private (not aloud)
Knopf, der, ¨-e	button
Prozess, der, -e	process
Tipp, der, -s	tip
Resultat, das, -e	result
Verantwortung, die, -en	asnswer
Boden, der, ¨-n	floor
Terrasse, die, -n	balconie
Zahncreme, die, -s	tooth paste
Medizin die (Sg.)	Medicine
Regel, die, -n	shelf
Lehre, die, -n	teacher
Erfolg, der, -e	?
Ratschlag, der, ¨-e	?
Diät, die, -en	diet

Verben

jmdn. überraschen	shock
verraten	
zweifeln	zu zweifeln,
achten (auf)	watch out (looking out)
beeinflussen	to influence
auffordern	ask
hindern	
behaupten	
aussuchen	choose
vertrauen	trust
ausreichen	reach out
einsetzen	step in
drücken	pushing
lösen	~~loose~~ answer or loose
überzeugen	
übernehmen	take over
sich melden	talk on the phone
beschließen	have a discation
Sport treiben	to do Sport
bestehen	
abhängen	
sich widersprechen	speak ~~again~~ back
ablehnen	lean
anmelden	talk to
reservieren	reserve
verhindern	
geschehen	
senden	send

Adjektive

ehrlich	really
hart	hard

andere Wörter

bloß	only (nur)
eigen-	my own
inner-	in~~side~~
folgend-	follow
damit	so that
schließlich	lastly
einzel-	one
obwohl	however
gemeinsam	altogether
statt	instead

Wichtige Wendungen

über Ziele sprechen

Für Jürgen ist es wichtig, Spaß zu haben.
Jede Woche ist er ins Solarium gegangen, um gut auszusehen.
Für sein gutes Aussehen hat er praktisch gelebt.

Wünsche ausdrücken

Ich würde lieber ins Kino gehen, statt mit einer Dreijährigen zu spielen.

Ratschläge geben
Du solltest nicht über die Straße gehen, ohne nach rechts und links zu sehen.

Alltagssprache
Ich fürchte, das stimmt.
Du kennst dich mit kleinen Kindern überhaupt nicht aus.
Das gibt's doch nicht!
Wie kommt das denn?
Wie hat sie dich denn rumgekriegt?

Das kann ich jetzt ...

	... gut.	... mit Hilfe.	Das übe ich noch.
1 Wörter			
Ich kann zu den Themen sechs Wörter nennen:			
Verben mit Präposition: *nachdenken über,*	✓	○	○
2 Sprechen			
a Über Ziele, Absichten und Pläne sprechen: *Für mich ist es wichtig, ... zu .... Ich mache / gehe ..., um ... zu ...*	✓	○	○
b Widersprechen: *Im Gegenteil ... Doch, ich kann ..., ich möchte ...*	○	✓	○
c Etwas vereinbaren: *Dann könnten wir doch ...*	○	✓	○
d Wünsche ausdrücken: *Ich würde auch lieber ins Kino gehen, statt mit einer Dreijährigen zu spielen.*	✓	○	○
e Ratschläge geben: *Du solltest nicht babysitten, ohne eine Ahnung von Babys zu haben.*	○	✓	○
3 Lesen und Hören			
Die Texte verstehe ich:			
a Täuschungskünstler → KB S. 27	✓	○	○
b Berühmte Experimente aus der Psychologie → KB S. 28	○	✓	○
c Tricks und Psychotricks → KB S. 30	○	✓	○
d Kommunikationsstrategien → KB S. 31	○	✓	○
e Der ideale Sprung ... → KB S. 33	○	✓	○
4 Schreiben			
In einer E-Mail einen Besuch absagen.	○	○	✓

Es muss etwas getan werden!

A Text

can't do

1 Was weißt du noch? Ordne die Namen zu. (A2)

M Monise Tiseni
A Arne Hansen

Monise Tiseni

Arne Hansen

a [M] ist Taxifahrer von Beruf, [A] ist Kaufmann.

b [ ]s Heimatland liegt 20.000 km von der Inselgruppe der Halligen entfernt.

c [ ] hat erlebt, wie die Zahl der Sturmfluten in den letzten Jahren gestiegen ist.

d In [ ]s Heimatland wird mit viel Geld gegen den Anstieg des Meeresspiegels gekämpft.

e [ ] und die anderen 12.000 Bewohner der Inseln müssen auf einen möglichen Umzug vorbereitet werden.

f Weil [ ]s Heimatland arm ist, kann nicht viel gegen den Anstieg des Meeresspiegels getan werden.

g Die Felder auf [ ]s Insel werden vom Meerwasser kaputt gemacht.

h [ ]s Premierminister bittet andere Länder um Hilfe.

i Es ist möglich, dass [ ]s Heimatstaat bald kein Mitglied der UNO mehr ist.

B Wortschatz und Grammatik

Grafiken beschreiben, Umweltprobleme, Genitiv, indirekte Fragesätze

2 Was zeigen die Grafiken (A-C)? Was zeigen sie nicht? Ordne die Genitive (a-f) zu und finde den Nominativ zu den Genitiven. (B1)

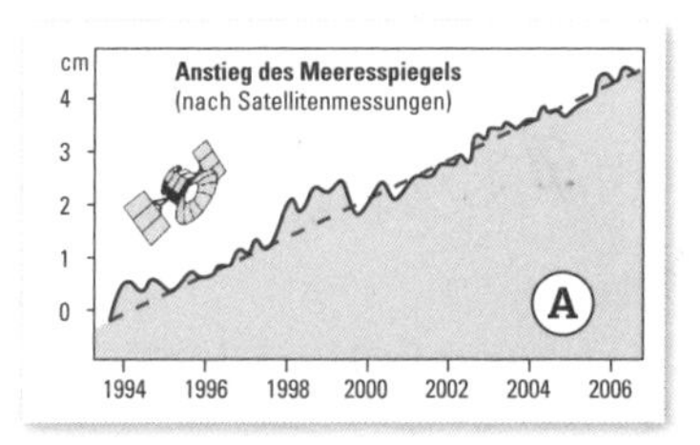

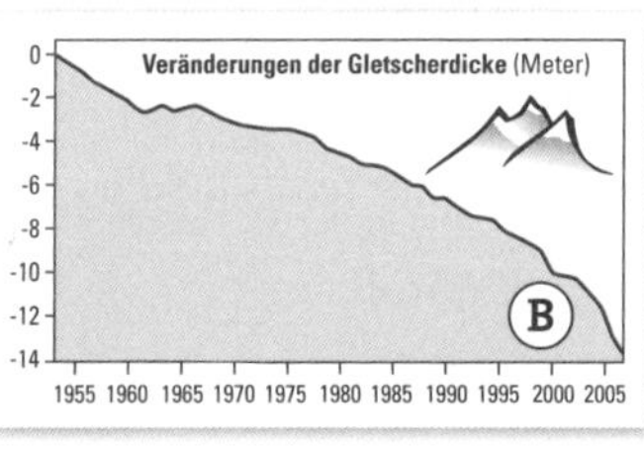

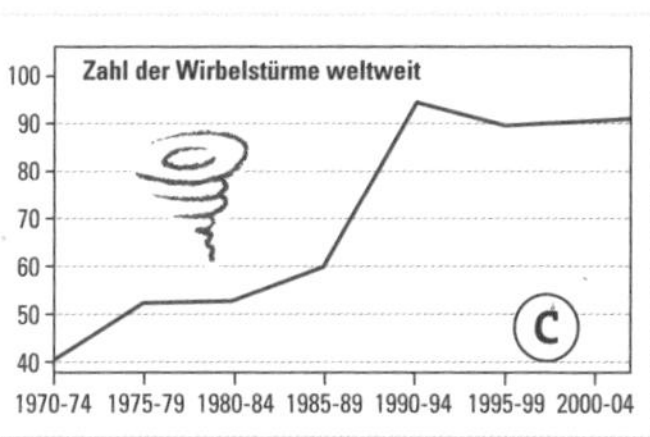

1 Grafik A zeigt *a*
2 Grafik B zeigt d
3 Grafik C zeigt f
4 In den Grafiken geht es nicht um b, e, c

Weißt du's noch? Genitiv
→ KB S.128

	Genitiv	Nominativ
a	den Anstieg *des Meeresspiegels*	*der Meeresspiegel*
b	die Zahl *der Gletscher*	das Gletscher
c	den Anstieg *der Temperatur*	die Temperature
d	die Dicke *des Gletschereises*	das Gletschereis
e	die Stärke *der Wirbelstürme*	die Wirbelstürme.
f	die Zahl *der Wirbelstürme*	die Wirbelstürme (m, P)

B1 **3 Was zeigen die Grafiken? Ergänze die indirekten Fragesätze.**

a Grafik A zeigt, wie stark der Meeresspiegel gestiegen ist.

b Grafik B zeigt, wie viele Wirbelstürme das Gletschereis ist.

c Grafik C zeigt, wie dick es in den letzten Jahren gegeben hat.

b wie dick
c wie viele Wirbelstürme
a wie stark der Meeresspiegel

B1 **4 Lenas kleiner Bruder Tim interessiert sich nicht für den Klimawandel. Er hat andere Fragen an Lena. Ordne die Antworten (A–F) zu und schreib indirekte Fragen.**

A ~~Vielleicht.~~ B ~~Eineinhalb Jahre.~~ C ~~144~~
D ~~Weil wir eine kleine Familie sind.~~ E ~~Übernächste Woche.~~
F ~~Ja, aber es kann nicht schwimmen.~~

Weißt du's noch?
→ KB S. 129 Indirekte Fragesätze

a Ist unser Auto schneller als ein Motorboot? F
Tim will wissen, ob ihr Auto ... schneller als ein Motorboot ist.

b Warum haben wir so eine kleine Wohnung? D
Tim fragt, ... warum sie eine kleine Wohnung haben.

c Wie alt ist mein Goldfisch? B
Tim fragt wie alt sein Goldfisch ist.

d Kommst du pünktlich um elf Uhr nach Hause? A
Tim will wissen ob ~~du~~ ich kommst pünktlich um elf Uhr nach hause.

e Wann beginnen die Ferien? E
Tim will wissen, wann die Ferien begginnen.

f Wie viel ist 12x12? C
Tim fragt, wie viel 12x12 ist.

B1 **5 Wofür interessiert sich Tim in Übung 4? Schreib Genitive.** wessen

Tim interessiert sich für ...

a ... die Geschwindigkeit *ihres Autos.*

b ... die Größe ihrer ~~Got~~ Wohnung.

c ... das Alter seines Goldfisches

d ... die Termine seiner Schwester.

e ... den Beginn der Ferien

f ... das Ergebnis seine Rechenaufgabe.

b ihre Wohnung
c sein Goldfisch
e die Ferien
~~ihr Auto~~
f eine Rechenaufgabe
d seine Schwester

B1 **6 Grafiken (1): Situationen. Finde in der Grafik die genauen Prozentzahlen für die unterstrichenen Wörter.**

Die Grafik zeigt, welche Verkehrsmittel die Deutschen hauptsächlich benutzen. Wir sehen, dass sehr viele Personen meist selbst mit dem Auto fahren. Manche benutzen das Auto vor allem als Mitfahrer. Ein Fünftel der Befragten fährt meistens mit dem Fahrrad, knapp ein Fünftel benutzt meistens den Zug, den Bus, die U-Bahn oder die Straßenbahn. Nur wenige Personen sind zu Fuß unterwegs.

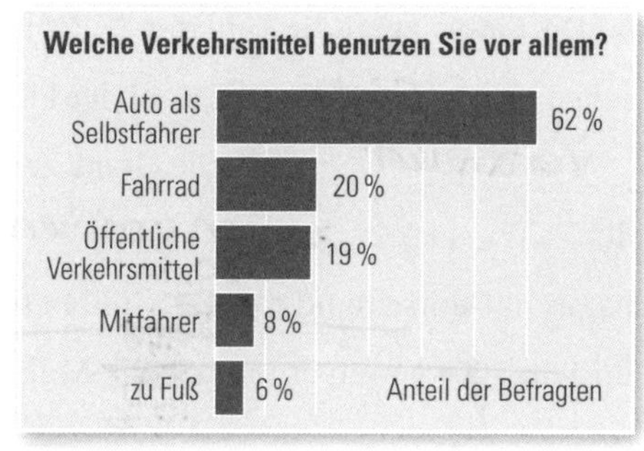

a sehr viele, mehr als die Hälfte = 62 %

b manche, ein paar, einige = 8 %

c ein Fünftel = 20 %

d knapp ein Fünftel, fast ein Fünftel, nicht ganz ein Fünftel = 19 %

e wenige, nicht sehr viele = 6 %

B1 **7 Grafiken (2): Entwicklungen. Ordne die Verben und Nomen den Symbolen in der Tabelle zu.**

Verben
sich verändern • zunehmen • (an)steigen • abnehmen • sinken • gleich bleiben • zurückgehen

Nomen
die Abnahme • die Zunahme • der Anstieg • der Rückgang • die Veränderung • das Sinken

	Verben	Nomen
↑	(an)steigen	der Anstieg
↓	sinken	das Sinken
	abnehmen	die Abnahme
<	zurückgehen	der Rückgang
>	zunehmen	die Zunahme
< oder > ↑ oder ↓	sich verändern	die Veränderung.
=	gleich bleiben	

B1 **8 Ergänze die Verben aus Übung 7 in der richtigen Form.**

früher	heute		
100	150	die Zahl ... ist gestiegen	↑
150	100	die Zahl ... hat abgenomen	↓
100	100	die Zahl ... ist gleichgeblieben	=
200 Quadratmeter	150 oder 250 Quadratmeter	die Größe ... hat sich verändert	< oder >
Umweltverschmutzung	+ 40%	die Umweltverschmutzung hat zugenommen	<
Umweltverschmutzung	- 40%	die Umweltverschmutzung ~~hat zurückgegangen~~	>

hat abgenommen

B1 **9** **Ergänze in den Texten (A-B) die Beschreibung der Grafiken (1-2) mit den Verben im Kasten und den Informationen aus den Grafiken.**

A Die Grafik zeigt die Zahl der PKWs in Deutschland. Wir sehen, wie **a** .... die Zahl der PKWs von 1990 bis 2008 .... hat. Die Grafik zeigt, dass die Zahl der PKWs stark **b** .... hat. Im Jahr 1990 hat es in Deutschland **c** .... Millionen PKWs gegeben, im Jahr 2008 waren es um **d** .... Millionen mehr.

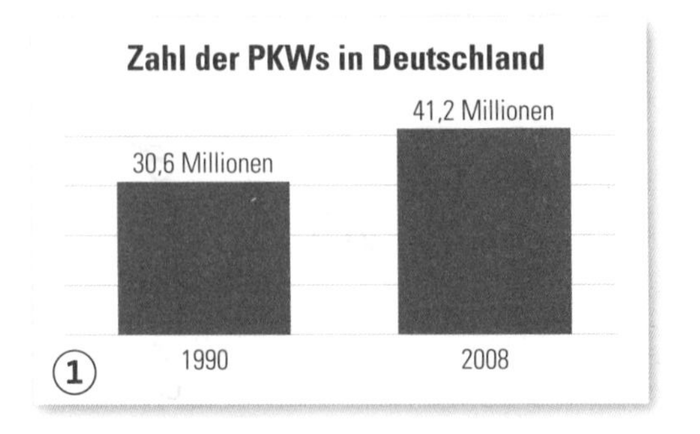

B Die Grafik zeigt, dass es für viele Menschen auf der Erde bald nicht mehr genug Wasser gibt. Wir sehen, dass im Jahr 2005 **a** .... Prozent der Menschen auf der Erde zu wenig Wasser hatten, im Jahr 2025 **b** .... diese Zahl wahrscheinlich um das Dreifache. Die Zahl der Menschen, die genug Wasser haben, **c** .... dagegen. Im Jahr 2005 waren es noch 88 Prozent der Weltbevölkerung, im Jahr 2025 sind es wahrscheinlich nur noch **d** .... Prozent.

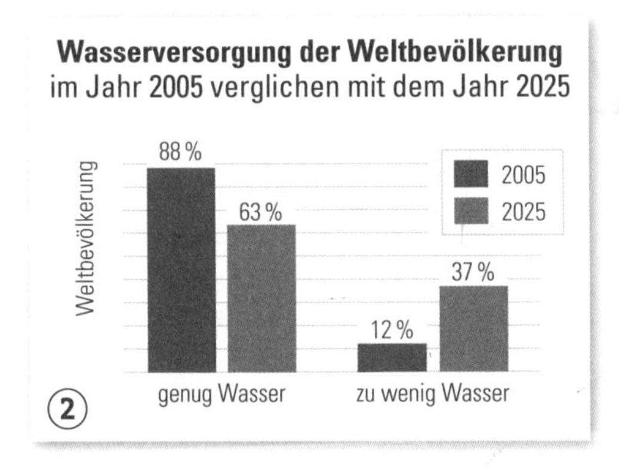

B1 **10** **Wähle ein Situation oder eine Entwicklung, zeichne eine Grafik und beschreibe sie. Beispiele findest du auf Seite 185.**

Situationen:

- **a** Wie viele Mädchen und Jungen / Lehrer und Lehrerinnen gibt es in eurer Klasse?
- **b** Wie viel Zeit verbringen die Personen in deiner Familie täglich mit fernsehen / Hausarbeit / spielen / ...?
- **c** Wie viele Zimmer / Fenster / Türen / ... hat euer Haus / eure Schule?

...

Die Grafik zeigt die Zahl / die Höhe / die Dauer / die Entfernung / ...
Die Grafik zeigt, wie viele / wie groß / wann / wie lange / wie weit ...

Entwicklungen:

- **d** Wie viele CDs / Bücher / T-Shirts /... hattest du früher, wie viele hast du heute?
- **e** Wie viel Geld hast du früher für Süßigkeiten / dein Handy / Kinokarten / ... ausgegeben, wie viel gibst du heute aus?
- **f** Wie viele Stunden siehst du fern / spielst du Computerspiele / spielst du Fußball / ..., wie viele Stunden hast du das früher gemacht?

...

Die Zahl ... hat sich verändert / hat zugenommen / hat abgenommen / ist gesunken / ist gestiegen.

B1 **11** **Tauscht die Grafiken oder die Texte im Unterricht aus und schreibt dazu neue Texte oder zeichnet neue Grafiken.**

C Grammatik

Passiv Präsens, Passiv mit Modalverben

12 **Ergänze die Verben im Passiv Präsens.**
Welche Aktivitäten können für die Umwelt schädlich sein, welche nicht? Zeichne Gesichter in die Bäume.

verbrennen ✪ verwenden ✪ bauen ✪ sehen ✪ kaufen ✪ hören

a In den Haushalten werden Hunderte verschiedene chemische Produkte verwendet.
b Jeden Tag ~~hören~~ werden Millionen Radiosendungen gehört.
c Überall auf der Welt ~~bauen~~ werden neue Häuser, Städte und Straßen gebaut.
d Jeden Tag ~~brennen~~ werden Millionen Liter Öl und Benzin in Heizungen und Motoren verbrannten.
e In den Supermärkten und Einkaufszentren ~~kaufen~~ werden Millionen Produkte gekauft.
f Jeden Tag ~~sehen~~ werden Millionen Filme und Fernsehsendungen gesehen.

13 **Einige Aktivitäten aus Übung 12 können negative Folgen für die Umwelt haben. Ordne zu und schreib Sätze mit *wenn* wie im Beispiel. Schreib die Sätze dann unpersönlicher.**

Lerntipp – Grammatik
Vergleiche: 1 Aktiv: ***Wir verschmutzen** die Luft.*
2 Passiv: *Die Luft **wird** verschmutzt.*
Das Aktiv sagt uns, wer etwas tut. Das Passiv „versteckt“ diese Personen sehr oft. Manchmal wollen wir sie nicht nennen, manchmal sind sie unwichtig.
Wenn du die Verantwortlichen oder die Ursache für ein Ereignis auch im Passivsatz nennen willst, musst du **von** (+ Verantwortliche) oder **durch** (+ Ursache) verwenden.
Zum Beispiel: *Die Luft wird **von uns** verschmutzt.*

a	zu viele chemische Produkte verwenden	1	Luft verschmutzen und Energiereserven verbrauchen
b	Tüten, Dosen und Packungen wegwerfen	2	Flüsse und Seen verschmutzen
c	Erdöl verbrennen	3	Naturlandschaften zerstören
d	Häuser, Städte und Straßen bauen	4	Müll produzieren

a2) Wenn wir zu viele chemische Produkte verwenden, verschmutzen wir Flüsse und Seen.
Wenn zu viele chemische Produkte verwendet werden, werden Flüsse und Seen verschmutzt.
b4) Wenn wir Tüten, Dosen und Packungen wegwerfen, produzieren wir Müll.
Wenn wir Tüten, Dosen und Packungen weggeworfen werden, wird Müll produziert.
c1) Wenn wir Erdöl verbrennen, wird
Wenn wir Erdöl verbrennen,
d3) Wenn wir Häuser, Städte und Straßen bauen, werden Naturlandschaften zerstört
Wenn ~~wir~~ Häuser, Städte und Straßen gebaut werde, werden Naturlandschaften zerstört

14 Unbeliebte Entscheidungen. Wer hat das so entschieden? Schreib die Sätze im Aktiv.

a Das Fußballspielen im Stadtpark wird verboten. (Dr. Klein vom Stadtamt)

aktive Dr. Klein vom Stadtamt verbietet Fußballspielen im Stadtpark.

b Das Popkonzert wird abgesagt. (die Gruppe „Red Angels")

Die Gruppe „Red Angels" sagt das Popkon sagt ab.

c Das Fußballspiel wird in der letzten Minute entschieden. (der Schiedsrichter)

Passiv Der Schiedscichter entsheidet das Fußballspiel in der letzten min

d Der Badesee wird verkauft. (die Besitzerin Gerda Gampel)

Die Besitzerin Gerda Gampel verkauft den Badesee.

e Die restlichen Speisen werden weggeworfen. (der Koch, Herr Lubesch)

Der Koch, Herr Lubesch worft weg die restliche Speise

f Schnellfahren wird erlaubt. (der Verkehrsminister)

Der Verkehrsminister erlaubt Schnellfahren.

15 Schreib die Sätze aus Übung 14 auch mit *von*.

a) Das Fußballspielen im Stadtpark wird von Dr. Klein verboten.

b) Das Popkonzert wird von der Gruppe abgesagt.

c) Das Fußball spiele wird von den Schiedsrichter in der lezte min entschieden

d) Der Badesee werd von GG verkauft.

e) Die reslichen Speisen wird von Herr Lubesch weggeworfen

f) Des Schnellfahren wird von Verkehrsminister erlaubt.

16 Was muss getan werden? Ordne zu.

Es ist höchste Zeit!

a Alle warten auf dich!	**1** Die Pflanzen müssen eingesetzt werden.
b Die Vorstellung beginnt gleich.	**2** Die Hemden müssen aber noch gewaschen werden.
c Das Flugzeug fliegt in einer halben Stunde ab.	**3** Das Gepäck muss noch eingecheckt werden.
d Es beginnt zu regnen.	**4** Alle Handys müssen ausgeschaltet werden.
e Die Partygäste kommen in einer Viertelstunde.	**5** Die Pizza muss noch gebacken werden.
f Ich brauche dringend ein frisches Hemd.	**6** Der Rucksack muss noch gepackt werden.

17 Schreib die Sätze (1-6) aus Übung 16 in der *du*-Form.

a 6) Du musst deinen Rucksack packen.

b 4) Du musst deinen Handy aus ab schalten

c 3) Du musst das gepäck einstecken.

d 1) Du musst die Pflanzen einstetzten.

e 5) Du musst die Pizza backen.

f 2) Du musst die Hemden waschen

C **18** **Was muss auf der Baustelle (1), in der Schule (2) und im Gasthaus „Sonnenblick" (3) gemacht werden? Ordne zu und schreib Sätze.**

3 ✪ ~~Besteck putzen~~ ✪ ~~Heizung montieren~~ 2 ✪ ~~Bücher aus der Bibliothek zurückgeben~~ 1 ✪ ~~Wände streichen~~ ✪
1 ✪ ~~Strom und Wasser anschließen~~ 3 ✪ ~~Fleisch und Gemüse einkaufen~~ 1 ✪ ~~im Garten Bäume pflanzen~~ ✪
2 ✪ ~~Zeugnisse unterschreiben~~ 3 ✪ ~~Tisch decken~~ 2 ✪ ~~Klassenzimmer aufräumen~~ 3 ✪ ~~Hochzeitstorte backen~~ ✪

1 Familie Berger möchte bald in ihr neues Haus einziehen.
Im Haus muss noch die Heizung montiert werden. Im Haus müssen die Wände gestriechen. Im Haus mussen ~~das~~ Strom und Wasser angeschloßen werden. Im ~~Haus~~ Garten Bäume gepflanzen.

2 In drei Tagen beginnen die Ferien.
In der Schule müssen die Bücher … werden zurückgegeben in der Bibliothek. In der Schule müssen Zeugnisse unterschrieben. In der Schule die Klassenzimmer mussen aufgeräumt.

3 Im Gasthof „Sonnenblick" gibt es eine große Hochzeit.
Das Besteck muss … geputzt werden. Das Fleisch und Gemüse eingekauft werden. Der Tisch muss gedeckt. Die Hochzeitstorte muss gebacken werden.

C **19** **Schreib einige Sätze aus Übung 18 anders.**

1 *Bevor Familie Berger einziehen kann, …*
2 *Bevor die Ferien beginnen, …*
3 *Bevor die ersten Hochzeitsgäste kommen, …*

D Hören: Alltagssprache

Ruth Sonja

✪ Ruth ✪ Sonja ✪ Sabine ✪

D2 **20** **Was weißt du noch? Ergänze die Namen.**

a Ruth hat sich an der Nase verletzt.
b Sabine ist Ruths s Schwester.
c Sonja hat die Glühbirne aus der Lampe gedreht.
d Sabine will, dass alle in der Familie nach ihren Regeln leben.
e Ruth hat ein Moped.
f Sonja und Ruth sind gegen Autos in der Stadt.
g Sonja findet, dass Autos praktisch sind.
h .... zieht aufs Land und will dann mit dem Auto zur Schule fahren.

D2 **21** **Ergänze die Dialogteile aus dem Kursbuch.**

1 Dein Moped spielt da wohl keine so große Rolle
2 Das nervt
3 ~~Was hat das mit Sabines Umwelttick zu tun~~
4 Da kennst du sie schlecht
5 Gegen mein Moped hat sie auch etwas

(...)

Ruth: Ich habe mir die Nase angestoßen.

Sonja: **a** Was hat das mit Sabines Umwelttick zu tun?

Ruth: Immer wenn ich vergesse, in meinem Zimmer das Licht abzuschalten, dreht sie die Glühbirne aus der Lampe.

Sonja: Was? **b** ....!

(...)

Sonja: Ich hab gar nicht gewusst, dass Sabine so radikal ist.

Ruth: **c** ....

(...)

Ruth: **d** ....
Sie meint, ich soll mit dem Fahrrad fahren. Das ist besser für die CO_2-Bilanz.

Sonja: **e** ....

(...)

D2 **22** **Ergänze den Dialog.**

1 Das nervt
2 Da kennst du ihn schlecht
3 gegen meine Musik hat er auch was
4 ~~Was hat ... zu tun~~
5 spielt das wohl keine Rolle

Pascal: Warum kommst du so spät? Anja und Kati warten schon vor dem Kino.

Rene: Tut mir leid. ... Ich glaube, ich muss einen größeren Kleiderschrank besorgen.

Pascal: **a** Was hat dein Kleiderschrank mit unserer Verabredung zu tun?

Rene: Ich hatte schon wieder Streit mit meinem Bruder. Jakob macht praktisch jeden Tag Probleme wegen meiner Eishockeysachen.

Pascal: Jeden Tag? **b** ....!

Rene: Ja, die Sachen liegen in einer Zimmerecke, und das stört ihn.

Pascal: In eurem Zimmer **c** .... So ordentlich ist Jakob ja auch nicht.

Rene: Das sehe ich auch so. Und **d** ....

Pascal: Ich habe gedacht, Jakob mag Hardrock.

Rene: **e** .... Er hört nur Kuschelrock und Balladen. Das kann ich schon nicht mehr hören.

Pascal: Es wird Zeit, dass du ein eigenes Zimmer hast.

Rene: Ja, aber Jakob denkt nicht ans Ausziehen, obwohl er schon 21 ist.

E Grammatik

Passiv mit Modalverben (Regeln), *falls, wegen*

23 Schulregeln. Welche Regeln (1-6) haben die Schüler und Schülerinnen (a-f) verletzt? Ordne zu und schreib die Regeln im Passiv mit *dürfen* auf.

Schulregeln

1 Keine Haustiere in die Schule mitnehmen!
2 Im Unterricht keine Handys verwenden!
3 Im Schulgebäude nicht Fußball spielen!
4 Keine Fahrzeuge auf dem Sportplatz parken!
5 In der Bibliothek keine Musik hören!
6 In der Schule nicht rauchen!

a Max hat sein Moped auf dem Sportplatz geparkt.
Regel *4: Auf dem Sportplatz dürfen keine Fahrzeuge geparkt werden.*

b Simon und Jan haben im Klassenzimmer Fußball gespielt.
Regel 3: Im Schulgebäude darf nicht Fußball gespielt werden.

c Lea hat in der Biologiestunde mit ihrem Handy telefoniert.
Regel 2: Im Unterricht dürfen keine Handys verwendet werden.

d Carina hat auf der Toilette geraucht.
Regel 6: In der Schule darf nicht geraucht werden

e In der Bibliothek hat Hannes eine Rock-CD vorgespielt.
Regel 5: In der Bibliothek darf keine Musik gehört werden

f Pedro hat seinen Hund in die Schule mitgebracht.
Regel 1: In die Schule dürfen keine Haustiere mitgenommen werden.

24 Das Leiterspiel (S. 58/59). Schreib die Spielregeln (a-i) einfacher. Setz dabei die Passivsätze ins Aktiv. ?

Passiv – aktiv.

Spielregeln

a Für das Spiel werden der Spielplan, ein Würfel und mehrere Spielsteine gebraucht.
Für das Spiel brauchst du den Spielplan, ...

b Die Spielsteine müssen möglichst schnell ins Zielfeld gebracht werden.
Du musst ... die Spielsteine ins Zielfeld gbracht

c Es wird der Reihe nach gewürfelt.
Ihr müsst ...

d Am Beginn einer Leiter darf der Spielstein nach oben gezogen werden.

e Auf einem Schlangenkopffeld muss der Spielstein nach unten bewegt werden.

f Auf einem Buchstabenfeld muss eine Grammatikaufgabe gelöst werden.

....

g Bei einer falschen Antwort muss der Spielstein drei Felder zurück bewegt werden.

....

h Bei einer richtigen Antwort darf der Spielstein zum nächsten Aufgabenfeld gezogen werden.

....

i Das Zielfeld muss mit der exakten Punktzahl erreicht werden.

....

25 Lies die Aufgaben zu den Buchstabenfeldern und spiel das Leiterspiel mit deinen Mitschülern.

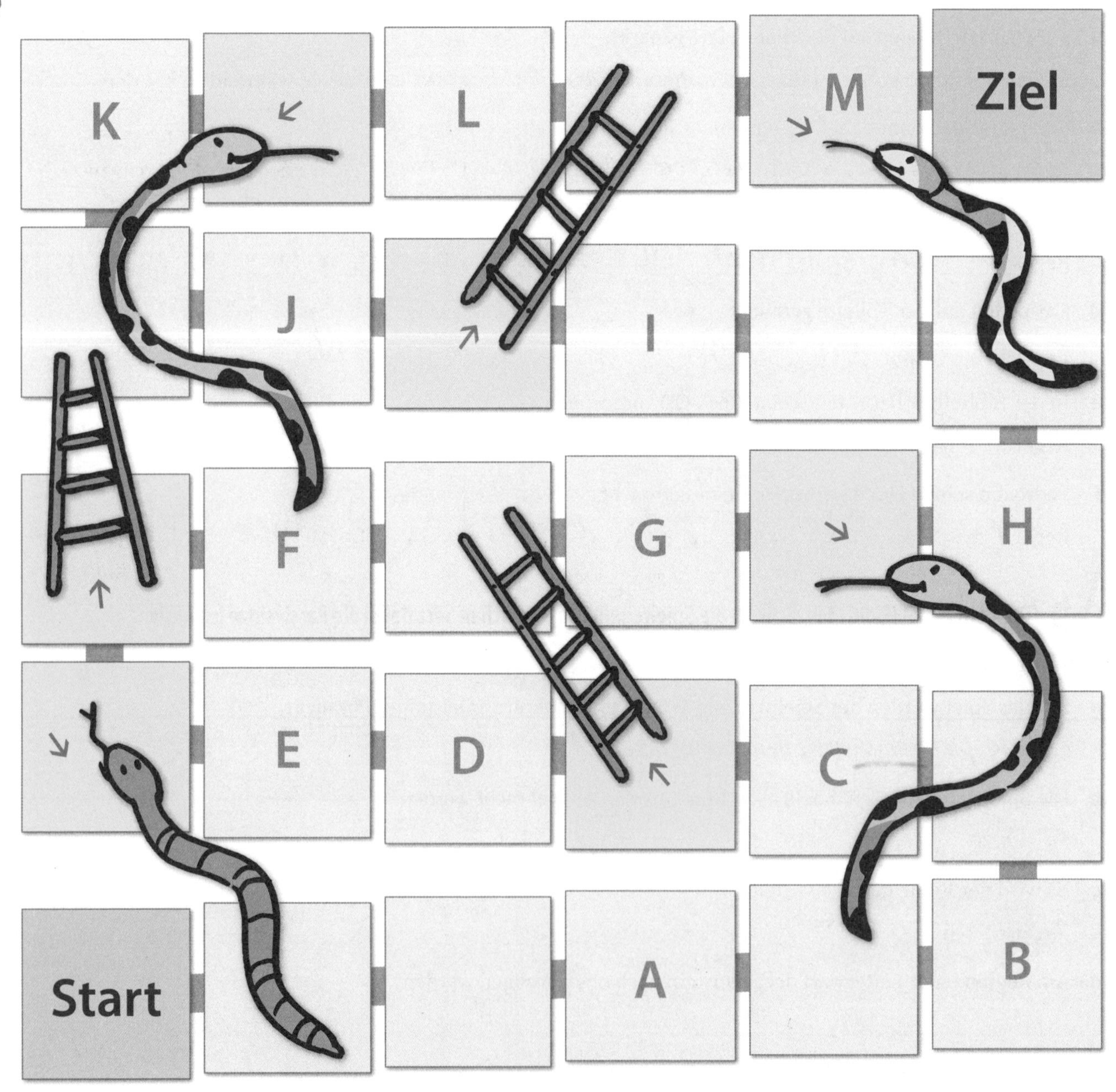

Lerntipp – Grammatik und Wortschatz
Mit diesem Spiel kannst du wichtigen Wortschatz oder Grammatik trainieren. Schreibt zuerst für jeden Buchstaben eine Aufgabe und spielt dann das Spiel.
Beispiele für mögliche Aufgaben:
- *Finde die Fehler.* (Schreibt Sätze mit Grammatikfehlern.)
- *Finde das Wort.* (Schreibt Definitionen zu schwierigen Wörtern.)
- *Wie heißt das Perfekt, wie heißt das Präteritum?* (Schreibt Infinitive von unregelmäßigen Verben.)
- *Wie heißt das Aktiv oder Passiv?* (Schreibt Aktiv- oder Passivsätze.)
- *Bilde mit der Präposition einen richtigen Satz.* (Schreibt Präpositionen.)

usw.

Aufgaben zu den Buchstabenfeldern. Ergänze die Sätze mit den richtigen Wörtern.

A) Das Zelt muss aufgestellt werden. Es beginnt zu regnen.
B) Sie ruft an, um sich zu entschuldigen.
C) Er hilft ihr, damit sie in Mathe keine Probleme hat.
D) Befor sie telefoniert, besorgt er die Kinokarten.
E) Er läuft über die Straße, ohne nach links und rechts zu schauen.
F) Nachdem sie mit ihm gesprochen hatte, fühlte sie sich besser.
G) Vor wir etwas kochen können, müssen wir einkaufen.
H) Er hat Angst während Schlangen.
I) Was ist denn los? worüber ärgerst du dich so?
J) Motorräder? Dafür interessiere ich mich wirklich nicht.
K) Treffen wir uns doch vor dem Kino.
L) In unserer Stadt soll ein neues Hotel gebaut werden.
M) Wir sollten einen Ausflug machen, statt das ganze Wochenende vor dem Fernseher zu sitzen.

✪ soll ... werden ✪ vor ✪ statt ... zu ✪ worüber ✪ während ✪ vor dem ✪ um ... zu ✪ dafür ✪ bevor ✪ damit ✪ nachdem ✪ ohne ... zu ✪ muss ... werden ✪

26 **Jonas will beim Radausflug auf alles vorbereitet sein. Ordne zu, steiche *vielleicht* und schreib Sätze mit *falls* wie im Beispiel.**

a	Er packt seinen Schlafsack ein.	1	Sie können unterwegs vielleicht nicht Wäsche waschen.
b	Er packt den Gaskocher und das Kochgeschirr ein.	2	Vielleicht wollen sie unterwegs etwas Warmes essen.
c	Er packt sehr viel Extra-Kleidung ein.	3	Sein Fahrradanhänger geht vielleicht kaputt.
d	Er packt eine zweite Kamera ein.	4	Vielleicht müssen sie im Freien schlafen.
e	Er packt Lebensmittel ein.	5	Sie finden vielleicht kein Geschäft.
f	Er nimmt Adressen von Fahrradwerkstätten mit.	6	Die erste geht vielleicht kaputt.

Er packt seinen Schlafsack ein. ~~Vielleicht~~ müssen sie im Freien übernachten.

a4) Er packt seinen Schlafsack ein, falls sie im Freien übernachten müssen. b2) Er packt den Gaskocher und das Kochgeschirr, falls sie unterwegs etwas Warmes essen.
c1)

27 Hör die Dialoge (a-d) und ergänze die Sätze. 1 17

sein Trainer • seine Eltern • das Wetter • ~~ihre Schwester~~

a Veronika konnte wegen *ihrer Schwester* nicht ins Kino gehen.
Sie musste ...

b Nick konnte wegen ... nicht pünktlich sein.
Er musste ...

c Anna hat wegen ... Kopfschmerzen.
Sie möchte ...

d Mark muss die Party wegen ... absagen.
Marks Eltern ...

28 Schreib die Sätze anders. Verwende wegen + Genitiv wie im Beispiel

a Silvia musste die Musik leiser drehen. Ihr Nachbar hat sich beschwert.
b Das Schiff konnte nicht anlegen. Es hat einen Sturm gegeben.
c Kevin war nicht auf der Party. Seine Freundin hatte keine Lust.
d Max ist erst spät ins Bett gegangen. Er wollte unbedingt den Krimi sehen.
e Caro muss am Wochenende arbeiten. Ihr Chef braucht sie im Büro.
f Er ruft noch einmal an. Er möchte das Fahrrad kaufen.

a Silvia musste die Musik wegen ihres Nachbarn leiser drehen.

Aussprache

Lerntipp – Aussprache
Die meisten deutschen Wörter werden auf der ersten Silbe betont.
Zum Beispiel: Schüler, fahren, laufen, ...
Bei internationalen Wörtern gilt diese Regel nicht immer.
Du musst die Betonung mit dem Wort lernen.

29 Internationale Wörter. Ordne die Wörter nach der Silbenzahl.

~~die Existenz~~ • ~~die Temperatur~~ • ~~die Region~~ • die Situation • die Energie • die Kultur • die Atmosphäre • das Konzert • der Experte • die Grafik • die Industrie • der Termin • das Medikament • die Tabelle • der Ingenieur • das Taxi • vegetarisch

a zwei Silben: *die Region, ...*
b drei Silben: *die Existenz, ...*
c vier Silben: *die Temperatur, ...*

30 Hör zu, markiere die Wortbetonung und sprich nach. Unterstreiche in Übung 29 in jeder Gruppe (a-c) die zwei Wörter, die eine andere Betonung haben. 1 18

31 **Bilde aus den Nomen Verben auf *-ieren* und ergänze die Sätze mit den Verben.**

1 die Produktion: produzieren
2 der Transport: transportieren
3 die Existenz: Existieren

Seit 2009 **a** .... in der deutschen Stadt Jülich ein neuartiges Sonnenkraftwerk.
Über 2000 Spiegel **b** „............“ dort das Licht der Sonne zu einem 60 Meter hohen Turm.
In diesem Turm kann Strom für 350 Haushalte **c** .... werden.

Sonnenkraftwerk in Jülich

32 **Hör die Sätze aus Übung 31. Achte auf die Verben auf *-ieren* und markiere die Wortbetonung. Ergänze dann die Regel.** 1 19

✪ -ieren ✪ -ier- ✪

Regel: Verben auf .... werden immer auf der Silbe .... betont.

Finale: Fertigkeitentraining

33 **Lies die Texte (1-3) aus dem Stadtmagazin und ergänze die Sätze mit den richtigen Wörtern. Wer hat wohl welchen Text geschrieben? Ordne die Fotos (A-C) zu.**

Rundblick
Das Stadtmagazin

Ihre Meinung ist uns wichtig!
Was würden Sie gern in Althofen ändern?

(A) Anja Hofstätter, 29
(B) Johann Berger, 72
(C) Mira Markovic, 17

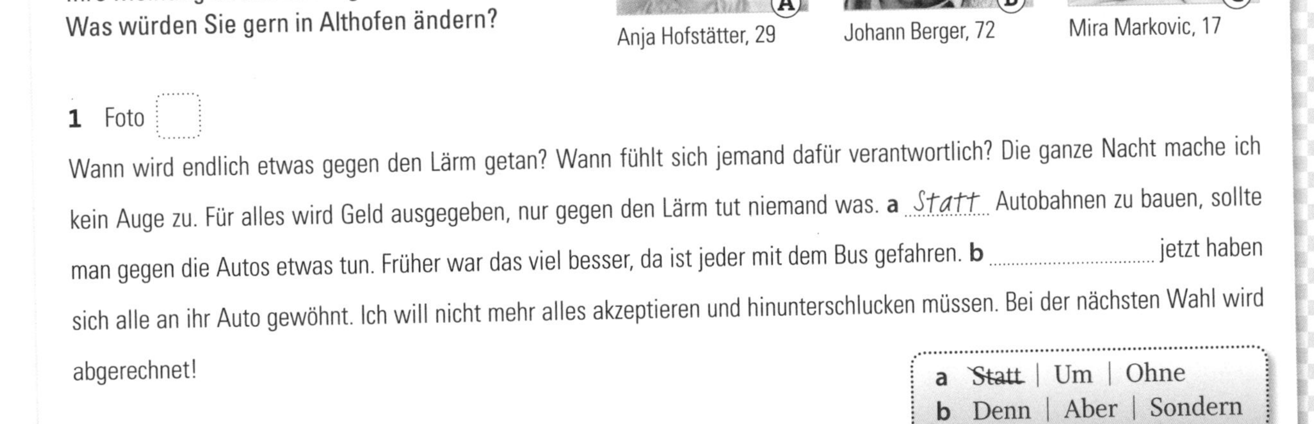

1 Foto ☐

Wann wird endlich etwas gegen den Lärm getan? Wann fühlt sich jemand dafür verantwortlich? Die ganze Nacht mache ich kein Auge zu. Für alles wird Geld ausgegeben, nur gegen den Lärm tut niemand was. **a** Statt Autobahnen zu bauen, sollte man gegen die Autos etwas tun. Früher war das viel besser, da ist jeder mit dem Bus gefahren. **b** .... jetzt haben sich alle an ihr Auto gewöhnt. Ich will nicht mehr alles akzeptieren und hinunterschlucken müssen. Bei der nächsten Wahl wird abgerechnet!

a ~~Statt~~ | Um | Ohne
b Denn | Aber | Sondern

2 Foto ......

Man kann einiges tun, **a** *um* Althofen attraktiver zu machen. **b** .... brauchen wir ein Jugendzentrum zum Tanzen, Diskutieren und Feiern. **c** .... müssen wir nicht mehr in den Parks und auf der Straße herumhängen. Die alte Schuhfabrik wäre perfekt. Dort könnte solch ein Zentrum entstehen. **d** .... brauchen wir mehr Radwege. Immer mehr Althofener sind mit dem Fahrrad unterwegs. Wegen des starken Verkehrs ist das aber ziemlich gefährlich. **e** .... das viele nicht sehen wollen, haben die Radwege auch für Autofahrer Vorteile: Wenn mehr Rad gefahren wird, gibt es weniger Autos in der Stadt und mehr Parkplätze. ☺

a ~~um~~ | statt | ohne
b Schließlich | Zuerst | Zweitens
c Dann | Deshalb | Trotzdem
d Zuletzt | Außerdem | Erstens
e Weil | Deshalb | Obwohl

3 Foto ......

a .... unsere Stadt lebenswerter wird, muss sich schon einiges ändern. Am schlimmsten ist wohl der Müll in den Parks. **b** .... man am Sonntagmorgen mit seinen Kindern in den Stadtpark geht, muss man erst einmal den Müll wegräumen, **c** .... man die Kinder auf dem Spielplatz spielen lassen kann. Ich finde, der Park sollte nachts unbedingt geschlossen werden, **d** .... dort keine Partys gefeiert werden können. Auch der Verkehr ist ein Problem. Wenn ich meine Kleinen zum Kindergarten bringe, finde ich dort nie einen freien Parkplatz. Ich brauche mein Auto. Damit bin ich unabhängiger. Auf der anderen Seite will ich nicht stundenlang im Kreis fahren. Da muss wirklich etwas getan werden.

a Weil | Damit | Obwohl
b Als | Weil | Wenn
c bevor | nachdem | als
d um | wenn | damit

(34) Lies die Texte noch einmal und ergänze die Tabelle. Wer kann seine Ideen am besten präsentieren? Wer kann am ehesten überzeugen? Warum?

		Was sollte verändert werden? (Ideen)	Warum sollte etwas verändert werden? (Grund)
A	Anja Hofstätter, 29		
B	Johann Berger, 72		
C	Mira Markovic, 17		

.... kann ihre/seine Idee am besten präsentieren, weil ....

.... kann am besten überzeugen, weil ....

(35) Hör die drei Dialoge. Um welche Themen aus den Texten in Übung 33 geht es in den Dialogen? Ordne zu. Kreuze dann die richtigen Antworten an. 1 20

Thema: Transport in den Kindergarten – Dialog ☐

Thema: schlechte Busfahrpläne – Dialog ☐

Thema: Jugendliche im Stadtpark – Dialog ☐

Dialog 1

a Jörg trifft seine Freunde
- ☐ in der Disco.
- ☐ bei Mira.
- ☐ bei der Augartenbrücke.

b Jörg besucht Mira
- ☐ um 19:00 Uhr.
- ☐ um 20:00 Uhr.
- ☐ um 21:15 Uhr.

Dialog 2

c Johann möchte am nächsten Tag
- ☐ mit seiner Frau zum Arzt gehen.
- ☐ seinen Freund treffen.
- ☐ mit dem Auto in die Stadt fahren.

d Johann nimmt den Bus
- ☐ um 7:40 Uhr.
- ☐ um 7:10 Uhr.
- ☐ um 8:30 Uhr.

Dialog 3

e Miriams Mutter hat Probleme
- ☐ mit ihrem Auto.
- ☐ mit den Nachbarn.
- ☐ mit Miriam.

f Die Kindergartengruppe wartet
- ☐ bis Viertel nach acht.
- ☐ bis halb neun.
- ☐ nicht auf Miriam.

Strategie – Beim Hören

Bei vielen Prüfungsaufgaben musst du unter mehreren Möglichkeiten die richtige Antwort finden (Multiple Choice).

- Lies vor dem Hören alle Antwortmöglichkeiten gut durch. Finde heraus, worauf du in den Hörtexten besonders achten musst. Im ersten Hörtext musst du dich zum Beispiel auf Orte konzentrieren.
- Kreuze nicht gleich die erste Information an, die du im Text hörst. Hör den ganzen Text. Im ersten Hörtext hörst du zum Beispiel als erste Ortsangabe *in der Disco*. Doch dort wollen sich die drei Freunde nicht treffen.
- Denk daran, dass du die Aufnahme normalerweise zweimal hören kannst. Kontrolliere beim zweiten Hören deine Antworten oder konzentriere dich darauf, beim zweiten Hören die richtige Lösung zu finden.

(36) Schreib einen Text und mach Verbesserungsvorschläge für deine Heimatstadt. Achte dabei auf die folgenden Punkte.

a **Plane deinen Text:**
- Beschreibe, wo du wohnst.
- Beschreibe die Probleme in deiner Stadt und was du verändern möchtest.
- Erkläre, warum du das verändern möchtest.
- Gib auch Ratschläge, wie die Veränderungen genau gemacht werden sollten.
- Schreib einen Einleitungssatz und einen Schlusssatz.

b **Verwende Konnektoren, um deine Sätze zu verbinden, wie zum Beispiel:**

zuerst / erstens / zweitens / außerdem / zuletzt / schließlich
aber / sondern
wenn
weil / deshalb / denn

obwohl / trotzdem
damit / um ... zu
statt ... zu / ohne ... zu

Lernwortschatz

* Modul Plus

Nomen

Ereignis, das, -se
Gefahr, die, -n
Küste, die, -n
Region, die, -en
Grund, der, ¨-e
Bewohner, der, –
Kultur, die, -en
Existenz, die, -en
Kraftwerk, das, -e
Luft, die, ¨-e
Protest, der, -e
Öl, das, -e
Bau, der, -ten
Gebäude, das, –
Ursache, die, -n
Strecke, die, -n
Klima, das (Sg.)
Atmosphäre, die, -n
Glühbirne, die, -n
Kohle, die, -n
Strom, der (Sg.)
Leitung, die, -en
Energie, die, -en
Broschüre, die, -n
Transport, der, -e
Nahrungsmittel, das, –
Stau, der, -s
Gewohnheit, die, -en
Freiheit, die, -en
Lärm, der (Sg.)
Vor-/Nachteil, der, -e
Gebühr, die, -en
Produkt, das, -e
Deckel, der, –
Gerät, das, -e
Drittel, das, –
Mücke, die, -n
Bekannte, die/der, -n
Katastrophe, die, -n
Flucht, die, -en
* Netz, das, -e
Vortrag, der, ¨-e
Symbol, das, -e
Verhältnis, das, -se
Honig, der (Sg.)
Liebling, der, -e
Mahlzeit, die, -en
Stall, der, ¨-e
Tal, das, -er
Presse, die (Sg.)
Gebiet, das, -e
Konflikt, der, -e
Kissen, das, –
Zahnpasta, die (Sg.)
Mappe, die, -n
Schachtel, die, -n
Rind, das, -er
Silvester, das, –

Verben

annehmen
rechnen (mit)
schützen
ab-/zunehmen
verbrauchen
bauen
erkundigen
messen
heizen
etw./jmdn./sich drehen
trocknen
buchen
ziehen
etw./sich (ver)ändern
* dienen
unterstützen
erfahren
verurteilen
etw. vorziehen
auswählen
sich überlegen
frieren
gebrauchen
sich einigen
anzünden
berichten
recht haben

Adjektive

trocken
nass
häufig
erkennen
elektrisch
alternativ
* dicht
sehenswert
satt
weiblich

andere Wörter
knapp ....
inklusive ....
zwar ....
* abwärts ....
quer ....
unterwegs ....

Wichtige Wendungen

Grafiken beschreiben
Grafik A zeigt den Anstieg des Meeresspiegels.
Grafik B macht deutlich, dass die Zahl der Wirbelstürme gestiegen ist.

über Regeln sprechen
Man sollte mit dem Fahrrad fahren.
Man sollte den Müll trennen.

Alltagssprache
Das nervt!
Da kennst du sie schlecht.
Das spielt keine Rolle.

Das kann ich jetzt ...

	... gut.	... mit Hilfe.	Das übe ich noch.

1 Wörter

Ich kann zu den Themen sechs Wörter nennen:

a Grafiken beschreiben: *steigen,*	○	○	○
b Umweltprobleme: *Luftverschmutzung,*	○	○	○
c Energie: *Kohle,*	○	○	○

2 Sprechen

a Über Umweltprobleme sprechen:	○	○	○

Die Luft in den Städten wird durch den Verkehr verschmutzt.
Wenn ..., dann können 17 kg Co^2 eingespart werden.

b Über Regeln sprechen:	○	○	○

Es dürfen nur noch Lebensmittel aus der Region gekauft werden.

c Ursachen angeben:	○	○	○

Wir konnten ... Wegen eurer Eltern? Nein, wegen ...

3 Lesen und Hören

Die Texte verstehe ich:

a Rettet unsere Inseln → KB S. 35	○	○	○
b Sabines Umwelttick → KB S. 39	○	○	○
c Barfuß → KB S. 41	○	○	○

4 Schreiben

Ein Arbeitsplan per E-Mail.	○	○	○

Test: Modul 7

Grammatik

Punkte

(1) *als, während, bevor, nachdem* oder *immer wenn*? Unterstreiche die richtigen Konjunktionen.

a Bevor | Als | Während sie fernsehen durften, mussten sie noch ihre Hausaufgaben machen.

b Veronika wollte den Film unbedingt sehen, während | immer wenn | nachdem Manuel ihr davon erzählt hatte.

c Immer wenn | Als | Nachdem ich meinen Nachbarn mit seinem riesigen Hund auf der Straße treffe, gehe ich auf die andere Straßenseite.

d Nachdem | Als | Immer wenn wir Kinder waren, hatten wir kleine Hasen als Haustiere.

e Nachdem | Bevor | Während du isst, solltest du nicht so viel sprechen.

① ..... |4

(2) Ergänze in jedem Satz einmal das Präteritum und einmal das Plusquamperfekt.

a Wir *(sein)* waren nicht hungrig ..... – ....., weil wir schon *(essen)* gegessen hatten.

b Marlene *(haben)* .... gar keine Angst ...., obwohl sie zuvor noch nie eine Schlange *(berühren)* ....

c Wir *(kommen)* .... zu spät ...., aber glücklicherweise *(anfangen)* .... das Konzert noch nicht ....

d Edwin *(fliegen)* .... noch nie zuvor ...., deshalb *(sein)* .... er vor der Abreise ziemlich nervös ....

② ..... |3

(3) Ergänze die Präpositionalpronomen mit *wo-* oder *da-*.

a ⊙ Ich suche ein Geschenk für Anna. Wofür interessiert sie sich eigentlich?
◆ Für Kunstbücher, ... interessiere ich mich übrigens auch.

b ⊙ Ich schaffe es heute nicht, die Konzertkarten zu bestellen.
◆ Mach dir keine Gedanken, ich kümmere mich ....

c ⊙ .... hast du am meisten Angst? ◆ Vor Tornados.
◆ Wirklich? .... habe ich keine Angst, bei uns gibt es ja gar keine.

d ⊙ .... ärgert sich Mario denn schon wieder?
◆ Es regnet, und .... kann er sich total ärgern, wenn er Rad fährt.

③ ..... |6

(4) Passiv mit Modalverb. Ergänze die Sätze.

✪ mitnehmen – dürfen ✪ reparieren – können ✪ füttern – wollen ✪ ~~waschen – müssen~~ ✪ bauen – sollen ✪

a Die T-Shirts sind schmutzig, die müssen gewaschen werden.

b Die Trinkflaschen .... nicht in das Fußballstadion ...., die müssen wir hierlassen.

c Ich glaube, deine Katze ...., die ist hungrig.

d In Eggenbach .... ein Jugendzentrum ....

e Mein Handy muss ich wegwerfen, das .... nicht mehr ....

④ ..... |4

Wortschatz

Punkte

5 **Sag es anders. Finde die Verben und ergänze die Sätze. Achte auf die richtige Form.**

1 die Veränderung – ....
2 der Anstieg – ....
3 die Zunahme – zunehmen
4 die Abnahme – ....

Schulstatistik

a Es gibt an der Schule mehr Lehrerinnen als vor einem Jahr. Die Zahl der Lehrerinnen hat zugenommen.
b Es gibt aber weniger Lehrer als vor einem Jahr. Die Zahl der Lehrer hat ....
c Es gibt genauso viele Schüler und Schülerinnen wie vor einem Jahr. Die Zahl hat sich nicht ....
d Mehr Schüler haben ein Moped. Die Zahl der Mopeds auf dem Schulparkplatz ist ....

5 | 6

6 **Ergänze die Sätze.**

✪ mseian ✪ ~~zwelvefreit~~ ✪ sogtrbe ✪ sücheifertig ✪ ascherübrt ✪ oigznr ✪

a Der Sturm hatte ihr Haus zerstört. Sie waren verzweifelt.
b Wenn du meinem kleinen Bruder das Spielzeug wegnimmst, wird er sehr ....
c Mein Großvater ist vor zwei Monaten gestorben. Meine Großmutter ist sehr ....
d Jahrelang hatten sie sich nicht gesehen, jetzt stand er plötzlich vor ihrer Haustür. Sie war wirklich ....
e Sabrina tanzt den ganzen Abend nur mit Mark. Ihr Freund Lukas ist sehr ....
f Als sie von dem Busunfall nach dem Fußballspiel hörte, war sie sehr .... Ihr Freund war in dem Bus.

6 | 5

Alltagssprache

7 **Ergänze die Dialoge.**

A Was hat das mit mir zu tun? **B** Das spielt keine Rolle. **C** haben etwas gegen **D** Könntest du deutlicher sprechen? **E** ~~Klingt gut,~~ **F** Ich fürchte,

a ⊙ Möchtest du eine DVD sehen? ◆ [E] welche Filme hast du?
b ⊙ Kommt ##ela morgen zum Spo###atz? ◆ Ich verstehe dich nicht. [ ]
c ⊙ Der Test ist nicht übermorgen, sondern schon morgen. ◆ [ ] du hast recht.
d ⊙ Wenn du nicht mitkommst, will sie auch nicht mitkommen. ◆ Warum denn? [ ]
e ⊙ Aber ich kenne niemanden auf der Party.
◆ [ ] Ich stell dir alle meine Freunde vor.
f ⊙ Meine Eltern [ ] meine langen Haare.
◆ Warum denn? Mir gefallen sie.

7 | 5

Grammatik	Wortschatz	Phrasen	Wie gut bist du schon?
15-17	10-11	5	☺
9-14	6-9	4	😐
0-8	0-5	0-3	☹

Gesamt | 33

Miteinander

 Text 

A2 ① **Was weißt du noch? Lies den Text und ergänze die Relativsätze.**

✪ die Milan ihr beschrieben hat ✪ der als Kellner in einem Vergnügungspark arbeitet ✪ die sich im Bahnhofscafé näher kennenlernen ✪ der genauso wie Milan aussieht ✪ der sie nach ihrem Besuch in Bremerhaven verzweifelt gesucht hat ✪ ~~den sie ganz sicher noch hatte~~ ✪ der ihr helfen will ✪ die nicht weiß ✪ das sie für die Rückfahrkarte braucht ✪

Selina steht am Hamburger Bahnhof und sucht verzweifelt nach ihrem Geldbeutel, **a** *den sie ganz sicher noch hatte*, als sie vom Rockkonzert zum Bahnhof fuhr. Da wird sie von einem jungen Mann angesprochen, **b** .... Der junge Mann heißt Milan und kommt aus Bosnien. Er leiht Selina das Geld, **c** .... Selina und Milan, **d** ...., wollen sich wiedersehen. Einige Wochen später ist Selina in Bremerhaven und sucht die Wohnung, **e** .... Jemand, **f** ...., öffnet die Wohnungstür, doch er erkennt Selina nicht. Selina, **g** ...., dass Milans Zwillingsbruder vor ihr steht, verlässt enttäuscht die Stadt. Jahre später trifft sie Milans Zwillingsbruder wieder, **h** .... Von ihm erfährt sie, dass Milan, **i** ...., vor zwei Jahren gestorben ist.

A2 ② **Finde im Kursbuch (Teil A) die passenden Wörter zu den Definitionen. Finde auch die Stellen im Text.**

a A1b der G _ _ d b _ _ t _ _ ≈ eine kleine Tasche, die man verwendet, um Geld mitzunehmen

b A1b die R _ _ _ f a _ _ k _ r t _ ≈ ein kleines Stück Papier, das man bei der Rückfahrt im Zug vorzeigen muss

c A1b _ c h _ i t t _ (Pl.) ≈ Bewegungen der Beine beim Gehen

d A1a die V _ _ s t _ _ _ u n g ≈ ein Bild, das man sich von jmdm./etwas in Gedanken macht

e A2a das V _ _ g n ü _ _ _ ≈ ein Gefühl, das man bei einer angenehmen oder lustigen Tätigkeit hat

f A2a der _ _ f f _ ≈ ein Verwandter, der auch der Sohn meiner Schwester oder meines Bruders ist

g A2a der _ o n n _ _ ≈ der Lärm, den man bei einem Gewitter hört

h A2a der _ _ _ t z ≈ das starke Licht, das man bei einem Gewitter sieht

i A2c der _ a _ t ≈ Haare, die im Gesicht wachsen

B Grammatik

Relativsätze mit Relativpronomen im Nominativ, Akkusativ und Dativ

B1 **3 Elemente der Geschichte. Ordne zu und ergänze die richtigen Relativpronomen.**

a	Selinas Geldbeutel,	1	...... Selina nach Bremen bringen soll
b	ein Zug,	2	...... genau so wie Milan aussieht
c	ein junger Mann auf dem Bahnhof,	3	...... in Bremerhaven liegt
d	eine kleine Wohnung,	4	*der* verschwunden ist
e	ein Mann,	5	...... Selina traurig macht
f	ein Gewitter,	6	...... Selina helfen will
g	eine Nachricht,	7	...... Selina und ihre Neffen im Vergnügungspark überrascht

B1 **4 Stress vor der Abfahrt. Ergänze die fehlenden Wörter und schreib Relativsätze.**

Freundin ✪ Koffer ✪ Eintrittskarten ✪ Zug ✪ ~~T-Shirts~~ ✪ Konzertprogramm

a Da liegen die *T-Shirts*. Ich wollte sie noch waschen.
Da liegen die T-Shirts, die ich ...

b Da steht der .... Ich muss ihn noch packen.

....

c Wo sind die .... ? Ich darf sie auf keinen Fall vergessen.

....

d Ich muss noch das .... ausdrucken. Ulla wollte es unbedingt mitnehmen.

....

e Meine .... Ulla wartet wahrscheinlich schon. Ich muss sie noch abholen.

....

f Um sieben geht der .... Wir müssen ihn pünktlich erreichen.

....

B1 **5 Unterstreiche in den Relativsätzen in Übung 3 und 4 wie in den Beispielen den Nominativ (= Subjekt) und die Verben. Vergleiche: Wann ist das Relativpronomen auch Subjekt?**

	Relativpronomen	Subjekt		Verb
Selinas Geldbeutel,	*der* Nominativ = Subjekt			verschwunden ist
Da liegen die T-Shirts,	*die* Akkusativ	*ich* Nominativ = Subjekt	*noch*	*waschen wollte.*

B1 **6** **Ergänze *der*, *dem* oder *denen* und die richtigen Verben.**

✪ leihen ✪ erzählen ✪ ~~geben~~ ✪ ✪ gehören ✪ gefallen ✪

a ⊙ Wer ist Kevin?
◆ Das ist der Junge, *dem* ich Nachhilfe in Mathematik *gebe*.

b ⊙ Wie geht es Mathias nach dem Unfall mit dem Hund?
◆ Ganz gut. Die Frau, ... der Hund ...., hat sich inzwischen bei ihm entschuldigt.

c ⊙ Toms Geschichte glaube ich nicht.
◆ Siegi und Klaus, ... er die Geschichte auch (Perfekt) ...., meinen aber, dass sie stimmt.

d ⊙ Und das hier auf dem Foto ist Miriam, die kleine Tochter unserer Nachbarn.
◆ Ist das das Mädchen, ... eure Goldfische im Garten so gut ....?

e ⊙ Nimm dein Handy mit.
◆ Geht leider nicht. Maria, ... ich das Handy (Perfekt) ...., hat es noch nicht zurückgegeben.

B1 **7** **Julian zieht um und verlässt die Stadt. Wer freut sich darüber, wer freut sich nicht? Zeichne Smileys und schreib Relativsätze wie im Beispiel.**

☺ Sie freuen sich, dass Julian weg ist. ☹ Sie sind traurig, dass Julian die Stadt verlässt.

a Herr Weber: „Er hat mir immer zum Geburtstag gratuliert." ☹
b Herr und Frau Maier: „Er hat uns Graffiti auf die Garage gemalt."
c Jakob: „Er hat mir meine DVDs noch immer nicht zurückgegeben."
d Herr Prokop: „Er hat mir bei der Gartenarbeit geholfen."
e Christoph: „Er hat mir in Mathematik alles erklärt."
f Amelie: „Er hat mir Geistergeschichten erzählt. Ich habe dann immer schlecht geschlafen."

a Herr Weber, dem Julian immer zum Geburtstag gratuliert hat, ist traurig, wenn Julian die Stadt verlässt.

B1 **8** **Eine Liebesgeschichte. Lies die Geschichte, achte nicht auf die Lücken und beantworte die folgenden Fragen. Wo lernt Emma Clark kennen? Was passiert auf der Fahrt nach England?**

Emma, **a** .... **b** ...., arbeitet im Sommer für eine Computerfirma. Dort sieht sie zum ersten Mal Clark, **c** .... Clark studiert Wirtschaft an der Carleton-Universität, **d** .... Eines Tages bekommt Emma eine E-Mail von Clark, **e** .... Emma ruft Clark an, **f** ...., und sie treffen sich in einem Café, **g** .... Emma, **h** ...., und Clark, **i** ...., beschließen, gemeinsam nach England zu ziehen. Für Emmas Eltern, **j** ...., ist der Abschied von Emma nicht einfach. Auf dem Weg nach England haben Emma und Clark einen Autounfall. Clark, **k** ...., wird schwer verletzt ins Krankenhaus gebracht. Nach der Operation, **l** ...., hilft Emma Clark, wieder gesund zu werden. Heute sind sie verheiratet und leben in einem kleinen Haus, **m** ....

Emma lernt Clark ...

B1 **9** **Mach die Geschichte aus Übung 8 interessanter. Erfinde mögliche Antworten auf die Fragen (a-m). Schreib die Geschichte neu und ergänze dabei die Lücken (a-m) in Übung 8 mit Relativsätzen wie im Beispiel.**

a Woher kommt Emma? Aus Duisburg.
b Wie alt ist sie? 18 Jahre alt.
c Wie sieht Clark aus? ....
d Wo liegt die Universität? ....
e Wie findet Emma die E-Mail? ....
f Wo ist Clark? ....
g Wo liegt das Café? ....
h Wie findet Emma Clark? Wie gefällt ihr Clark? ....
i Wie gefällt ihm Emma? ....
j Wie finden die Eltern Emmas Beziehung zu Clark? ....
k Wo hat Clark im Auto gesessen? ....
l Wie lange hat die Operation gedauert? ....
m Wo steht das Haus? ....

a/b Emma, die aus Duisburg kommt und 18 Jahre alt ist, arbeitet im Sommer für eine Computerfirma.

C Wortschatz und Grammatik

Personen beschreiben, Adjektivdeklination Singular ohne Artikelwort

C1 **10** **Was haben die Zwillinge gemeinsam? Ergänze die Beschreibungen von Mark, Kevin, Alexandra und Albin.**

kurz • lockig • kräftig • schmal • ~~blond~~ • rund • Figur • spitz • schlank • glatt • blau • Sommersprossen • braun

Weißt du's noch? → KB S. 129 Adjektivdeklination

1 Mark und Kevin haben **a** blonde, **b** .... Haare und **c** .... Augen. Sie haben beide ein **d** .... Gesicht mit vielen **e** .... und eine **f** .... Nase. Sie sind groß und **g** ....

Mark Kevin

2 Alexandra und Albin haben **a** ...., **b** ...., **c** .... Haare, ein **d** .... Gesicht und eine sportliche **e** .... Beide sind ziemlich **f** ....

Albin Alexandra

C1 **(11) Lies die Personenbeschreibungen (a-c) und ergänze die Adjektivendungen. Finde die Namen und Fotos der Personen in den Lektionen 25-29 im Kursbuch.**

a Die Person ist groß – und schlank – und hat braune, glatt...... Haare. Sie trägt blau...... Jeans, eine grau...... Jacke mit schwarz...... Streifen und ein blau...... Halsband. Unter der grau...... Jacke trägt die Person ein weiß...... Hemd. Auf der Nase hat sie ein weiß...... Pflaster. Die Person ist nett...... und hilfsbereit.......

Lektion: ......, **Seite** ......, **Name:** ....

b Die Person trägt ein dunkelgrau...... Kleid. In ihren lang......, braun...... Haaren hat sie ein breit...... Stirnband, und um den Hals trägt die Person mehrer...... Halsketten. Mit ihrer rund...... Glaskugel versucht sie, Menschen zu helfen, die sie um Rat fragen.

Lektion: ......, **Seite** ......, **Beruf:** ....

c Die Person hat lang......, braun......, lockig...... Haare und ein rund...... Gesicht. Sie trägt einen dunkelbraun...... Pullover und eine blau...... Jacke. Sie hat braun...... Stiefel und schwarz...... Strümpfe an. Außerdem trägt sie einen Rock mit bunt...... Streifen. Die Person ist sehr tierlieb.......

Lektion: ......, **Seite** ......, **Name:** ....

C1 **(12) Lies die Steckbriefe (a-b), ergänze die Adjektivendungen und finde die beschriebenen Personen in den Lektionen 25-29 im Kursbuch.**

a

Steckbrief 1:
rundes Gesicht
schwarz......, kurz...... Haare
grau...... Jacke, weiß...... T-Shirt
cool...... Motorrad

Lektion: ......, Seite ......, Name: ....

b

Steckbrief 2:
rund...... Gesicht
hellbraun......, glatt...... Haare
rot...... Jacke
grau...... Schal
weiß...... Sportschuhe
klein...... Rucksack mit blauweiß...... Streifen

Lektion: ......, Seite ......, Name: ....

C1 **(13) Schreib die Steckbriefe aus Übung 12 als Personenbeschreibungen.**

Steckbrief 1: Die Person hat ein rundes Gesicht und ...

....

....

....

....

....

C1

14 Personensuchspiel

Jeder in der Klasse schreibt seinen Namen auf einen kleinen Zettel. Die Namen werden gemischt und wieder ausgeteilt. Schreib einen Text über die Person auf deinem Zettel. Du darfst aber den Namen oder das Geschlecht dieser Person nicht verraten. *(Die Person ... Sie ...)*. Hängt eure anonymen Beschreibungen im Klassenzimmer auf und versucht, den Text zu finden, der euch beschreibt.

C1

15 Woraus macht man ...? Ordne zu und ergänze die richtige Adjektivendung. Schreib Dialoge wie im Beispiel.

a Curry	1 aus frisch...... Milch (feminin)
b Computerchips	2 aus alt...... Zeitungen (Plural) oder sehr klein...... Holzstücken (Plural)
c Knödel	3 aus verschieden*en* Gewürzen (Plural)
	4 aus weiß...... Zucker (maskulin) und süß...... Obst (neutral)
d Papier	5 aus frisch...... Thunfisch (maskulin)
e Käse	6 aus fein...... Sand (maskulin)
f Marmelade	
g Sushi	7 aus gekocht...... Kartoffeln (Plural) oder alt...... Brötchen (Plural)

a3 ⊙ *Woraus macht man Curry?*

◆ *Aus verschiedenen ...*

C2

16 Ergänze die Adjektive mit der richtigen Endung.

✪ zärtlich ✪ ~~ehrlich~~ ✪ rücksichtsvoll ✪ geduldig ✪ verrückt ✪ mutig ✪ humorvoll ✪ treu ✪ feig ✪

a ein Mann, der immer die Wahrheit sagt ≈ ein *ehrlicher* Mann

b eine Frau, die keine Angst hat ≈ eine .... Frau

c eine Person, die immer seltsame Ideen hat ≈ eine .... Person

d ein Kind, das lange auf etwas warten kann ≈ ein .... Kind

e eine Person, die immer sehr ängstlich ist ≈ eine .... Person

f ein Mensch, der immer auch an andere denkt ≈ ein .... Mensch

g eine Person, die ihre Sympathie und Liebe gut zeigen kann ≈ eine .... Person

h ein Mensch, der lange und feste Beziehungen zu anderen Menschen hat ≈ ein .... Mensch

i ein Mann, der auch lachen kann = ein .... Mann

Aussprache

17 Ergänze die Dialoge.

a ~~total~~ | echt

⊙ Das ist ein *total* cooles T-Shirt.

◆ Ja, es sieht .... super aus.

b ziemlich | gar nicht

⊙ In diesem Laden sind die Jeans aber .... teuer.

◆ Nein, die hier sind .... teuer.

c überhaupt nicht | wirklich

⊙ Dein Benny ist ein .... mutiger Hund.

◆ Beim Tierarzt ist er .... mutig, sondern ziemlich feig.

d gar nicht | besonders

⊙ Warum holt dich Marko jeden Tag von der Schule ab? Findest du das .... peinlich?

◆ Warum? Er ist eben ein .... treuer Freund.

18 Hör die Dialoge und markiere die Betonung in Übung 17 wie im Beispiel. 1 21

⊙ Das ist ein *total* cooles T-Shirt.

◆ Ja, es sieht *echt* super aus.

19 Schreib die Sätze mit den Wörtern in Klammern und lies sie laut. Markiere die Betonung.

a Sechs Meter zwanzig? Das sind lange Haare. *(wirklich)* *Sechs Meter zwanzig? Das sind wirklich lange Haare.*

b Der neue Lehrer ist leider nicht humorvoll. *(gar)* ....

c Fabian hat gesagt, dass er dich nett findet. *(echt)* ....

d Fallschirmspringen? Irene macht schon verrückte Sachen. *(ziemlich)* ....

e Das war keine ehrliche Antwort. *(besonders)* ....

f Anitas Katzen sind süß. *(total)* ....

20 Hör zu und sprich nach. 

D Hören: Alltagssprache

21 Ergänze die Sätze mit den passenden Verben.

(sich) verlieben · (sich) verzeihen · ~~(sich) scheiden lassen~~ · (sich) kennenlernen · (sich) verloben · (sich) trennen

a Toms Eltern waren fünfzehn Jahre verheiratet, doch jetzt wollen sie sich *scheiden lassen*.

b Sandra und Christian haben sich im Skiurlaub (Perfekt) .... Sie verstehen sich wirklich sehr gut, deshalb möchten sie sich jetzt ....

c Ines war mit einem anderen Jungen im Kino, ihr Freund Mario war mit Julia tanzen. Das können sie sich beide nicht ....

d Mario und Ina haben sich sehr oft gestritten. Deshalb haben sie sich jetzt (Perfekt) ....

e Caro hat Christian auf Dirks Party getroffen. Sie glaubt, dass sie sich in Christian (Perfekt) .... hat.

22 Was weißt du noch? Ordne die passenden Satzhälften zu und ergänze die Wörter.

Tante · verlobt · Urlaub · Beziehung · trennen · passt · ~~zieht~~

a Michaels Band muss eine neue Sängerin suchen,
b Annas Mutter hat sich ....
c Anna ist nicht sicher,
d Bei ihrem gemeinsamen ....
e Michael findet,
f Anna will mit Lukas zusammenbleiben,
g Michael fragt Anna,

1 ob sie nicht bei ihrer .... bleiben kann.
2 ob Helmut zu ihrer Mutter ....
3 dass Anna sich nicht von Lukas .... soll.
4 weil Anna mit ihrer Mutter nach Duisburg *zieht*.
5 hat Helmut sich über alles beschwert.
6 und will wieder heiraten.
7 obwohl ihre .... sicher komplizierter wird.

23 Ordne zu und ergänze den Dialog.

sie möchten es ...	... Schluss gemacht
Erzähl mir ...	... noch einmal miteinander probieren
Luisa hat ...	... gar nicht sagen
Du glaubst nicht, ...	... bloß nicht, dass ...
Das kann ich ...	... dass das etwas wird

⊙ Hallo Alex, wo ist Benno?
◆ Benno kommt heute nicht. Er ist ziemlich fertig.
⊙ Warum das denn?
◆ a .... Benno und Luisa waren über ein Jahr lang zusammen!
⊙ b .... Luisa jetzt wieder mit Paul zusammen ist.
◆ Doch, c *sie möchten es noch einmal miteinander probieren*.
⊙ Na dann viel Glück.
◆ d .... ?
⊙ e .... Am besten fragen wir Benno. Der kennt Luisa ja besser als wir.

E Grammatik

Reziprokpronomen *(sich, einander)*, Relativsätze mit Präpositionen

E1 **24 Was ist für eine Beziehung gut ☺☺? Was ist für eine Beziehung weniger gut ☹☹? Ordne die Verben zu und ergänze *einander* oder *sich*. Finde weitere Verben.**

✪ ~~streiten mit~~ ✪ ~~sich etwas schenken~~ ✪
✪ wissen von ✪ sich ärgern über ✪ sprechen mit ✪
✪ ehrlich sein zu ✪ diskutieren mit ✪ lachen über ✪
✪ etwas versprechen ✪ beleidigen ✪ trösten ✪
✪ sich interessieren für ✪ böse sein auf ✪

Lerntipp – Grammatik
Das Reziprokpronomen *einander* kannst du immer verwenden (z.B.: *einander vertrauen, miteinander diskutieren*, usw.). Das Reziprokpronomen *sich* kannst du nur ohne Präposition verwenden. *(sich lieben*, aber: *zu ~~sich~~ einander ehrlich sein)*

a ☺☺ *sich etwas schenken,* ……

b ☹☹ *miteinander streiten,* ……

E1 **25 Ergänze die Sätze mit Verben aus Übung 24. Sind die Beziehungen okay 😐, gut ☺ oder nicht so gut ☹? Zeichne Smileys.**

a Egon und Sandra spr*echen* schon drei Tage kein Wort mit*einander*. Sie sind b…… auf…… . ( )

b Rita und Emil wollen sich verloben, obwohl sie eigentlich nichts von…… w…… . ( )

c Wenn Kurt und Lea mit…… d……, dann beginnen sie meist auch mit…… zu s…… . ( )

d Benjamin und Carmen haben …… v……, immer e…… zu…… zu sein. ( )

e Max und Rita haben sich getrennt, aber sie sch…… …… immer noch etwas zum Geburtstag. ( )

f Ich glaube nicht, dass das mit Rosi und Andreas etwas wird. Sie i…… …… nicht wirklich für…… . ( )

E2 **26 Ein Familienfest. Wer sind die Personen auf dem Bild? Lies die Sätze (1-7) und ordne die Personen (a-k) zu.**

Georg:

1 Die Frau, hinter der die Geburtstagstorte steht, ist Tante Veronika. *f*
2 Der Mann, mit dem Veronika gerade spricht, ist Onkel Otto. ☐
3 Die beiden älteren Personen dort drüben, hinter denen das Klavier steht, sind meine Großeltern. ☐ ☐
4 Der Mann, hinter dem der Kellner ☐ steht, ist mein Onkel Egon. ☐

Georg

5 Die beiden Kinder, zwischen denen mein kleiner Bruder ☐ sitzt, sind mein Cousin ☐ und meine Cousine. ☐

6 Der Mann mit dem Bart, vor dem der Kellner gerade steht, ist ein Freund meines Vaters. ☐

7 Die Frau, neben der Tante Veronika sitzt, ist eine Freundin meiner Mutter. ☐

E2 **27 „Ideen"-Quiz. Schreib die Fragen mit Relativsätzen und finde die Antworten in den Lektionen 25-29.**

a Wie heißt der Mann? Die Schimpansin Washoe hat von ihm die Gebärdensprache gelernt.

Wie heißt der Mann, von dem ...

L25, A2 →

b Wem gehört der Hund? Ben hat mit ihm im Sommer schlechte Erfahrungen gemacht.

L25, D →

c Wie heißt die Karikaturistin? „Heute aktuell" hat mit ihr gesprochen.

L26, A2 →

d Wer ist die Person? Karin und Lisa lachen über sie.

L26, D2 →

e Was war der Gegenstand? Manuel Horeths Publikum hat an den Gegenstand unbewusst gedacht.

L27, A2 →

f Was ist das Problem? Die Menschen in Tuvalu und auf den Halligen müssen gegen dieses Problem kämpfen.

L28, A2 →

g Wie heißt die Stadt? Selina kommt aus dieser Stadt.

L29, A1 →

E2 **28 Schreib die Namen von sechs Mitschülern oder Mitschülerinnen auf und schreib ein oder zwei Sätze über sie.**

Max: Er isst nie in der Schulmensa. Susanne: Ich lerne mit ihr manchmal Französisch.

E2 **29 Mach mit den Namen aus Übung 28 ein Kreuzworträtsel und schreib Fragen mit Relativsätzen. Zeichne dann das Kreuzworträtsel ohne die Namen (wie im Beispiel auf S. 185) und lass deine Nachbarin / deinen Nachbarn das Rätsel lösen.**

Wie heißt der Junge, der / den / dem / mit dem ...

... das Mädchen, das / dem / mit dem ...

... die Mitschülerin, die / der / mit der ...

Wie heißen die beiden Jungen, die / denen / mit denen

Finale: Fertigkeitentraining

(30) **Lies den Text und kreuze die richtigen Antworten an.**

Strategie – Beim Lesen

Bei vielen Aufgaben zum Leseverstehen musst du aus mehreren Sätzen die richtige Aussage wählen (= Mehrfachwahlaufgaben).

- Lies zuerst den ganzen Text. Mach nach jedem Textabschnitt eine Pause und stell dir selbst zwei Fragen:
  1 Was war das Hauptthema in dem Abschnitt, den ich gerade gelesen habe?
  2 Was ist wahrscheinlich das Thema des nächsten Abschnittes?
  Wenn du den Text auf diese Weise liest, findest du später die richtigen Antworten schneller.
- Manchmal stehen die Aufgaben nicht in derselben Reihenfolge wie die einzelnen Textabschnitte. Dann musst du zuerst zu den Aufgaben die richtige Textstelle finden.
- Viele Sätze in den Mehrfachwahlaufgaben verwenden Wörter und Satzteile direkt aus dem Text. Trotzdem sind diese Sätze nicht alle richtig. Lies die Aussagen in Übung 30. Welche Aussagen verwenden Satzteile aus dem Text, sind aber falsch?
- Manchmal findest du die richtigen Antworten nicht direkt im Text. Dann musst du über den Textinhalt nachdenken und indirekte Textinformationen einsetzen, um die Aufgabe zu lösen. Für welche Aussagen in Übung 30 musst du indirekte Textinformationen verwenden?

Dreiecksbeziehungen

Emmi Rothner möchte per E-Mail die Zeitschrift „Like" abbestellen. Durch einen Irrtum landet ihre Mail allerdings bei Leo Leike, der sich wenig später bei Emmi meldet.
So beginnt Daniel Glattauers E-Mail-Roman „Gut gegen Nordwind". Leo und Emmi beginnen, sich füreinander zu interessieren. »Ich denke viel an Sie, in der Früh, zu Mittag, am Abend, in der Nacht, in den Zeiten dazwischen und jeweils knapp davor und danach – und auch währenddessen.« schreibt Leo in einer seiner E-Mails und fordert Emmi auf: »Schreiben Sie mir, Emmi. ... Schreiben ist wie küssen, nur ohne Lippen.«
Obwohl bei beiden der Wunsch entsteht, sich zu treffen, zögern sie eine wirkliche Begegnung immer wieder hinaus. Bernhard, Emmis Ehemann, mit dem sie zwei Kinder hat, erfährt schließlich von der E-Mail-Beziehung seiner Frau. Leo und Emmi müssen entscheiden, wie es weitergehen soll ...
Glattauers Buch wurde in kurzer Zeit ein Bestseller. Da der Roman nur aus E-Mails besteht, erleben die Leser Leos und Emmis Geschichte ganz aus der Sicht der beiden Hauptpersonen, mit denen sie mitdenken und mitfühlen können.
Die Form des E-Mail-Romans hat berühmte Vorbilder in der Vergangenheit. Vor mehr als zweihundert Jahren schrieb Johann Wolfgang von Goethe seinen Roman „Die Leiden des jungen Werther." Auch in Goethes Roman, in dem die Personen natürlich Briefe und keine E-Mails austauschen, geht es um eine Liebesgeschichte: Auf einem Ball lernt Werther Lotte kennen. Die beiden verlieben sich ineinander, doch Lotte ist mit einem anderen Mann verlobt. Wie in Glattauers Roman suchen die Liebenden eine Lösung für ihre schwierige Situation. Bei Goethe heiratet Lotte ihren Verlobten. Werther verlässt enttäuscht die Stadt. Als er Lotte einige Zeit später wiedersieht, spürt er, dass er gegen seine Liebe machtlos ist. Verzweifelt tötet sich Werther selbst.
Goethes Buch wurde ein Welterfolg und machte den damals noch jungen Autor über Nacht berühmt. Die Menschen im 18. Jahrhundert liebten den Roman. Manche trugen sogar dieselben Kleider wie Lotte und Werther, um ihre Sympathie für die Figuren zu zeigen. Doch es gab auch Kritik. Manche Leser konnten Goethe nicht verzeihen, dass Werther sich am Ende des Romans das Leben nahm.

i die Lippe, -n ≈ der Teil des Mundes, den man sehen kann

a Johann Wolfgang von Goethe
- ☐ hat einen E-Mail-Roman geschrieben.
- ☐ hat einen Briefroman geschrieben.
- ☐ hat einen Roman geschrieben, für den „Gut gegen Nordwind" ein Vorbild war.

b Als Goethes Roman erschien,
- ☐ war der Autor schon sehr bekannt.
- ☐ kritisierten manche Leser das Ende des Romans.
- ☐ verglichen viele Leser den Roman mit „Gut gegen Nordwind".

c In Glattauers E-Mail-Roman „Gut gegen Nordwind"
- ☐ verloben sich zwei Personen, die sich über E-Mail kennengelernt haben.
- ☐ lernt eine Frau ihren Ehemann durch einen Irrtum kennen.
- ☐ lernen sich zwei Personen per E-Mail kennen.

d Die Leser von Glattauers Roman
- ☐ nehmen sehr direkt am Leben der Hauptpersonen teil.
- ☐ machten das Buch nicht zu einem Bestseller.
- ☐ kritisierten das Ende des Romans.

e In Goethes Roman
- ☐ gibt es ein glückliches Ende, da die Hauptpersonen am Ende heiraten.
- ☐ verliebt sich ein junger Mann in eine verheiratete Frau.
- ☐ geht es um die Beziehung zwischen drei jungen Menschen.

(31) Hör den Dialog. Was sagt Jan [J] und was sagt Eva [E] über Klaus? Ergänze die Namen. Wer hat recht? Unterstreiche die richtigen Aussagen. 1 23

a ☐	groß	e ☐	blaue Augen	h ☐	schüchtern
b ☐	schlank	f ☐	dunkle Haare	i ☐	egoistisch
c ☐	kräftig	g ☐	braune Augen	j ☐	rücksichtslos
d ☐	blond				

(32) Lies Carinas E-Mail an dich. Was passiert in zwei Wochen? Was möchte Carina wissen?

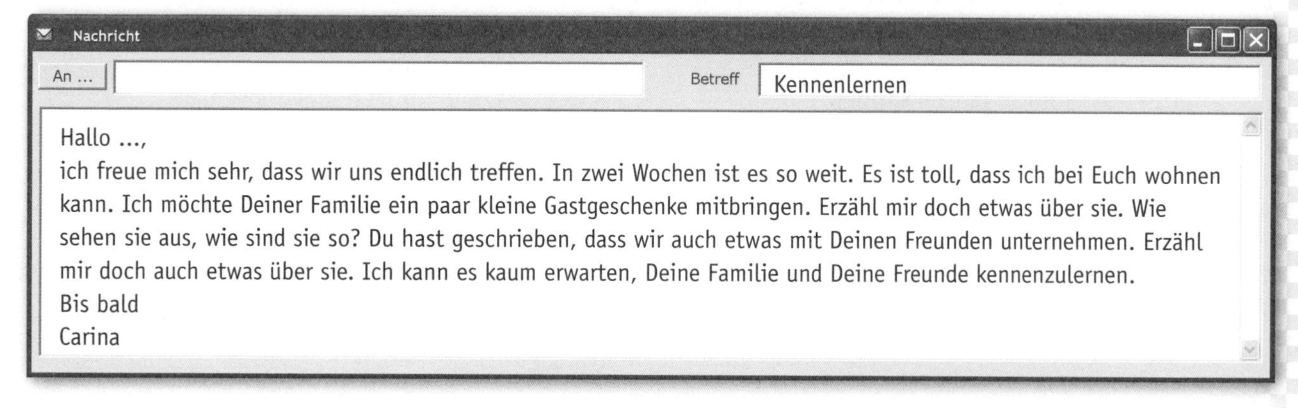
Nachricht
An ...
Betreff Kennenlernen

Hallo ...,
ich freue mich sehr, dass wir uns endlich treffen. In zwei Wochen ist es so weit. Es ist toll, dass ich bei Euch wohnen kann. Ich möchte Deiner Familie ein paar kleine Gastgeschenke mitbringen. Erzähl mir doch etwas über sie. Wie sehen sie aus, wie sind sie so? Du hast geschrieben, dass wir auch etwas mit Deinen Freunden unternehmen. Erzähl mir doch auch etwas über sie. Ich kann es kaum erwarten, Deine Familie und Deine Freunde kennenzulernen.
Bis bald
Carina

(33) Schreib eine Antwort. Beschreibe deine Familienmitglieder und deine Freunde.

Lernwortschatz

Nomen
Rückfahrkarte, die, -n ....
Herz, das, -en ....
Schritt, der, -e ....
Neffe, der, -n ....
Sicherheit, die, -en ....
Gewitter, das, – ....
Donner, der, – ....
Blitz, der, -e ....
Vergnügen, das, – ....
Nichte, die, -n ....
Bart, der, ⸚e ....
Missverständnis, das, -se ....
Figur, die, -en ....
Wolle, die, -n ....
Stoff, der, -e ....
Entfernung, die, -en ....
Mund, der, ⸚er ....
Mitglied, das, -er ....
Mannschaft, die, -en ....
Transport, der, -e ....
Sänger, der, – ....
System, das, -e ....
Verabredung, die, -en ....

Verben
weinen ....
schlagen ....
sich irren ....
jmdn. enttäuschen ....
erledigen ....
sich verlieben ....
sich verhalten ....
verzeihen ....
sich scheiden lassen ....
sich verabreden ....

Adjektive
offiziell ....
tödlich ....
ewig ....
schmal ....
spitz ....
schlank ....
glatt ....
rund ....
kräftig ....
bunt ....
treu ....
zärtlich ....
mutig ....

andere Wörter
einander ....
angeblich ....

Wichtige Wendungen

Personen beschreiben, Personen vergleichen
Julia hat eine sportliche Figur.
Mark und Albin sehen sich sehr ähnlich. Beide haben ...
Sie kannte ihn als netten / rücksichtsvollen ... Menschen.

über Beziehungen sprechen
Sie lernten sich mit 16 Jahren kennen.
Sie verliebten sich ineinander.
Sie verlobten sich, und dann heirateten sie.
Zehn Jahre später ließen sie sich scheiden.

jemanden beruhigen
Das macht doch nichts.
Das ist doch nicht so schlimm.
Stört dich das wirklich?

Alltagssprache
Erzähl mir jetzt bloß nicht, dass ...
Was soll das?
Übertreib mal nicht!
Du glaubst wohl nicht, dass das etwas wird?
Sie hat mit ihm Schluss gemacht.
Lukas ist ziemlich fertig.
Helmut hat ziemlich genervt.

Das kann ich jetzt ...

	... gut.	... mit Hilfe.	Das übe ich noch.

1 Wörter

Ich kann zu den Themen sechs Wörter nennen:

	... gut.	... mit Hilfe.	Das übe ich noch.
a Adjektive – Gegenteile: *geduldig – ungeduldig,*	○	○	○
b Beziehungen: *sich kennenlernen,*	○	○	○

2 Sprechen

	... gut.	... mit Hilfe.	Das übe ich noch.
a Über Hoffnungen und Enttäuschungen sprechen:	○	○	○

Das ist die Szene, die für ... am glücklichsten war.
Das ist der Moment, der für ... am schwierigsten war.
Das ist die Situation, die für ... das Ende ihrer Beziehung bedeutet.

	... gut.	... mit Hilfe.	Das übe ich noch.
b Personen beschreiben:	○	○	○

Er hat genauso blonde Haare, wie ...
Er hat ein schmales Gesicht mit Sommersprossen.
Ich kenne ihn als treuen und rücksichtsvollen Menschen.

	... gut.	... mit Hilfe.	Das übe ich noch.
c Über störende Dinge sprechen und widersprechen:	○	○	○

Es war schrecklich! – Stört dich das wirklich?
Die ... waren scheußlich! – Mir gefällt das.
Die ... waren zu teuer! – Das macht doch nichts.

3 Lesen und Hören

Die Texte verstehe ich:

	... gut.	... mit Hilfe.	Das übe ich noch.
a Ich möchte dich unbedingt wiedersehen ... → KB S. 50	○	○	○
b 15 Jahre später ... → KB S. 51	○	○	○
c Guter Zwilling – Böser Zwilling → KB S. 54	○	○	○
d Beziehungskisten → KB S. 55	○	○	○
e Liebesgedichte → KB S. 57	○	○	○

4 Schreiben

	... gut.	... mit Hilfe.	Das übe ich noch.
Die eigene Meinung zu einer Beziehung per E-Mail.	○	○	○

Wenn das wahr wäre, ...

A Text

A ① **Was weißt du noch? Kreuze die richtigen Antworten an.**

a Veith Bayers Leben war sehr schwer,
- ☐ weil Soldaten sein Haus niedergebrannt hatten.
- ☐ weil er in den letzten Jahren viel Pech hatte.
- ☐ weil die anderen Bauern ihm nicht halfen.

b Veith Bayer fragte sich,
- ☐ wer für seine Probleme verantwortlich war.
- ☐ warum das Klima sich verändert hatte.
- ☐ wie lange er und seine Familie noch in Frieden leben konnten.

c Im Wirtshaus erzählten die Menschen Geschichten,
- ☐ in denen Hexen und der Teufel gegen das Böse kämpften.
- ☐ die Veith Bayer bald nicht mehr vergessen konnte.
- ☐ die Veith Bayer sehr langweilig fand.

d Veith Bayer hatte eine Frau beobachtet,
- ☐ die ihn an die Wirtshausgeschichten erinnerte.
- ☐ die er noch nie zuvor gesehen hatte.
- ☐ mit der er ein seltsames Gespräch führte.

e Wenn man Verschwörungstheorien beweisen könnte,
- ☐ würden sie niemandem schaden.
- ☐ würde man die Verschwörer lächerlich finden.
- ☐ wären sie die Wahrheit und keine Theorien mehr.

B Grammatik und Wortschatz

Konjunktiv II: Irreale Bedingungen

B1 ② **Welcher Kasten (1-3) passt zu welchem Thema (a-c)? Ordne zu, finde die Wörter im Kursbuch (A-B) und schreib Sätze mit den Wörtern wie im Beispiel.**

1 Aⓐ ~~der Krieg~~ Aⓒ das Getreide Aⓑ brennen (verbrennen/niederbrennen) Aⓑ ~~der Soldat~~ Aⓑ ~~katholisch/evangelisch~~ Aⓐ schlechte Lebensbedingungen haben

2 Aⓐ den Teufel unterstützen Aⓐ etwas mit böser Absicht tun Aⓒ der Beweis B1ⓐ eine Erfindung geheim halten Aⓒ der Kampf Aⓒ ein Loch graben B2ⓐ misstrauisch sein

3 Aⓐ die Ursache Aⓐ schuld sein an Aⓒ verantwortlich sein für Aⓐ die Krise Aⓒ der Frieden

a [1] Veith Bayers Probleme: *Es gab Krieg. Katholische und evangelische Soldaten ...*

b [ ] Veith Bayers Fragen: ....

c [ ] Verschwörungstheorien: ....

Lerntipp – Wortschatz

Wenn du neue Wörter zu einem bestimmten Thema oder Text lernen willst, dann schreib die Wörter in ein Diagramm.

Zeichne Bilder zu den Wörtern. Das hilft dir, dich an die neuen Wörter besser zu erinnern.

Nummeriere die Wörter und versuche dann, alle Wörter aus dem Gedächtnis aufzuschreiben. Die Wörter, die du vergessen hast, musst du öfter üben.

Wenn du neue Wörter lernst, die in dein Diagramm passen, ergänze das Diagramm.

Hänge eine Kopie des Diagramms irgendwo in deiner Wohnung auf. Lies und wiederhole die Wörter so oft wie möglich.

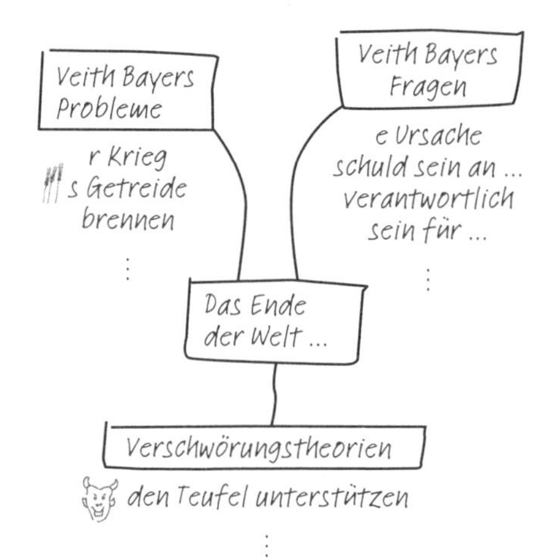

B1 **3 Welche Wünsche haben die Personen (a-f)? Ordne zu und schreib Sätze wie im Beispiel.**

✪ ein Hallenbad haben ✪ ~~in der Stadt wohnen~~ ✪ mehr Zeit für das Lernen haben ✪ in der Schulband spielen ✪ ein guter Leser sein ✪ älter sein ✪

Weißt du's noch?
→ KB S. 128 Konjunktiv II: Wünsche

a Sophie: „Ich wohne 55 Minuten von der Stadt entfernt. Das ist furchtbar!"
b Maria: „Ich darf erst mit 16 den Mopedführerschein machen."
c Jan: „Oh Schreck, die Prüfung ist schon morgen."
d Lea: „Schade, dass wir nicht auch im Winter schwimmen gehen können."
e Anna: „Ich kann leider kein Instrument spielen."
f Axel: „Ich muss das Buch bis nächste Woche lesen, das schaffe ich nicht."

a Sophie würde gern in der Stadt wohnen. b Maria wäre gern ...
c Jan hätte gern ...
....
....
....

B1 **4 Ergänze die Namen aus Übung 3, unterstreiche die richtigen Verben und ordne die passenden Satzhälften einander zu.**

a Wenn *Axel* ein guter Leser könnte | <u>wäre</u> | hätte, — 5
b Wenn die Stadt ein Hallenbad hätte | wäre | würde,
c Wenn .... älter hätte | wäre | würde,
d Wenn .... in der Stadt wohnen hätte | wäre | würde,
e Wenn .... ein Instrument spielen wäre | könnte | hätte,
f Wenn .... mehr Zeit zum Lernen hätte | wäre | würde,

1 hätte | würde | wäre sie in der Schulband mitspielen.
2 würde | wäre | hätte sie den Mopedführerschein machen.
3 hätte | wäre | könnte er die Prüfung schaffen.
4 hätte | könnte | wäre sie am Morgen länger schlafen.
5 <u>würde</u> | wäre | hätte er das Buch bis nächste Woche lesen.
6 hätte | wäre | würde .... dort im Winter schwimmen.

B1 **5 Morgenroutine. Lies die Sätze (a-d). Schreib dann wie im Beispiel auf, wie Martins Tage wirklich beginnen. Schreib Sätze mit *deshalb*.**

a Wenn Martin früher aufstehen würde, könnte er in Ruhe frühstücken.
b Wenn er mehr Zeit für das Frühstück hätte, würde er jeden Tag sein Lieblingsmüsli essen.
c Er würde pünktlich zum Unterricht kommen, wenn er rechtzeitig bei der Bushaltestelle wäre.
d Wenn er nicht jeden Tag zu spät kommen würde, hätte er auch weniger Probleme mit seinen Lehrern. Außerdem könnte er mit demselben Bus wie Lisa fahren.

„Das wäre nicht so schlecht", denkt er. Dann schläft er trotzdem eine halbe Stunde länger.

a Martin steht jeden Tag spät auf, deshalb kann er nicht ……

……

……

……

B1 **6 Dilemma. Ergänze den Text mit Verben im Konjunktiv II.**

Manchmal denke ich, ich **a** *(sein)* wäre gern anders. Wenn ich schlanker **b** *(sein)* …… und blonde Haare **c** *(haben)* ……, **d** *(gefallen)* …… ich vielleicht Lisa ……. Wenn ich größer **e** *(sein)* ……, **f** *(spielen)* …… ich besser Basketball ……, aber ich **g** *(tanzen können)* …… wahrscheinlich nicht so gut ……. Wenn ich kräftiger **h** *(sein)* ……, **i** *(mitmachen können)* …… ich beim Boxturnier ……. Wenn ich bessere Noten **j** *(haben)* ……, **k** *(studieren können)* …… ich Medizin ……. Aber wenn ich anders **l** *(sein)* ……, **m** *(sein)* …… ich nicht ich selbst und **n** *(mögen)* …… mich selbst nicht mehr …….

B1 **7 Ergänze die Fragen und schreib persönliche Antworten. Mach dann ein Interview mit deiner Nachbarin oder deinem Nachbarn und schreib seine/ihre Antworten auf.**

a Wohin *(fahren)* würdest du fahren, wenn du jedes Land in der Welt *(besuchen können)* …… ……?

……

b Wo *(wohnen)* …… du ……, wenn du in einer anderen Stadt *(leben können)* …… ……?

……

c Was *(kaufen)* …… du ……, wenn du bei einem Glücksspiel 10.000 € *(gewinnen)* …… ……?

……

d Wen *(heiraten)* …… du ……, wenn du jeden berühmten Menschen auf der Welt *(heiraten können)* …… ……?

……

e Was *(tun)* …… du ……, wenn du einen Tag lang unsichtbar *(sein)* ……?

……

f Was *(wünschen)* …… du dir ……, wenn du einen Wunsch frei *(haben)* ……?

……

B1 **8** **Sag es anders. Schreib Sätze mit *wenn*.**

a Jonas sieht fünf Stunden am Tag fern, deshalb liest er nicht sehr viel.
Wenn Jonas weniger fernsehen würde, ...

b Ich treibe viel Sport, deshalb bin ich sehr fit.

c Mein Onkel versteht sehr gut Deutsch, deshalb kann er deutsche Fernsehprogramme sehen.

d Kim hat eine Allergie, deshalb hat sie auch keine Haustiere.

e Karin übt nicht sehr oft Geige, deshalb kann sie ihre Stücke für das Konzert noch nicht gut spielen.

f Wir haben keinen Computer, deshalb können wir keine E-Mails schreiben.

B1 **9** **Was könntest du mit den Superkräften (a-e) tun? Ordne zu und schreib Sätze mit *wenn*. Finde weitere Beispiele zu den Superkräften (f-h).**

a fliegen können
b unsichtbar sein
c die Zukunft sehen können
d in die Vergangenheit reisen können
e alle Sprachen der Welt sprechen und verstehen

1 wichtige Gespräche mithören, kostenlos ins Kino gehen, die Testfragen für den Mathetest herausfinden
2 schneller in der Schule sein, nicht im Verkehrsstau stehen, sich alles von oben ansehen
3 Napoleon treffen, mit Julius Cäsar zu Mittag essen, mit Kolumbus nach Amerika segeln, ein Beatleskonzert besuchen
4 Bücher übersetzen, in jedes Land reisen und mit den Menschen sprechen können, überall auf der Welt Freunde finden, Kulturen besser kennenlernen
5 Unfälle und Katastrophen verhindern, meinen zukünftigen Beruf kennen, meinen zukünftigen Ehepartner kennen, das Wetter vorhersagen

a2 Wenn ich fliegen könnte, könnte ich ...

f extreme Körperkraft haben
g Gedanken lesen können
h mit Tieren sprechen können

B1 **10** **Ergänze die Satzanfänge (a-f und 1-6) im Konjunktiv II.**

a Wenn ich Millionär wäre,
b Wenn ich in einem anderen Land leben würde,
c Wenn wir alle Genies wären,
d Wenn ich etwas an mir ändern könnte,
e Wenn ich ein Junge/Mädchen wäre,
f Wenn mir alle Menschen auf der Welt eine Minute lang zuhören würden,

1 Ich würde mein ganzes Geld ausgeben, wenn ....

2 Ich würde die ganze Nacht nicht schlafen, wenn ....

3 Ich hätte große Angst, wenn ....

4 Ich würde Tag und Nacht lernen, wenn ....

5 Ich würde einen Kopfstand machen, wenn ....

6 Unser Lehrer wäre froh, wenn ....

Wortschatz

Wahrscheinlichkeit

C **11 Sicher oder nicht sicher? Was passt? Lies die Sätze (a-e) und unterstreiche das richtige Wort.**

a Der Zweite Weltkrieg endete anscheinend | selbstverständlich | eventuell im Jahr 1945. Das weiß jedes Kind.

b Jesus von Nazareth wurde zweifellos | tatsächlich | angeblich im Jahr 4 vor Christus geboren, doch die Experten wissen es nicht genau.

c Die Erfindung des Buchdrucks war zweifellos | eventuell | angeblich die wichtigste Erfindung im 17. Jahrhundert. Da sind sich die Historiker einig.

d Im 16. und 17. Jahrhundert sind in Italien viele große Kunstwerke entstanden. Das zeigt, dass die Künstler vielleicht | offenbar | angeblich gute Arbeitsbedingungen hatten.

e Die schlechten Lebensbedingungen der Menschen waren tatsächlich | eventuell | anscheinend auch eine Ursache für die Französische Revolution. Da sind die Historiker sicher.

C **12 Geschichtsquiz. Schreib Sätze zu den Personen mit passenden Verben wie im Beispiel. Welche vier Antworten sind wohl falsch? Vergleiche mit der Lösung auf Seite 185.**

feststellen, dass ... • nicht wissen, ob ... • glauben, dass ... • behaupten, dass ... • überzeugt sein, dass ... • keine Ahnung haben, ob ... • annehmen, dass ... • vermuten, dass ... • wissen, dass ... • ~~sicher sein, dass ...~~ • sich fragen, ob ...

a Otto (100 % sicher) „Bis 1919 regierten Könige und Kaiser in Deutschland."

b Marlene (50 % sicher) „Die ersten Olympischen Spiele fanden 1861 in Athen statt."

c Jan (50 % sicher) „1896 entstand Italien."

d Brigitte (0 % sicher) „Bis 1990 gab es zwei deutsche Staaten."

e Sabine (0 % sicher) „Der Zweite Weltkrieg begann im Jahr 1939."

f Conny (50 % sicher) „1886 entstand in Deutschland zwischen Nürnberg und Fürth die erste Eisenbahnlinie."

g Jonas (50 % sicher) „1835 bauten Benz und Daimler in Deutschland das erste Auto."

a Otto ist sicher, dass Könige und Kaiser bis 1919 in Deutschland regierten.

D Hören: Alltagssprache

D **(13) Was weißt du noch? Hör zu und ergänze die Zusammenfassung. Achtung: Vier Wörter passen nicht.** 1 24

geschüttelt ✪ gelöscht ✪ Fälschung ✪ Aufnahme ✪ Motorboot ✪ ~~Video~~ ✪ gespritzt ✪ Radfahrer ✪ sehen ✪ Gartenschlauch ✪ halten

Mia erzählt Felix von einem **a** *Video* im Internet. In dem Video ist ein **b** .... 100 km/h schnell gefahren. Felix glaubt, dass das Video eine **c** .... ist. Er erzählt Mia von einem anderen Video. Ein Junge hat eine Coladose **d** .... und sie dann geöffnet. Die Cola hat so stark aus der Dose **e** ...., dass der Junge die Dose fast nicht **f** .... konnte. In Wirklichkeit hatte der Junge aber einen **g** .... in der Hand, den man auf dem Video nicht sehen konnte.

D **(14) Ordne zu und ergänze den Dialog.**

So kompliziert ...	... darauf an
Orangen sind Orangen ...	... auch wieder nicht
Das kommt ...	... geht
Das ...	... und noch lange kein Eis

Tanja: Ich hätte so gern ein Eis.
Verena: Dann mach doch eines.
Tanja: Das ist doch viel zu kompliziert.
Verena: **a** *So kompliziert auch wieder nicht*. Hast du Orangen?
Tanja: Ich möchte Eis und kein Obst essen. **b** ....
Verena: **c** .... Ich zeig dir, wie man Orangeneis macht.
Tanja: **d** ....?
Verena: Ja, aber es dauert ein bisschen. Du musst das Eis drei Stunden in den Kühlschrank stellen.
Tanja: Drei Stunden? Nein danke. Ich hol mir ein Eis aus dem Supermarkt.

E Grammatik

Konjunktiv II von Modalverben: Vermutungen

E1 **(15) Was könnten die Folgen sein? Ordne zu und ergänze die Sätze mit *könnt-* wie im Beispiel.**

hungrig werden ✪ beißen ✪ sehr nervös werden ✪ ~~beleidigt sein~~ ✪ nass werden ✪ der Trainer seinen Job verlieren

a Wenn du nicht zu Manfreds Party kommst, *könnte er beleidigt sein.*
b Wenn du den Hund ärgerst, ...
c Wenn du Sabine erzählst, wie schwierig die Prüfung ist, ...
d Wenn wir auf den Ausflug nichts zu essen mitnehmen, ...
e Wenn das Fußballteam das nächste Spiel wieder verliert, ...
f Wenn du keinen Regenschirm mitnimmst, ...

E1 **16** **Entscheidungen. Alles hat Vor- und Nachteile. Ordne zu und schreib jeweils zwei Sätze.**

a Aufstehen oder weiterschlafen? (zu spät zur Schule kommen – am Abend müde sein)
b Gemütlich frühstücken oder ohne Frühstück zur Schule gehen? (schon in der ersten Pause hungrig sein – den Bus verpassen)
c Ein T-Shirt oder einen Pullover anziehen? (den Pullover in der Schule vergessen – mich erkälten)
d Den Fernseher einschalten oder Martin anrufen? (meine Lieblingsserie sehen – von meinem Mopedunfall erzählen)
e Ins Kino gehen oder für den Physiktest lernen? (meine Note in Physik verbessern – Carina treffen)
f Im Sommer ans Meer fahren oder zu Hause bleiben? (am Strand in der Sonne liegen – Geld sparen)

a Wenn ich jetzt aufstehe, könnte ich am Abend sehr müde sein. Wenn ich weiterschlafe, könnte ich ...

E1 **17** **Schreib drei persönliche Alternativen für Entscheidungen auf. Beschreibe mögliche Folgen.**

✪ mit dem Fahrrad / mit dem Bus fahren ✪
✪ in der Mensa / im Restaurant essen ✪
✪ zu einer Party gehen / früher ins Bett gehen ✪
✪ ... besuchen / zu Hause bleiben, ... ✪

Wenn ich mit dem Fahrrad fahre, könnte ich durch den Park fahren ...

E2 **18** **Ordne die Modalverben in der Tabelle zu. Ändere dann die unterstrichenen Satzteile in den Sätzen (a-f) wie im Beispiel und schreib sie anders mit *müsst-*, *dürft-* oder *könnt-*.**

✪ müsste
✪ dürfte
✪ könnte

		Wahrscheinlichkeit
1	es ist möglich	+
2	es ist wahrscheinlich	++
3	es ist ziemlich sicher	+++

a ⊙ Ich habe schon dreimal angerufen, aber Andrea antwortet nicht.
◆ Komisch, um diese Zeit ist sie fast immer zu Hause.
Komisch, um diese Zeit müsste sie ...

b ⊙ Max und Alex sind vor einer halben Stunde nach München gefahren.
◆ Dann sind sie jetzt wahrscheinlich schon in Freising.

c ⊙ Wo ist mein Rucksack?
◆ Ich bin ziemlich sicher, er liegt wie immer im Keller.

d ⊙ Bist du sicher, dass das Video echt ist?
◆ Nein, vielleicht ist es auch gefälscht.

e ⊙ Lernst du auch die Geschichtsfragen zum 17. Jahrhundert?
◆ Ja, die kommen wahrscheinlich auch im Test dran.

....

f ⊙ Wer ist das auf dem Foto?
◆ Ich bin fast sicher, dass das Irene ist.

....

E2 **19** **Wähle mindestens zehn Wörter und notiere, wo sich die Dinge / Personen befinden (könnten). Finde weitere Wörter und mach im Kurs ein Partnerinterview. Stellt Fragen mit *Wo ist/sind ...?* und antwortet mit *müsste*, *dürfte* oder *könnte* wie im Beispiel.**

Wo ist/sind ...?

✪ ~~dein Handy~~ ✪ ein Mülleimer ✪ eine Glühbirne ✪ eine Schere ✪ ein Feuerzeug ✪ Nägel ✪ ein Hammer ✪ eine Schnur ✪ dein Wecker ✪ dein Taschenmesser ✪ dein Fahrrad ✪ dein Geldbeutel ✪ dein Wörterbuch ✪ deine Badehose/dein Lieblings-T-Shirt ✪ dein Lieblingsbuch ✪ deine Lieblings-CD ✪ dein Ausweis ✪ dein Reisepass ✪ deine Eltern ✪ deine Schwester ✪ dein Bruder ✪ ... ✪

dein Handy – im Rucksack
ein Mülleimer – ...
... – ...

⊙ *Wo ist denn dein Handy?*
◆ *Es müsste in meinem Rucksack sein. Da ist es eigentlich immer.*

Aussprache

20 **Ergänze die Verbformen. Hör dann die Sätze und kreuze an. Hörst du die Konjunktiv II- oder die Präteritum-Form?** 1 25

	Konjunktiv II	Präteritum		Konjunktiv II	Präteritum
1	☐ *er könnte*	☐ er konnte	5	☐ du dürftest	☐ ....
2	☐ sie würde	☐	6	☐	☐ ihr hattet
3	☐	☐ wir waren	7	☐	☐ sie konnten
4	☐	☐ es musste	8	☐ ich wäre	☐ ....

21 Präteritum oder Konjunktiv II? Ergänze die richtigen Formen. Hör dann die Dialoge und kontrolliere. 1 26

a ⊙ Das Heimspiel vor zwei Wochen *(können)* konnten unsere Fußballer gewinnen.
◆ Ja, aber diesmal *(dürfen)* .... sie verlieren.

b ⊙ Warum *(dürfen)* .... du als Kind nicht im Internet surfen?
◆ Meine Eltern haben gemeint, ich *(können)* .... gefährliche Internetseiten aufrufen.

c ⊙ Beim letzten Schachturnier *(müssen)* .... Manfred gegen einen Computer spielen.
◆ Wenn ich gegen einen Computer spielen *(müssen)* ...., *(werden)* .... ich sicher verlieren.

d ⊙ Das Wetter in Italien *(sein)* .... leider sehr schlecht.
◆ Wenn ihr diese Woche dort *(sein)* ...., *(haben)* .... ihr mehr Glück mit dem Wetter, jetzt scheint dort die Sonne.

22 Hör zu und kreuze an. Hörst du eine Vermutung (= Konjunktiv II) oder einen Teil eines Berichtes (= Präteritum)? 1 27

	1	2	3	4	5	6
Vermutung	☐	☐	☐	☐	☐	☐
Bericht	☐	☐	☐	☐	☐	☐

E3

23 Woher kommen diese Nachrichten (A-E)? Ordne zu und schreib Sätze mit *dass* und *sollen* wie im Beispiel.

1 Werbung ☐
2 Radionachrichten ☐
3 Zeitungsschlagzeile A
4 Fernsehen ☐
5 Was ein Freund erzählt ☐

A Arbeitsplätze in Gefahr. Reifenproduktion wird ins Ausland verlegt.

B SAP 01 – das Handy, das Ihr Auto lenkt. Jetzt nur kurze Zeit im Angebot!

C „Marion hat einen neuen Freund, ich habe die beiden gestern im Stadtpark gesehen."

D „Seit Jahren kämpfen Tierschützer gegen Tiertransporte quer durch Europa. Die folgende Dokumentation mit dem Titel „Ihre letzte Fahrt" zeigt, worum es ihnen bei diesem Kampf geht.

E „Liebe Hörerinnen und Hörer ... Die Kurznachrichten: Das neue Freizeitzentrum in Biberach wird jetzt doch gebaut."

Ich habe gelesen / gehört / gesehen, ...

3A Ich habe gelesen, dass Arbeitsplätze in Gefahr sein sollen. Die Reifenproduktion soll ....

....

....

....

....

....

Finale: Fertigkeitentraining

(24) Lies den Text und ergänze die Tabelle. Erfährst du in dem Text die Wahrheit über Hänsel und Gretel?

Die Wahrheit (?) über Hänsel und Gretel

Hänsel und Gretel haben sich im Wald verirrt. Die beiden Geschwister sind hungrig und verzweifelt. Da kommen sie zu einem Haus, das ganz aus Lebkuchen gebaut ist. Als sie ein Stück Lebkuchen probieren, hören sie eine Stimme. „Knusper, knusper, knäuschen, wer knuspert an meinem Häuschen?", fragt die Stimme, worauf die Kinder antworten: „Der Wind, der Wind, das himmlische Kind."

Das ist wohl eine der bekanntesten Szenen aus dem Märchen „Hänsel und Gretel" der Gebrüder Grimm. In dem Lebkuchenhaus, so erfahren wir, wohnt eine böse Hexe, die die Kinder fängt. Sie will sie töten und essen. Doch Hänsel und Gretel können sich retten: Beim Brotbacken stößt Gretel die Hexe in den Backofen. Die Hexe stirbt, und die Kinder sind frei.

Die Gebrüder Grimm haben dieses Märchen im 19. Jahrhundert von Märchenerzählern gehört und aufgeschrieben. Immer wieder haben sich die Leser gefragt, ob diese Geschichte genau so oder so ähnlich tatsächlich passiert ist. In seinem Buch „Die Wahrheit über Hänsel und Gretel" behauptet der Autor Georg Ossegg, die historischen Hintergründe des Märchens zu kennen.

Georg Ossegg ist angeblich Märchenarchäologe von Beruf. In seinem Buch berichtet er von den Ergebnissen seiner Forschung. In Nürnberg soll im 17. Jahrhundert Katharina Schrader, eine schöne und erfolgreiche Frau, gelebt haben. Sie war in der ganzen Stadt berühmt für ihre Lebkuchen. Hans Metzler, ein junger Mann aus Nürnberg, verliebte sich in Katharina und wollte sie heiraten. Als sie das ablehnte, behauptete er, Katharina Schrader wäre eine Hexe. Katharina musste ins Gefängnis, doch man konnte dort ihre Schuld nicht beweisen. Nachdem man sie freigelassen hatte, soll Katharina in den Spessart gezogen sein, ein großes Waldgebiet in der Nähe von Nürnberg. Hans Metzler und seine Schwester Grete folgten ihr, um ihr berühmtes Lebkuchenrezept zu stehlen. Sie töteten Katharina Schrader in ihrem Haus, konnten das Rezept aber nicht finden. Dann brannten sie das „Hexenhaus" nieder. Das ist die wahre Geschichte von Hänsel und Gretel, behauptet zumindest Georg Ossegg.

In seinem Buch erzählt er auch, wie er Katharina Schraders Haus im Spessart gesucht und gefunden hat. Stein um Stein hat er angeblich freigelegt und so auch das berühmte Lebkuchenrezept der „Schraderin" entdeckt.

Viele von uns würden sich wohl wünschen, dass Georg Osseggs Geschichte wahr wäre. Dann wüssten wir endlich, wer Hänsel und Gretel wirklich waren. Doch leider ist auch „Die Wahrheit über Hänsel und Gretel" nur ein Märchen. Sogar der Name des Autors ist falsch. Nicht Georg Ossegg, sondern Hans Traxler, ein deutscher Karikaturist und Satiriker, hat die Geschichte über Katharina Schrader erfunden. Mit seiner „Wissenschaftsparodie" hat er viele Leser – durchaus mit Absicht – getäuscht.

i sich verirren ≈ nicht den richtigen Weg finden

	bei Grimm	bei Georg Ossegg (= Hans Traxler)
a Wer/Wie waren Hänsel und Gretel?	*zwei Kinder, sie …*	
b Wer/Wie war die Hexe?		
c Welche Bedeutung hat der Lebkuchen?	*das Hexenhaus ist ganz aus Lebkuchen gebaut, die Kinder …*	
d Welche Bedeutung hat der Wald?	*Hänsel und Gretel haben sich im Wald verirrt, …*	
e Was war das „Hexenhaus"?		

25 Lies Kerstins Text. Welcher Satz (1-4) passt zu welchem Abschnitt (A-D) im Text? Ordne zu.

Strategie – Vor dem Schreiben

Wenn du Texte schreiben sollst, in denen du deine Meinung zu einem Thema erklären musst, solltest du an die folgenden Punkte denken:

- Lies das Thema gut durch. Was ist deine persönliche Meinung dazu?
  Zum Beispiel: *Es wäre nicht gut, immer die Wahrheit zu sagen. Wir müssen aber lernen, in welchen Situationen wir besser bei der Wahrheit bleiben sollten.*
- Sammle Argumente und Beispiele, die deine Meinung unterstützen, aber auch Gegenargumente.
  Zum Beispiel: *Es gibt Situationen, in denen man besser nicht lügen sollte.*
- Finde praktische Beispiele für deine Argumente. Praktische Beispiele machen deinen Text für die Leser interessanter. (s. Übung 28)
- Ordne deine Argumente und schreib eine Einleitung und einen Schluss.

1 Manchmal lügt man, um keine Probleme zu bekommen.
2 Manchmal sind Lügen notwendig.
3 In bestimmten Situationen sollte man nicht lügen.
4 Manchmal lügt man, um vor anderen besser dazustehen.

Wäre es gut, wenn wir alle immer die Wahrheit sagen würden?

1 Manche von uns träumen vielleicht von einer Welt, in der alle Menschen die Wahrheit sagen. Eine solche Welt
2 wird aber wohl immer ein Wunschtraum bleiben.

3 **A** ☐ Natürlich sagen wir nicht immer die Wahrheit. Psychologen behaupten sogar, dass wir mehr als hundertmal
4 pro Tag lügen. Ich denke, es wäre auch gar nicht gut, wenn wir immer die Wahrheit sagen würden. Lügen sind
5 oft wichtig, um andere Menschen nicht zu verletzen oder zu beleidigen. (•••) „Wenn meine Freundin …"

6 **B** ☐ Es gibt aber auch weniger gute Gründe, warum jemand lügt. Manchmal lügen wir, um keine Verantwortung
7 übernehmen zu müssen. „Ich habe damit nichts zu tun", oder „Ich war's nicht", sind beliebte Antworten auf
8 unangenehme Fragen. (•••) „Wenn mein kleiner Bruder …" Meistens wäre es da besser, die Wahrheit zu sagen.
9 Selbstverständlich ist das nicht immer einfach.

10 **C** ☐ Manche Personen lügen auch, damit andere besser von ihnen denken. Oft werden dann bestimmte Erlebnisse
11 und Ereignisse ganz anders weitererzählt, um den Zuhörern zu zeigen, wie gut und richtig man sich selbst
12 verhalten hat. (•••) „Wenn Irene …" Auch in solchen Situationen wäre es besser, wenn man die Wahrheit
13 sagen würde.

14 **D** ☐ Schließlich gibt es aber sicher auch Situationen, in denen man nicht lügen darf, da die Folgen einer Lüge
15 für viele Menschen sehr unangenehm sein könnten. (•••) „Bei der Polizei … Ein Arzt …" In solchen Situationen
16 sollte man sich bemühen, die Wahrheit zu sagen.

17 Wir alle müssen lernen, wann man bei der Wahrheit bleiben muss und wann nicht. Immer die Wahrheit zu
18 sagen, wäre sicher auch nicht gut.

(26) Hör die Interviews. Welches Interview (1-4) passt zu welchem Textabschnitt (A-D) aus Übung 25? 1 28

- [ ] Interview 1
- [ ] Interview 2
- [ ] Interview 3
- [ ] Interview 4

(27) Welche Beispiele nennen die Personen? Hör noch einmal und mach Notizen. 1 28

Interview 1: *bei der Polizei ...*

Interview 2: *meine Freundin ...*

Interview 3: *mein kleiner Bruder ...*

Interview 4: *Irene ...*

(28) Schreib den Text aus Übung 25 neu und ergänze ihn an den markierten Stellen (•••) mit den Beispielen aus Übung 27.

... Lügen sind oft wichtig, um andere Menschen nicht zu verletzen oder zu beleidigen. Wenn meine Freundin ...

(29) Wähl ein Thema und schreib einen ähnlichen Text wie in Übung 28.

1 Wäre es besser, wenn es in der Schule keine Noten geben würde?
2 Wie wäre unser Leben, wenn wir keine Computer hätten?

Lernwortschatz

Nomen

Krise, die, -n
Regierung, die, -en
Infektion, die, -en
Absicht, die, -en
Bedingung, die, -en
König, der, -e
Soldat, der, -en
Getreide, das, –
Wirt, der, -e
Loch, das, ⸚er
Leute, die (Pl.)
Kälte, die (Sg.)
Frieden, der, –
Ernte, die, -n
Beweis, der, -e
Studio, das, -s
Bereich, der, -e
Wirtschaft, die (Sg.)
Benzin, das, -e
Gewinn, der, -e
Rat, der (Sg.)
Badewanne, die, -n
Freundschaft, die, -en
Chance, die, -n
Spur, die, -en
Fasching, der, -s/-e
Eindruck, der, ⸚e
Original, das, -e
Explosion, die, -en
Last(kraft)wagen, der, – (LKW, der, -s)
Spezial-
Haut, die, ⸚e
Feuerzeug, das, -e
Hammer, der, ⸚
Nagel, der, ⸚
Reifen, der, –
Glocke, die, -n
Kette, die, -n
Schnur, die, ⸚e
Badehose, die, -n
Birne, die, -n
Schere, die, -n
Stiefel, der, –
Wolke, die, -n
Mülleimer, der, –
Wecker, der, –
Sportplatz, der, ⸚e
Bürgermeister, der, –

Verben

jmdm. schaden
regieren
malen
herstellen
vermuten
entdecken
brennen
führen zu
beweisen
zählen zu
entstehen
beraten
unterschreiben
feststellen
zurückkommen
bestätigen
schütteln
treten
aufwachen

Adjektive

katholisch
evangelisch
verantwortlich
nah
geheim
bekannt
zahlreich
sparsam
weich
schief
gratis
ordentlich

andere Wörter

nun
der-/das-/dieselbe/dieselben
völlig
irgendwo
selbstverständlich
eventuell
offenbar
anscheinend

Wichtige Wendungen

über Ursachen sprechen
Ich habe den Eindruck, ...
Ich glaube, ... war schuld an/war die Ursache für ...
Manche Menschen glauben, dass ...
Vielleicht waren das Menschen mit bösen Absichten.

Alltagssprache
So kompliziert auch wieder nicht.
Ich warte schon eine Ewigkeit auf dich.
Das kommt darauf an.

Das kann ich jetzt ...

	... gut.	... mit Hilfe.	Das übe ich noch.

1 Wörter

Ich kann zu den Themen sechs Wörter nennen:

	... gut.	... mit Hilfe.	Das übe ich noch.
a Krisen, Katastrophen: *Krieg,*	○	○	○
b Wahrscheinlichkeit/(Un)sicherheit: *selbstverständlich,*	○	○	○

2 Sprechen

	... gut.	... mit Hilfe.	Das übe ich noch.
a Über Probleme und ihre Ursachen in der Vergangenheit sprechen:	○	○	○

Früher dachte man, dass ... die Ursache für ... ist.
Heute weiß man, dass ...
Manche Menschen glauben auch noch heute, dass ...

	... gut.	... mit Hilfe.	Das übe ich noch.
b Irreales ausdrücken:	○	○	○

Wenn ich ... würde, dann würde ich ...

	... gut.	... mit Hilfe.	Das übe ich noch.
c Etwas vermuten/Wahrscheinlichkeit ausdrücken:	○	○	○

Es ist schon möglich, dass ... Ich nehme an, ...
... ist eventuell ... ... könnte/dürfte/müsste ... sein

	... gut.	... mit Hilfe.	Das übe ich noch.
d Informationen weitergeben:	○	○	○

Ich habe gehört/gelesen/..., ... soll ... heiraten.

3 Lesen und Hören

Die Texte verstehe ich:

	... gut.	... mit Hilfe.	Das übe ich noch.
a Das Ende der Welt ... → KB S. 59	○	○	○
b Moderne Verschwörungstheorien → KB S. 60	○	○	○
c Bist du sicher? → KB S. 62	○	○	○
d Original und Fälschung → KB S. 63	○	○	○

4 Schreiben

	... gut.	... mit Hilfe.	Das übe ich noch.
Einer Freundin in einem Brief einen Ratschlag geben.	○	○	○

Lektion **31**

Gut und Böse

A Text

Das Experiment

Wer? Dr. Zimbardo und sein Team
Wo? ...
zentrale Frage: Wie reagieren Menschen in einer Gefängnissituation?
(= Wie beeinflussen die Bedingungen in einem Gefängnis das Verhalten von Menschen?)

Teilnehmer Wie viele? Wer? ...

Gefangene ? **Wärter**

Konflikt ?

Folge ?

Ende des Experiments
geplante Dauer? ...
wirkliche Dauer? ...

A **1** **Was weißt du noch? Ordne zu und ergänze die Wörter.**

✪ psychische Probleme ✪ Stanford-Universität ✪ „Gefangenen“ ✪ ✪ ~~Deutschland~~ ✪ sechs ✪ selbst ✪ „Gefängniswärter“ ✪ sperrten ✪

a Wo wurde der Film „Das Experiment“ gedreht?
b Wo wurde das Experiment in Wirklichkeit durchgeführt?
c In welche zwei Gruppen wurden die Teilnehmer eingeteilt?
d Von wem wurden die Regeln für die „Gefangenen“ bestimmt?
e Wie wurden die Anführer der Protestaktion bestraft?
f Warum wurde das Experiment schließlich beendet?
g Wann wurde das Experiment beendet?

1 An der ………………… ………………….
2 Die „Wärter“ durften die Regeln für die „Gefangenen“ ………………… bestimmen.
3 Schon nach ………………… Tagen.
4 Die „Wärter“ ………………… die „Gefangenen“ ohne Essen in eine kleine Zelle.
5 In Deutschland, in Köln.
6 Weil mehrere „Gefangene“ ………………… hatten und das „Gefängnis“ verlassen wollten.
7 Eine Gruppe sollte die ………………… spielen, die andere Gruppe die ………………….

B Grammatik

Passiv (Präteritum und Perfekt), n-Deklination, Partizipien und Adjektive als Nomen

B1 **2** **Kreuze die richtigen Antworten an.**

a Psychologie ist ein Fach, das an vielen Universitäten
- [ ] unterrichtet.
- [x] unterrichtet wird.
- [ ] unterrichtete.
- [ ] unterrichtet wurde.

b „Yesterday“ ist vielleicht das berühmteste Lied, das jemals
- [ ] schreibt.
- [ ] geschrieben hat.
- [ ] geschrieben wird.
- [ ] geschrieben wurde.

c Hamburger sind eine Speise, die man überall auf der Welt
- [ ] kannte.
- [ ] gekannt wurde.
- [ ] kennt.
- [ ] gekannt wird.

d Volkswagen ist eine Firma, die Autos
- [ ] produziert hat.
- [ ] produziert wurde.
- [ ] produzierte.
- [ ] produziert.

e Mandarin ist die Sprache, die von den meisten Menschen auf der Welt
- [ ] gesprochen wurde.
- [ ] gesprochen wird.
- [ ] spricht.
- [ ] gesprochen hat.

f Der Kölner Dom ist die größte Kirche, die in Deutschland jemals
- [ ] gebaut wurde.
- [ ] gebaut wird.
- [ ] gebaut hat.
- [ ] baut.

B1 **3 Was ist da passiert? Lies die Zeitungsschlagzeilen und schreib Sätze im Passiv Präteritum.**

a **Kuh von Blitz getroffen!**

b 24 Menschen bei Zugunglück getötet!

c **Fünfjähriger von Hund gebissen!**

d Einkaufszentrum nach nur drei Monaten wieder geschlossen!

e **0:6 – Fans enttäuscht!**

f **Unglaublich: 20 Klaviere aus Klavierschule gestohlen!**

g **Panik bei Rockkonzert! 400 Jugendliche verletzt!**

a Eine Kuh wurde von einem Blitz getroffen.

B1 **4 Präsens oder Präteritum? Schreib Sätze im Passiv Präsens oder im Passiv Präteritum.**

a Zimbardos Experiment – durchführen – an der Stanford-Universität
Zimbardos Experiment wurde an der Stanford-Universität durchgeführt.

b Boeing 747-Flugzeuge – nennen – Jumbojets

c die Fußballweltmeisterschaft 2010 – gewinnen – von Spanien

d Deutsch – sprechen – nicht nur in Deutschland

e im Jahr 1898 – entdecken – die Röntgenstrahlen

f jeden Tag – kaufen – Zehntausende neue Autos

g die Europahymne – komponieren – im Jahr 1824 – von Ludwig van Beethoven

h vor ca. 150 Jahren – erfinden – die Glühbirne

i alle vier Jahre – durchführen – die Olympischen Spiele

B1 **5 Nach dem Experiment: Die Gefängniszellen sind wieder Laborräume. Was wurde gemacht? Schreib Sätze wie im Beispiel.**

Die Gefängniszelle

Der Laborraum

- ~~Wände streichen~~
- Vorhänge aufhängen
- neue Tür einbauen
- die Toilette wegbringen
- Regal aufstellen
- Schreibtisch ans Fenster stellen
- Boden putzen
- Bretter vom Fenster wegnehmen
- Computer aufstellen

Die Wände wurden gestrichen. ...

B2 **6** **Ergänze die Sätze mit den Wörtern aus der Tabelle. Finde die Wörter auch im Kursbuch (A-B). Ergänze die Tabelle mit weiteren Wörtern, die zu den „Gefangenen", „Wärtern" oder Wissenschaftlern passen. Schreib auch Sätze mit eigenen Wörtern.**

„Gefangene"	„Wärter"	Wissenschaftler
B1c der Strumpf	Ab die Gewalt	Ab (sich) beziehen (auf)
B1d (sich) fürchten	Aa bestimmen	Aa ~~das Verhalten~~
Aa Bedingungen (Pl.)	Aa gelten	B2a der Zusammenhang
...	...	...

a Die Wissenschaftler wollten das menschliche *Verhalten* in einer Gefängnissituation untersuchen.

b Die „Wärter" durften die Regeln ...., die für die „Gefangenen" .... sollten.

c Die „Gefangenen" mussten unter sehr schlechten .... in den Gefängnisräumen leben.

d Die „Gefangenen" mussten einen .... über dem Kopf tragen.

e Die „Gefangenen" (Präteritum) .... sich vor den Strafen durch die „Wärter".

f Die „Wärter" reagierten mit .... auf die Proteste der „Gefangenen".

g Der deutsche Spielfilm „Das Experiment" (Präsens) .... sich auf Philip Zimbardos Forschungen an der Stanford-Universität.

h Zimbardo will keinen .... zwischen dem Film und seinem Experiment sehen.

B1 **7** **Schreib die Fragen zu den drei Hörgeschichten im Passiv Perfekt.**

Geschichte 1

a ist – Warum – gebracht worden – ins Krankenhaus – Verenas kleiner Bruder Martin – ?

Warum ist Verenas kleiner Bruder Martin ...

b im Krankenhaus – gemacht worden – Was – ist – ?

....

Geschichte 2

c Womit – abgeholt worden – sind – Alex und seine Freunde – vom Bahnhof – ?

....

d sind – Wohin – sie – gebracht worden – ?

....

e eingepackt worden – sind – nur fünf Zelte – Warum – ?

....

Geschichte 3

f Warum – zum Essen – Lisa und Anna – sind – eingeladen worden – ?

....

g sind – sie – gebracht worden – nicht sofort zu ihrem Tisch – Warum – ?

....

h ist – die Rechnung im Restaurant – nicht bezahlt worden – Warum – ?

....

B1 **8** **Schreib zwei weitere Fragen aus Übung 7 auch im Passiv Präteritum, unterstreiche die Verben und vergleiche.**

Passiv Perfekt (gesprochene Sprache)	Passiv Präteritum (geschriebene Sprache)
Warum **ist** Verenas kleiner Bruder Martin ins Krankenhaus **gebracht worden**?	*Warum wurde Verenas kleiner Bruder Martin ins Krankenhaus gebracht?*
Was **ist** im Krankenhaus **gemacht worden**?	*Was wurde im Krankenhaus gemacht?*

B1 **9** **Hör die Geschichten und beantworte die Fragen aus Übung 7.** 

a Er hat keine Luft bekommen. Er hatte ...

B2 **10** **Schreib die drei Nomen der n-Deklination wie im Beispiel in die Tabelle.**

Nachbar · Student · Pole

	Singular (n-Deklination)	Plural (n-Deklination)
Nominativ	der Mensch, *der Nachbar, ...*	die Mensch**en**,
Akkusativ	den Mensch**en**, *den Nachbarn, ...*	
Dativ	dem Mensch**en**,	den Mensch**en**,
Genitiv	des Mensch**en**,	der Mensch**en**,

Lerntipp – Wortschatz

Wenn du neue Wörter in dein Wortschatzheft schreibst, solltest du nicht nur die Bedeutung des Wortes notieren. Du solltest auch die folgenden Informationen mit dem Wort aufschreiben:

1 Wie heißt der Artikel und der Plural?
2 Gehört das Nomen zur n-Deklination?
3 Welche anderen Wörter kommen oft zusammen mit dem Wort vor?
4 Wie heißen die 3. Person Präsens, das Präteritum und das Partizip II?
5 Mit welchem Beispielsatz oder mit welcher typischen Phrase möchtest du dir das Wort merken?

Ordne die Notizen (a-e) den Tipps 1-5 zu:

a ☐ *Elefant, der -en (n-Dekl.)*
b ☐ *Er hat viele Straftaten begangen.*
c ☐ *Telefonzelle, die, -n*
d ☐ *sich fürchten vor jmdm.*
e ☐ *stechen (er/sie sticht/stach/hat gestochen)*

B2 **11** **Ordne die Nomen der n-Deklination zu.**

~~Kollege~~ ✪ Mensch ✪ Student ✪ Polizist ✪ Name ✪ Praktikant ✪ Franzose ✪ Affe ✪ Elefant ✪ Löwe ✪ Türke ✪ Journalist ✪ Herr ✪ Junge ✪ Patient ✪ Kunde ✪ Neffe ✪ Held ✪ Bauer

maskuline Nomen auf *-e*	maskuline Nomen auf *-ant, -ent, -ist*	andere maskuline Nomen
Kollege, …		

B2 **12** **Ergänze die Sätze mit Nomen aus Übung 11.**

a Im Urlaub hat Lisa einen sehr sympathischen Franzosen aus Bordeaux kennengelernt.
b Birgit war gestern mit ihrer Nichte und ihrem .... im Vergnügungspark.
c Der Verkäufer entschuldigt sich bei dem ...., der sich über ihn beschwert hat.
d Nach dem 0:5 wollten die Spieler den (Pl.) .... keine Interviews geben.
e Im Zoo gab es Affen und Löwen, aber leider keinen einzigen ....
f Das Arbeitsklima ist nicht besonders gut. Mit einem .... gibt es immer wieder Streit.
g Früher gab es in Deutschland oft getrennte Schulen für Mädchen und ....
h Die Krankenschwestern können sich nicht um jeden .... gleichzeitig kümmern.
i Der Einbrecher wurde von zwei .... verhaftet.

B2 **13** **Die Guten und die Bösen, die Kleinen und die Großen, die Schönen und … Ergänze die Tabelle.**

	maskulin	neutral	feminin	Plural
Nominativ	**der** Kleine **ein** Kleiner	**das** Kleine **ein** Kleines	**die/eine** Kleine	**die** Kleinen
Akkusativ	**den/einen** Kleinen	**das** **ein**	**die/eine**	**die**
Dativ	**dem/einem** Kleinen	**dem/einem**	**der/einer** Kleinen	**den** Kleinen
Genitiv	**des/eines**	**des/eines** Kleinen	**der/einer**	**der** Kleinen

B2 **14** **Aus einem Mafiathriller. Wer sagt das wohl? Ordne die Personen (A-D) zu und ergänze die Nomen.**

A Ein Polizist **B** Der Mafiaboss **C** Ein Mafiamitglied **D** Die Freundin des Mafiabosses

a A: „Er ist ein alter *(bekannt)* Bekannter, wir haben ihn schon dreimal verhaftet."
b ___: „Dem *(klein)* ___ darf nichts passieren."
___: „Ist gut, Boss."
c ___: „Haben Sie keine Angst, ich gehöre zu den *(gut)* ___."
d ___: „Hast du den *(dick)* ___ neben der *(blond)* ___ gesehen? Er gehört zur Bertani-Familie. Das muss ich dem Boss erzählen."
e ___: „Wer ist das, Boss?"
___: „Ein *(neu)* ___, frag nicht so viel."
f ___: „Schönen Gruß vom *(alt)* ___, er will, dass wir Roberto heute verhaften."
g ___: „Hallo, mein *(süß)* ___, was kann ich für dich tun?"
___: „Du kannst Roberto holen, *(klein)* ___. Sag ihm, die Polizei will ihn sprechen."

C Wortschatz

Kriminalität, Gesetz

C **15** **Lies die Aussagen und ordne die Straftaten zu.**

die Körperverletzung · der Ladendiebstahl · ~~die Sachbeschädigung~~ · der Einbruch · die Brandstiftung · der Taschendiebstahl

a „Hast du die U-Bahn-Station gesehen? Überall Graffiti!" ≈ die Sachbeschädigung
b „Ich habe die Hand in meiner Tasche gespürt, und als ich nachgesehen habe, war mein Geldbeutel weg." ≈ ___
c „Die Polizei glaubt nicht, dass das Feuer in der Schule ein Zufall war." ≈ ___
d „Sie haben das Fenster eingeschlagen, um ins Haus zu kommen, aber sie haben nur den Fernseher und den DVD-Spieler mitgenommen." ≈ ___
e „Entschuldigen Sie, könnte ich den Inhalt Ihrer Einkaufstasche sehen?" ≈ ___
f „Ich weiß nicht, wie der Streit begonnen hat, aber am Ende musste Mark mit einer gebrochenen Nase ins Krankenhaus." ≈ ___

C **16** **Lies die Texte (1-3) und ergänze die Wörter.**

✪ ~~betreut~~ ✪ Gesetz ✪ Zeugen ✪ Anwalt ✪ opfer ✪ begangen ✪ Verdacht ✪

1 Wegen Sachbeschädigung und Taschendiebstahl hatte Benjamin immer wieder Probleme mit der Polizei. Mit 16 wurde er von einem Sozialarbeiter **a** *betreut*. Jetzt ist er 25 Jahre alt und braucht einen **b** .... Zwei **c** .... haben ihn gesehen, als er Feuer in der Bibliothek gelegt hat.

2 Zwei Jahre lang hat Mark Ladendiebstähle **a** .... Der Detektiv im Kaufhaus hatte schon länger einen **b** .... Letzten Samstag hat er bei Mark zehn versteckte CDs gefunden.

3 140 km/h auf der Landstraße sind gegen das **a** .... Das wusste Clara natürlich, aber sie dachte nicht an einen möglichen Unfall. Die vier **b** Unfall............ liegen mit schweren Verletzungen im Krankenhaus.

C **17** **Hör die Radiosendung zum Thema Jugendkriminalität (Kursbuch S. 70) noch einmal. Was sagt der Sozialarbeiter? Kreuze an und korrigiere die falschen Sätze.** 2 2

		richtig	falsch
a	„Ich betreue Jugendliche, bevor sie eine Straftat begehen."	☐	☐
b	„Viele Jugendliche haben Probleme mit den Regeln der Erwachsenen."	☐	☐
c	„Straftaten von Jugendlichen sind immer Mutproben."	☐	☐
d	„Ich bin gegen Gefängnisstrafen für Jugendliche."	☐	☐
e	„Die meisten Jugendlichen wollen keine Geldstrafen bezahlen."	☐	☐
f	„Die Jugendlichen bekommen für ihre Arbeit in der Stadt Geld."	☐	☐

C **18** **Welche Strafen sollten die Jugendlichen aus Übung 16 bekommen? Schreib Sätze mit den Wörtern im Kasten.**

✪ Geldstrafe bekommen ✪ Sozialarbeit machen ✪
✪ eine Gefängnisstrafe bekommen ✪ von einem Sozialarbeiter betreut werden ✪

1 Benjamin sollte …

Hören: Alltagssprache

D2 **(19) Was weißt du noch? Lies die Sätze und unterstreiche die richtigen Wörter.**

- **a** Mark und Lena sprechen über einen Kinobesuch | eine Schlägerei auf dem Schulhof | die Probleme eines Freundes.
- **b** Lena möchte mit Klaus nichts zu tun haben | sich mit Klaus verabreden | Fabian helfen.
- **c** Mark meint, dass Fabian ein Außenseiter ist | Lena von Fabian ausgelacht wird | er etwas gegen Klaus unternehmen will.
- **d** Lena kennt viele andere Schüler, die etwas gegen Klaus machen wollen | Klaus unterstützen | denken, dass Fabian ein Außenseiter ist.
- **e** Mark will Lena helfen, Unterstützer zu finden | sich mit Klaus zu schlagen | sich mit Fabian zu verabreden.

D2 **(20) Ordne zu und ergänze den Dialog.**

Ich halte mich ...	... ein Problem am Hals
so geht es ...	... auf mich losgegangen
Er soll sich ...	... nicht weiter
Jetzt hast du ...	... da lieber raus
Sie ist total ...	... nicht lächerlich machen

⊙ Das mit Irene gestern war nicht lustig. Sie war richtig böse. **a** ....

◆ Warum denn?

⊙ Ich habe ihr gesagt, dass ich es nicht gut finde, wie sie Kevin behandelt.

◆ Warum mischt du dich da ein? **b** *Ich halte mich da lieber raus.*

⊙ Ja, aber **c** .... Kevin war am Montag fix und fertig.

◆ **d** .... Nur weil er nicht mehr in der Band spielt. Es gibt Schlimmeres.

⊙ Jetzt will er mit einer eigenen Band auf dem Schulfest spielen. Ich soll mitspielen, habe aber überhaupt keine Lust.

◆ Siehst du, das hast du davon. **e** ....

Aussprache

(21) Ergänze die Wörter mit *pf*, *qu* oder *z* und ordne sie in den Kreisen zu.

Du schreibst *pf*, *qu* oder *z*: die *Qu*elle der Strum*pf* be__em käm__en der __adratmeter __legen der Poli__ist __entral schim__en die __lanze das __iz

Du sprichst *pf*:	Du sprichst *kw*:	Du sprichst *ts*:
der Strumpf	*die Quelle*	

(22) Hör die Wörter aus Übung 21 und sprich nach.

23 **Hör zu und sprich nach. Du hörst immer *ts*, du schreibst aber *z*, *tz* oder *t*. Ergänze die Buchstaben.** 2 4

der Fran___ose interna___ional si___en spi___ hei___en die ___willinge

24 **Hör zu und sprich nach. Du hörst immer *ks*, du schreibst aber *x*, *ks*, *chs* oder *gs*. Ergänze die Buchstaben.** 2 5

fi___ und fertig lin___ das Ta___i we___eln die He___e

unterwe___ der E___perte sonnta___ der Te___t Was sa___t du?

25 **Hör zu. Wo hörst du *ks*? Kreuze an.** 2 6

1	2	3	4	5	6	7	8	9	10
☐	☐	☐	☐	☐	☐	☐	☐	☐	☐

E Grammatik

Relativsätze (Relativpronomen im Genitiv); Konjunktiv II: Ratschläge, Vorschläge

E1 **26** **Polizeiarbeit: Wer hat die Polizei gebraucht? Unterstreiche *dessen* oder *deren*.**

- **a** Eine Frau, dessen | deren Geldbeutel jemand gestohlen hat
- **b** Einige Radfahrer, dessen | deren Fahrradreifen jemand aufgestochen hat
- **c** Der Besitzer des Uhrengeschäftes, dessen | deren Alarmanlage losging
- **d** Eltern, dessen | deren Kinder von zu Hause fortgelaufen waren
- **e** Autofahrer, dessen | deren Autos im Parkverbot standen
- **f** Ein Tourist, dessen | deren Reisepass verschwunden ist
- **g** Ein Wirt, dessen | deren Gäste die Rechnung nicht bezahlt haben

E1 **27** **Lies den Rätselkrimi und ergänze *deren* oder *dessen*.**
Warum hat der Inspektor die beiden jungen Männer verhaftet?

Frau Schönhof, **a** deren Sammlung von alten Bildern weithin berühmt war, lebte in einer großen Villa außerhalb des Dorfes. Kurz vor ihrem Urlaub wollte sie eine Alarmanlage einbauen lassen. Ihr Sohn, **b** .... Hilfe sie dazu brauchte, war zufällig zu Besuch. Da er für eine Sicherheitsfirma arbeitete, konnte er die Arbeit sofort erledigen, ohne dass im Dorf jemand davon erfuhr. Schon in der ersten Nacht alarmierte die Anlage die Polizei, **c** .... Chef sofort persönlich am Tatort erschien. Am nächsten Tag befragte er zwei junge Männer, **d** .... frühere Straftaten der Polizei bekannt waren. „Wir waren es sicher nicht", behaupteten die beiden Männer. „Wir wussten ja, dass Frau Schönhof, **e** .... Bilder wir gar nicht weiterverkaufen könnten, eine Alarmanlage in ihrem Haus hat." Der Inspektor, **f** .... Intelligenz und Fähigkeiten alle Kollegen immer schon bewundert hatten, verhaftete die beiden sofort.

Lösung:
Nur die Täter konnten wissen, dass Frau Schönhof eine Alarmanlage eingebaut hatte.

E1 **(28) Schreib Fragen und Antworten zu den sechs Relativsätzen (a-f) im Text aus Übung 27.**

a Wessen Sammlung von alten Bildern war weithin berühmt? → Frau Schönhofs Sammlung

E2 **(29) Wer gibt wem welchen Ratschlag? Ordne zu und schreib Sätze mit *An deiner / Ihrer Stelle* ... oder *Wenn ich du / Sie wäre,* ... Welche Ratschläge findest du in Ordnung ☺, welche nicht ☹? Zeichne Smileys und finde weitere (bessere) Ratschläge.**

a Jakob hat im Schulbus ein Problem mit einem aggressiven Jungen.

b Herr Wohlhart hat Zahnschmerzen.

c Thomas braucht Geld.

d Sonja hat Schwierigkeiten in Mathematik.

1 Maria (Schwester): einen Ferienjob suchen
Walter (Mitschüler): bei einem Glücksspiel mitspielen

2 Dr. Seibert (Hausarzt): möglichst rasch zum Zahnarzt gehen
Frau Schön (Nachbarin): Eis auflegen

3 Peter (Freund): von Klaus abschreiben
Sabine (ältere Schwester): die Schule wechseln

4 Mutter: dem Lehrer von den Problemen erzählen
Bruder: gemeinsam mit Freunden etwas gegen die Schläger tun

a4 Jakobs Mutter: „An deiner Stelle würde ich dem Lehrer von den Problemen erzählen." Jakobs Bruder: „Wenn ich du wäre, ...
Besserer Ratschlag: ...

E2 **(30) Termine ... Lies die Terminkalender von Lisa, Anna und Rosi und ergänze den Dialog mit dem Konjunktiv II von *können* und den richtigen Informationen.**

	Lisa	Anna	Rosi
Dienstagnachmittag	16:00-18:00 Uhr Chorprobe	15:00-17:30 Uhr EZ mit Maria	–
Dienstagabend	ab 19:00 Uhr Kino	–	ab 20:00 Uhr Babysitten

Rosi: Wir müssen die Präsentation für unser Projekt planen.

Anna: Wir **a** .... uns zum Beispiel am Dienstag um 19:00 Uhr treffen.

Lisa: Geht nicht, da bin ich im **b** ....

Anna: Aber du **c** .... doch ein anderes Mal ...

Lisa: Kommt nicht infrage. Wie wär's um 15:00 Uhr? Wir **d** .... uns vor meiner Chorprobe treffen.

Anna: Da kann ich nicht. Ich treffe mich mit **e** .... im Einkaufszentrum.

Rosi: Maria **f** .... doch auch alleine einkaufen gehen. **g** .... ihr eure privaten Termine nicht einfach einmal absagen?

Lisa: Unmöglich, aber wir **h** .... uns nach dem Kino treffen, um 21:00 Uhr.

Rosi: Viel zu spät, außerdem muss ich um diese Zeit **i** .... Ich **j** .... die Präsentation alleine planen.

Anna: Nein, nein, wir **k** .... uns direkt nach der Schule treffen, um halb zwei.

Lisa: Das **l** .... wir probieren.

Finale: Fertigkeitentraining

(31) Lies den Text, achte nicht auf die Textlücken und beantworte die Fragen zum Text (1-4).

Recht und Unrecht. Friedrich Dürrenmatt: Der Besuch der alten Dame

Nach 45 Jahren besucht Claire Zachanassian ihr Heimatdorf Güllen. Die Bürger des Dorfes freuen sich **a** auf ihren Besuch, **b** .... sie hoffen, dass der berühmte Gast ihnen helfen kann. In der Fremde ist Claire Zachanassian sehr, sehr reich geworden. Das Dorf, dessen Fabriken und Felder verkauft und stillgelegt wurden, ist aber sehr arm. Claire ist bereit, dem Dorf eine Milliarde zu schenken. Doch sie stellt eine Bedingung: Ihr Schulfreund Alfred Ill muss getötet werden.

So beginnt Friedrich Dürrenmatts Theaterstück „Der Besuch der alten Dame“. Claire Zachanassians Angebot wird von den Bürgern in Güllen zuerst empört abgelehnt. Doch bald wollen sie die Grenze **c** .... Recht und Unrecht nicht mehr ganz so deutlich sehen. Sie erinnern sich **d** .... Claires und Alfreds Geschichte. **e** .... vielen Jahren waren die beiden ein Liebespaar. Claire erwartete ein Kind von Alfred, doch dieser behauptete, nicht **f** .... Vater zu sein. Zwei Zeugen, **g** .... Alfred damals Geld gegeben hatte, sagten vor Gericht gegen Claire aus. Claire verlor den Prozess und musste das Dorf verlassen. **h** .... sie durch die Heirat mit mehreren reichen Männern zu Geld gekommen war, begann sie, alle Fabriken und Felder in Güllen zu kaufen. Dann kam sie zurück, **i** .... den Bürgern ihr Angebot zu machen. Alfred hat Angst. Seine Bekannten versuchen, **j** .... zu beruhigen. Doch Alfred sieht, dass sich einiges im Dorf geändert hat: Der Bürgermeister lässt ein neues Rathaus bauen, die Kirche wird renoviert, und auch Alfreds eigene Familie beginnt, Geld auszugeben: **k** .... Frau kauft einen neuen Pelzmantel, sein Sohn ein **l** .... Auto und seine Tochter nimmt Tennisstunden. Es kommt, wie es kommen muss: Alfred Ill wird von den Bürgern in Güllen getötet. Claire Zachanassian kann zufrieden abreisen.

1. Welchen Grund hatte Claire Zachanassian für ihr Angebot?
2. Wie findest du Claire Zachanassians Angebot?
3. Warum ändern die Bürger von Güllen ihre Meinung?
4. Wie realistisch ist Dürrenmatts Theaterstück?

(32) Was passt in die Textlücken (a-l) in Übung 31? Kreuze die richtigen Wörter an.

a	☒ auf	☐ für	☐ wegen	**g**	☐ deren	☐ die	☐ denen
b	☐ deshalb	☐ denn	☐ trotzdem	**h**	☐ Wenn	☐ Bevor	☐ Nachdem
c	☐ über	☐ aus	☐ zwischen	**i**	☐ um	☐ statt	☐ ohne
d	☐ an	☐ vor	☐ über	**j**	☐ sie	☐ ihn	☐ es
e	☐ Seit	☐ Vor	☐ Für	**k**	☐ Seine	☐ Ihre	☐ Seiner
f	☐ ein	☐ der	☐ einen	**l**	☐ neues	☐ neue	☐ neuer

Strategie – Lesen (Wörter in einen Text einsetzen)

Bei vielen Tests musst du Wörter in Textlücken einsetzen. Oft kannst du dabei aus mehreren Vorschlägen wählen. Dabei werden dein Textverstehen, dein Wortschatz und dein Grammatikwissen getestet.

- Lies den ganzen Text, bevor du Wörter einsetzt. Du solltest den Text gut verstehen. Manchmal findest du Informationen, die du für die Lösung brauchst, nämlich erst hinter der Textlücke.
- Lies alle möglichen Antworten genau durch. Manchmal ist eine Antwort ganz klar falsch. Streich diese Antworten durch. Im Beispiel b passt *trotzdem* sicher nicht in den Text.

- Oft helfen dir Grammatikregeln und dein Wortschatzwissen, die richtigen Antworten zu finden. Im Beispiel a ist *wegen* sicher falsch, da die Präposition *wegen* den Genitiv oder Dativ braucht. Wenn du gelernt hast, dass das Verb *sich freuen* die Präposition *auf* oder *für* verlangt, kannst du die richtige Lösung finden.
- Oft findest du die richtige Lösung aber nur, wenn du den Text sehr gut verstehst. Im Beispiel i kannst du das richtige Wort nur finden, wenn du auch wirklich verstanden hast, warum Claire Zachanassian ihr Heimatdorf besucht.

33 **Computerspiele und Gewalt. Hör die Meinungen aus der Umfrage. Wer ist für ein Verbot von Gewaltspielen, wer ist dagegen? Kreuze an.**

Interview	1	2	3	4	5
ist **für** das Verbot	☐	☐	☐	☐	☐
ist **gegen** das Verbot	☐	☐	☐	☐	☐

34 **Richtig oder falsch? Hör noch einmal und kreuze an.**

		richtig	falsch
a	Kinder können mit Computerspielen lernen, wie man sich in Konfliktsituationen verhalten soll.	☐	☐
b	Die Gewalt in einem Computerspiel hat mit realer Gewalt nichts zu tun.	☐	☐
c	Wegen der realistischen Gewaltszenen sind Computerspiele heute schädlicher als noch vor einigen Jahren.	☐	☐
d	Man sollte alle Computerspiele verbieten, weil sie negative Folgen für die Spieler haben.	☐	☐
e	Wenn jemand oft Gewaltspiele auf dem Computer spielt, reagiert er auch im wirklichen Leben öfter mit Gewalt.	☐	☐

35 **Lies Margits E-Mail. Was ist ihr Problem, was möchte sie von dir wissen?**

Nachricht

An ... | Betreff: Babysitten

Hallo ...,
gestern war mein kleiner Cousin bei uns. Er ist fünf Jahre alt. Meine Tante musste am Nachmittag Besorgungen machen, und ich habe ihr versprochen, auf ihn aufzupassen. Du weißt ja, dass ich nicht die tollste Babysitterin bin, deshalb habe ich Jakob einfach vor den Computer gesetzt und ihn ein paar Computerspiele spielen lassen. Das hat ihm total gut gefallen. Als er dann abgeholt wurde, hat er ganz begeistert von den Spielen erzählt. Meine Tante war aber weniger begeistert. Sie hat mir eine halbe Stunde lang erklärt, wie schädlich Computerspiele sind, und dass sie nicht will, dass Jakob solche Spiele spielt. Meinst Du nicht auch, dass das total übertrieben ist? Übermorgen soll ich wieder auf Jakob aufpassen. Er freut sich schon so auf den Computer, hat er gesagt. Was soll ich tun? Soll ich ihn wieder spielen lassen? Was könnte ich ihm sonst zu tun geben? Bitte hilf mir!
Deine Margit

36 **Schreib eine Antwort auf Margits E-Mail. Schreib etwas zu den folgenden Punkten.**

- Deine Meinung zur Reaktion der Tante
- Deine Meinung zu Computerspielen
- Ratschläge, was Margit ihrer Tante sagen soll
- Vorschläge, was Margit mit dem Jungen spielen könnte

Lernwortschatz

Nomen

Team, das, -s ....
Verhalten, das (Sg.) ....
Teilnehmer, der, – ....
Strafe, die, -n ....
Misstrauen, das (Sg.) ....
Gemeinschaft, die, -en ....
Telefonzelle, die, -n ....
Verbindung, die, -n ....
Gewalt, die, -en ....
Kraft, die, ¨-e ....
Polizei, die (Sg.) ....
Institut, das, -e ....
Mitarbeiter, der, – ....
Kleider, die (Pl.) ....
Wert, der, -e ....
Strumpf, der, ¨-e ....
Blut, das (Sg.) ....
Zusammenhang, der, ¨-e ....
Gesetz, das, -e ....
Tat, die, -en ....
Dieb, der, -e ....
Verdacht, der (Sg.) ....
Opfer, das, – ....
Zeuge, der, -n ....
Täter, der, – ....
Verbrechen, das, – ....
Verbrecher, der, – ....
Sozialarbeiter, der, – ....
Anwalt, der, ¨-e ....
Mord, der, -e ....
Bußgeld, das, -er ....
Gerechtigkeit, die (Sg.) ....
Gericht, das, -e ....
Charakter, der, -e ....
Literatur, die, -en ....
Hof, der, ¨-e ....
Mut, der (Sg.) ....
Bewegung, die, -en ....
Vorschlag, der, ¨-e ....
Schuld, die (Sg.) ....
Bürger, der, – ....
Diskussion, die, -en ....
Versammlung, die, -en ....

Verben

gelten ....
bestimmen ....
sich beziehen auf ....
verhaften ....
jmdn. einsperren ....
jmdn. bestrafen ....
ausziehen ....
abschalten ....
sich fürchten ....
operieren ....
loben ....
stechen ....
bedienen ....
betreuen ....
werfen ....
jmdn./etw. festhalten ....
siezen ....
duzen ....
nützen ....

Adjektive

zentral ....
menschlich ....
schuldig ....
notwendig ....

andere Wörter

meist ....

Wichtige Wendungen

Vorgänge beschreiben

Die Gefangenen wurden vor den Augen ihrer Freunde verhaftet.
Wir sind von der Polizei verhaftet worden.

über Straftaten sprechen

Er hat viele Straftaten/Verbrechen begangen.
Die Polizei hat ein Verbrechen aufgeklärt.

einen Rat geben

An deiner Stelle würde ich Hilfe holen.
Wenn ich du wäre, würde ich Hilfe holen.

einen Vorschlag machen

Du könntest/Ich könnte/Wir könnten Hilfe holen.

Alltagssprache
Fabian war fix und fertig.
Ich halte mich da raus.
Wenn du dich einmischst, hast du das Problem am Hals.
Das vergiss gleich wieder.
Mach dich nicht lächerlich!

Das kann ich jetzt ...

	... gut.	... mit Hilfe.	Das übe ich noch.

1 Wörter

Ich kann zu den Themen sechs Wörter nennen:

	... gut.	... mit Hilfe.	Das übe ich noch.
a Kriminalität: *Taschendiebstahl,*	◯	◯	◯
b Gesetz: *Anwalt,*	◯	◯	◯

2 Sprechen

	... gut.	... mit Hilfe.	Das übe ich noch.
a Über Charaktere aus Filmen oder der Literatur sprechen:	◯	◯	◯

... gehört zu den Guten / Bösen.
... ist ein Guter / Böser.
... finde ich interessanter als ...

	... gut.	... mit Hilfe.	Das übe ich noch.
b Ratschläge geben:	◯	◯	◯

An deiner Stelle würde ich ...
Wenn ich du wäre, würde ich ...

	... gut.	... mit Hilfe.	Das übe ich noch.
c Vorschläge machen:	◯	◯	◯

Du könntest / Wir könnten ...

3 Lesen und Hören

Die Texte verstehe ich:

	... gut.	... mit Hilfe.	Das übe ich noch.
a Das Experiment → KB S. 67	◯	◯	◯
b Mit dem Gesetz (§) in Konflikt kommen → KB S. 70	◯	◯	◯
c Kino auf dem Schulhof → KB S. 71	◯	◯	◯

4 Schreiben

	... gut.	... mit Hilfe.	Das übe ich noch.
Einen Leserbrief.	◯	◯	◯

Das ist dein gutes Recht!

A Text

A3 **1 Was weißt du noch? Ordne zu.**

1 Die Deklaration der Menschenrechte sollte ...	a ... **zwar** sein Land behalten, ...	A ... **oder** ihr Land verlassen.
2 In Camerons „Avatar" kann das Volk der Na'vi ...	b ... **entweder** gegen den „Fortschritt" kämpfen ...	B ... **sondern** versuchte **auch**, die Öffentlichkeit auf ihre Probleme aufmerksam zu machen.
3 Die Yanomami versuchten, ...	c ... **nicht nur** allen Menschen die gleichen Rechte garantieren, ...	C ... **aber** sie hatten keine Chance.
4 Die Goldsucher nehmen ...	d ... **zwar** gegen die Goldsucher zu kämpfen, ...	D ... in der Realität gelingt das **aber** nicht vielen Naturvölkern.
5 Der Deutsche Rüdiger Nehberg lebte ...	e ... **weder** auf die Natur ...	E ... **sondern auch** einen Dritten Weltkrieg verhindern.
6 Viele Naturvölker müssen ...	f ... **nicht nur** bei den Yanomami ...	F ... **noch** auf die Yanomami Rücksicht.

A3 **2 Finde die Wörter zu den Themen im Kursbuch (Teil A) und ergänze die Buchstaben.**

1 Deklaration der Menschenrechte

Die Deklaration A1 e n _ h _ l t 30 Artikel. Das Recht auf A1 E i g _ _ t u _, das Recht auf A1 _ _ y _, und das Recht auf A1 S _ a a _ _ a n g _ h ö _ _ _ k _ _ _ sind wichtige Menschenrechte. Viele Staaten A1 b _ m ü h _ _ sich, ihren Bürgern diese Rechte zu A1 g a _ _ _ _ i e r _ _.

2 Die Yanomami

Die Yanomami verwenden die Pflanzen des Amazonas nicht nur als A2 N _ _ _ u n g s m _ _ _ _ _ sondern auch als A2 _ _ f t für ihre Jagdwaffen. Sie wählen A2 r e _ _ _ _ ä ß _ _ ihre Führer und A2 s t _ m m _ _ über wichtige Dinge a _. Sie wollen ihre Lebensart A3a b _ h _ l t _ _, doch der Kampf gegen den A2 F o _ _ s c h r _ _ _ ist oft A2 v _ _ g _ _ _ i c h.

3 Hilfe für die Yanomami

Der Deutsche Rüdiger Nehberg machte die A2 Ö f f _ _ _ l i c h _ e i t auf die Situation der Yanomami aufmerksam. A2 V _ _ t r _ t e r von Umweltorganisationen fordern, die Rechte der Yanomami zu A3a b _ a c h t _ _. Durch den öffentlichen A3a _ _ u c k hat sich die A3a L a _ _ der Yanomami verbessert.

4 Das Problem vieler Naturvölker

Der wirtschaftliche „Fortschritt" A3a z w _ _ g t viele Naturvölker, ihr Land zu verlassen. Sie verlieren dabei ihre A3a L e b _ _ _ g r u _ _ l a g _ und oft auch ihre Identität.

B Grammatik

Zweiteilige Konjunktionen: *weder ... noch, entweder ... oder, zwar ... aber, nicht nur ... sondern (auch), sowohl ... als auch; sein + zu +* Infinitiv

B1 **3** **Jakob und Sabrina berichten aus ihrem Urlaub. Welche Sätze passen zu Jakob, welche Sätze passen zu Sabrina? Finde die Sätze und ordne zu.**

a	Wir haben hier **weder** elektrischen Strom	1	**sondern auch** Käse und Wurst.
b	Es gibt **zwar** vier Swimmingpools im Hotel,	2	**oder** lassen das Essen aufs Zimmer kommen.
c	Wir müssen uns **entweder** am Bach waschen	3	**oder** das Wasser zum Haus tragen.
d	Wir können hier **weder** mit dem Handy telefonieren	4	**als auch** Autos ausleihen.
e	Man kann hier **nicht nur** Tennis,	5	**sondern auch** Golf spielen.
f	Wir essen am Abend **entweder** im Hotelrestaurant	6	**noch** warmes Wasser.
g	Der Bauer bringt uns **nicht nur** frisches Brot,	7	**aber** wir sind immer am Strand.
h	Man kann hier **sowohl** Mopeds	8	**noch** E-Mails schreiben.

Jakob verbringt die Ferien auf einem einfachen Bauernhof in den Bergen: a6, ...

Sabrina wohnt in einem Luxushotel: ....

B1 **4** **Sieh es positiv. Ergänze *zwar ... aber* und die Wörter im Kasten.**

bequem • schaffe • Eintrittskarten • ~~Fernsehprogramm~~ • Feinde • singe • Zeit

a Das Wetter ist zwar schlecht, aber das Fernsehprogramm ist gut.
b Die Schuhe sind .... nicht sehr hübsch, ... sehr ....
c Ich kann .... kein Instrument spielen, ... ich .... ganz gut.
d Ich habe im Moment .... schlechte Noten, ... ich .... das Schuljahr sicher.
e Es gibt .... viel Arbeit, ... die .... vergeht schnell.
f Jonas mag Axel .... nicht besonders, ... sind sie eigentlich nicht.
g Die Ausstellung wäre .... interessant, ... die .... sind zu teuer.

B1 **5** **„Fortschritt". Ergänze passende FRÜHER- oder HEUTE-Sätze (a-g). Verwende *weder ... noch* oder *sowohl ... als auch*. Welche Entwicklungen sind eher positiv ☺, welche eher negativ ☹? Zeichne Smileys.**

	FRÜHER	HEUTE	
a	Früher gab es im Winter **weder** Erdbeeren **noch** andere Sommerfrüchte.	Heute kann man im Winter sowohl Erdbeeren als auch andere Sommerfrüchte kaufen.	☺
b		Heute gibt es in vielen Haushalten **sowohl** Waschmaschinen **als auch** Fernsehgeräte.	
c	Früher konnte man **weder** E-Mails schreiben **noch** im Internet surfen.		
d		Heute gibt es **sowohl** die Zerstörung der Regenwälder **als auch** Probleme mit dem Klimawandel.	

	FRÜHER	HEUTE	
e	Früher gab es überall an den Stadträndern **sowohl** Wälder **als auch** Wiesen und Felder.	....	☺
f	Früher gab es **weder** Atomkraftwerke **noch** Windkraftwerke.	....	☺
g	Früher gab es **weder** Hip-Hop **noch** Punkrock.	....	☺

B1 **6 Was passt? Ergänze die Konjunktionen.**

✪ entweder ... oder (2x) ✪ weder ... noch (3x) ✪ sowohl ... als auch ✪ zwar ... aber ✪

a Hier darf man
weder links
noch rechts abbiegen.

b Diesen Weg dürfen
.... Fußgänger
.... Radfahrer benutzen.

c Hier darf man
.... geradeaus fahren
.... rechts abbiegen.

d Hier dürfen
.... Autos
.... Motorräder fahren.

e Hier dürfen
.... Fahrräder
.... keine Motorräder fahren.

f Hier muss man sein Fahrrad
.... stehenlassen
.... schieben.

g Hier darf man
.... parken
.... anhalten.

B1 **7 Rätselsätze. Ergänze die Konjunktionen. Welche Begriffe (1-7) sind gemeint? Ordne zu.**

✪ entweder ... oder ✪ weder ... noch ✪ nicht nur ... sondern auch (2x) ✪ zwar ... aber (3x) ✪

1 der Flug **2** der Nagel **3** die Veranstaltung **4** ~~die Ausstellung~~ **5** der Deckel **6** die Glocke **7** der Mülleimer

a [4] Man kann dort *zwar* Bilder und andere Kunstwerke sehen, *aber* (aber) keine Kunstwerke kaufen.

b [ ] Man hört sie .... in der Kirche .... (und) an der Wohnungstüre.

c [ ] Sein Inhalt riecht .... nicht sehr gut, man findet ihn .... (aber) in jeder Küche.

d [ ] Man entscheidet sich dafür, wenn man .... (nicht) mit dem Auto .... (und auch nicht) mit dem Zug oder Schiff fahren möchte.

e [ ] Das kann .... ein Konzert, ein Fest .... (und) ein Sportereignis oder ein offizielles Treffen sein.

f [ ] Man kann damit .... nichts braten oder backen, ... (aber) Energie sparen.

g [ ] Man kann damit .... Bilder aufhängen .... (oder) Holzteile miteinander verbinden.

B1 **8** **Sammle Wörter zu folgenden Themen: Berufe, Möbel, Essen und Trinken, Tiere und Gebäude. Schreib dann Rätselsätze zu den Wörtern wie in Übung 7. Verwende die Konjunktionen aus Übung 7. Deine Partnerin / Dein Partner versucht, das Wort zu erraten.**

B3 **9** **Termine! Claudia und Emma treffen sich am 11. Mai. Was war / ist zu tun? Schreib Sätze zu den Einträgen in Claudias Kalender wie im Beispiel. Ergänze dann den Dialog. Wer hat welche Termine versäumt?**

9. Mai	Kostenbeitrag für die Exkursion einzahlen	Der Kostenbeitrag für die Exkursion war am 9. Mai einzuzahlen.
10. Mai	Bücher zurückgeben	Die Bücher waren ...
11. Mai	Christoph bis 12:00 Uhr vom Kindergarten abholen	Christoph ist ...
12. Mai	Projektbericht abgeben	Der Projektbericht ...

Emma: Hallo Claudia, wir müssen uns unbedingt treffen und den Projektbericht schreiben.

Claudia: Heute?

Emma: Ja, der **a** ist morgen .... Übrigens, hast du noch die Bücher aus der Bibliothek?

Claudia: Ja klar. Die brauche ich noch.

Emma: Geht aber nicht, alle Bücher aus der Bibliothek **b** .... bis zum 10. Mai ....

Claudia: Uuuups, der 10. Mai war gestern.

Emma: Mach das ganz schnell. ... Warum fährst du eigentlich nicht auf die Exkursion mit?

Claudia: Natürlich fahre ich mit.

Emma: Auf dem Anmeldeformular steht, der Kostenbeitrag **c** war bis vorgestern einzuzahlen und du bist nicht einmal auf der Teilnehmerliste.

Claudia: Oje, das habe ich übersehen. Vielleicht kann ich doch noch mitfahren.

Emma: Und jetzt solltest du eigentlich im Kindergarten sein und Christoph abholen, oder?

Claudia: Da hab ich noch Zeit. Die Kinder **d** .... bis zwölf ...., hat die Betreuerin gesagt.

Emma: Und jetzt ist es zehn vor zwölf.

Claudia: Ach Emma, wenn ich dich nicht hätte!

C Wortschatz

Dienstleistungen, Ärger

1 Auf dem Amt **2** An der Tankstelle
3 Im Hotel **4** In einem Lokal **5** Im Zug
6 ~~Am Geldautomaten~~ **7** Aus der Werkstatt
8 Vom Urlaubsort **9** Im Kartenbüro

C **10** **Was tut man wo? Ordne zu.**

a [6] Geld abheben
b [ ] ein Getränk bestellen
c [ ] sich für Konzertkarten anstellen
d [ ] im Liegewagen schlafen
e [ ] sein Werkzeug holen
f [ ] seine Versicherungsnummer nennen, eine Genehmigung beantragen und einen Stempel brauchen
g [ ] ein Doppelzimmer reservieren
h [ ] Benzin tanken
i [ ] per Autostopp nach Hause fahren

C **11** **Schreib zu mindestens fünf Tätigkeiten aus Übung 10 eigene Sätze wie im Beispiel.**

h Ich wollte an der Tankstelle Benzin tanken, aber die Tankstelle war geschlossen.

C **12** **Hör zu und ordne die passenden Redemittel zu. Ergänze den letzten Satz selbst. Welcher Dialog ist höflich ☺, welcher Dialog ist unhöflich ☹? Zeichne Smileys.**

Dialog 1: Im Konzert

- ⊙ a *6*, dass Sie Ihr Handy ausschalten?
- ◆ Wie bitte? Was haben Sie gesagt?
- ⊙ Ihr Handy läutet. b ___ Ihr Handy ausschalten. Ich würde gern zuhören.
- ◆ c ___. d ___. Wissen Sie, ich höre nicht mehr so gut.
- ⊙ Ja, aber e ___. Ihr Handy läutet noch immer.
- ◆ Ja? f ___, aber wie gesagt, ich höre schlecht.
- ⊙ Und warum besuchen Sie dann dieses Konzert?
- ◆ *Meine Enkelkinder* ....

1 Daran habe ich gar nicht gedacht
2 Das ist mir wirklich unangenehm
3 Könnten Sie bitte
4 es wäre schön, wenn Sie etwas Rücksicht nehmen könnten
5 Das tut mir schrecklich leid
6 ~~Entschuldigen Sie, wäre es vielleicht möglich~~

Dialog 2: Im Bus

- □ Wissen Sie, dass Sie vor dem Entwerter stehen?
- ▶ Na, irgendwo muss ich ja stehen.
- □ a ___? Gehen Sie bitte sofort zur Seite.
- ▶ Das geht nicht. Sie sehen ja, dass der Bus voll ist.
- □ b ___? Wenn ein Kontrolleur kommt, bekomme ich wegen Ihnen Probleme.
- ▶ c ___! Der Kontrolleur könnte ja gar nicht einsteigen, weil der Bus so voll ist.
- □ Aber Sie können nicht einfach hier stehen bleiben. d ___.
- ▶ Ich muss sogar. Wohin soll ich denn Ihrer Meinung nach gehen?
- □ e ___! Haben Sie eigentlich Ihre Karte entwertet?
- ▶ f ___!
- □ Jetzt machen Sie doch Platz!
- ▶ g ___. *Entwerten Sie eben* ....

1 Das geht Sie jetzt wirklich nichts an
2 Das können Sie einfach nicht tun
3 Was soll das denn heißen
4 Das ist ja lächerlich
5 Ach kommen Sie, so schlimm ist das doch gar nicht
6 Das ist eine Frechheit
7 Was glauben Sie eigentlich

Aussprache

13 Höflich oder unhöflich? Lies die Sätze (A-D) und ordne sie den Situationen (1a/1b und 2a/2b) zu.

A Das ist doch lächerlich. Reg dich nicht auf und lern in deinem Zimmer.
B Mein Schirm geht Sie gar nichts an, und der Boden ist nicht mein Problem. Der wird sowieso gleich wieder trocken.
C Klar. Wir haben gar nicht daran gedacht, dass du lernen willst.
D Oh, tut mir leid, daran hab ich gar nicht gedacht. Das ist mir wirklich unangenehm.

per *du*	
1a höflich ☺	1b unhöflich ☹
⊙ Könntet ihr ein bisschen leiser sprechen? ◆ C	⊙ Seid endlich still, ich will lernen. Was glaubt ihr eigentlich? ◆

per *Sie*	
2a höflich ☺	2b unhöflich ☹
⊙ Wäre es vielleicht möglich, dass Sie den Regenschirm vor der Tür lassen? Der Boden wird ganz nass. ◆	⊙ Was soll das denn? Lassen Sie Ihren Schirm draußen, Sie machen den ganzen Boden nass. Das geht doch nicht! ◆

14 Hör zu und achte in den Dialogen auf den Satzakzent und die Gefühle der Sprecher. 

15 Sind die Personen höflich oder unhöflich? Hör zu und markiere. 

Situation	1 a	1 b	2 a	2 b	3 a	3 b	4 a	4 b
höflich	☐	☐	☐	☐	☐	☐	☐	☐
unhöflich	☐	☐	☐	☐	☐	☐	☐	☐

16 Hör die Anfänge der Situationen aus Übung 15 noch einmal. Reagiere auf höfliche Kritik positiv und auf unhöfliche Kritik negativ. Verwende dazu die Redemittel in den Kästen. Es gibt mehrere Möglichkeiten zu antworten. Hör dann die Antworten und vergleiche. 

positive/höfliche Reaktionen	
1	Das tut mir leid.
2	Das ist mir wirklich unangenehm.
3	Das war keine Absicht.
4	Daran habe ich gar nicht gedacht.
5	Das ist mir noch nie passiert.

negative/unhöfliche Reaktionen	
6	Das ist ja lächerlich.
7	Das geht Sie gar nichts an.
8	Das ist doch nicht mein Problem.
9	So schlimm ist das doch gar nicht.
10	Regen Sie sich doch nicht auf!

D Hören: Alltagssprache

D2 **17 Was weißt du noch? Was passt zusammen? Ordne zu.**

- **a** Thomas möchte seinen Computer abholen, aber es gibt ein Problem.
- **b** Der Verkäufer will Thomas einen anderen Computer anbieten.
- **c** Thomas ist böse, dass der letzte RS10 gerade verkauft wurde.
- **d** Tina denkt, dass Thomas nicht recht hat.
- **e** Thomas will verhindern, dass der Computer verkauft wird.

1. „Bestellen ist aber nicht dasselbe wie reservieren."
2. „An der Kasse sind gerade viele Leute, sie haben sicher noch nicht bezahlt. Komm mit, Tina ..."
3. „Den RS10 haben wir gar nicht reservieren dürfen."
4. „Sie haben meinen Laptop verkauft? ... Das dürfen Sie nicht, der ist für mich reserviert."
5. „Ich kann Ihnen den RX30 empfehlen, der ist fast genauso günstig und sogar etwas leichter als der RS10. .... Oder wie wär's mit ..."

D2 **18 Ordne zu und ergänze den Dialog.**

was kann ich ...	... die Gelegenheit
Das muss ich mir ...	... für Ihre Mühe
Das ist ...	... noch überlegen
die kann ich ...	... für Sie tun
Ich hätte ...	... wirklich empfehlen
vielen Dank ...	... gern ...

Verkäufer: Guten Tag, **a** was kann ich für Sie tun?

Jan: **b** .... eine Digitalkamera. Sie soll nicht mehr als 50 Euro kosten.

Verkäufer: Das tut mir leid, so billige Kameras haben wir nicht. Aber die Kamera hier zum Beispiel, **c** ....

Jan: Ich weiß nicht, ich will wirklich nicht mehr ausgeben.

Verkäufer: Die Kamera ist im Sonderangebot. **d** .... !

Jan: Nein, sie gefällt mir nicht. Ich will keine rosa Kamera.

Verkäufer: Die Kamera gibt's in verschiedenen Farben. Wie wär's mit grau oder schwarz?

Jan: Und wie viel kostet die Kamera?

Verkäufer: Nur 125 Euro.

Jan: Das ist ziemlich teuer. **e** .... Auf jeden Fall **f** ....

Verkäufer: Gern geschehen, auf Wiedersehen.

E Grammatik

Indefinitpronomen *irgend-*, Perfekt mit Modalverben

E1 **19 Alles egal ... Ergänze die Tabelle und die Dialoge mit *irgendein- / irgendwelche-* und den passenden Nomen aus der Tabelle.**

> **Lerntipp – Grammatik**
> Wenn du die Formen von *der/das/die* (= definiter Artikel) und *ein/eine* (= indefiniter Artikel) gut gelernt hast, dann kannst du auch die Formen aller anderen Artikelwörter.
> - Diese Artikelwörter haben dieselben Endungen wie *der/das/die*: *dieser, jeder, jener, welcher, solcher, mancher, derselbe, irgendwelche*
> - Diese Artikelwörter haben dieselben Endungen wie *ein/eine*: *kein, mein, dein, sein, ihr, Ihr, unser, euer, irgendein*

	maskulin	neutral	feminin	Plural
	~~Fruchtsaft~~	Handy, Verkehrsmittel, Restaurant	Zeitung, Band	Termine
Nominativ	irgendein	irgend	irgend	irgendwelche
Akkusativ	irgend	irgend	irgend	irgend
Dativ	irgend	irgend	irgend	irgend
Genitiv	irgend	irgend	irgend	irgend

a ⊙ Was möchten Sie trinken?
◆ Ganz egal, geben Sie mir (Akk.) irgendeinen Fruchtsaft.

b ⊙ Möchten Sie die Süddeutsche Zeitung oder die Frankfurter Allgemeine?
◆ Geben Sie mir (Akk.) irgend .... ~~~~~~~~~~~~, ganz egal welche.

c ⊙ Wie kommen wir nur vom Flughafen ins Hotel?
◆ Keine Angst, (Akk.) irgend .... ~~~~~~~~~~~~ finden wir sicher.

d ⊙ Warum kommt Monika nicht?
◆ Sie kann nicht, sie hat (Pl.) irgend .... ~~~~~~~~~~~~.

e ⊙ Möchten Sie ein normales oder ein Smart-Handy?
◆ Geben Sie mir einfach (Akk.) irgend .... billiges ~~~~~~~~~~~~.

f ⊙ Wo sind Karo und Peter?
◆ In (Dat.) irgend .... neuen ~~~~~~~~~~~~. Es soll dort sehr gute Pizza geben.

g ⊙ Was ist das? Klingt gut.
◆ Das ist der neueste Hit (Gen.) irgend .... deutschen ~~~~~~~~~~~~, ich habe leider den Namen vergessen.

E1

(20) Zwei literarische Rätselgeschichten. Ersetze im Text die unterstrichenen Wörter und versuche, die Antworten zu finden. Vergleiche dann mit den Lösungen auf Seite 185.

Rätsel 1

Der Frosch hat ~~irgendwas~~ (die schwierige Aufgabe) perfekt gelöst. Trotzdem wird irgendwer von irgendwem irgendwo irgendwie behandelt. Doch das hat irgendwen sehr glücklich gemacht. Warum?

✪ er ✪ sehr schlecht ✪ in ihrem Schlafzimmer ✪ ~~die schwierige Aufgabe~~ ✪ von der Königstochter ✪ den Frosch ✪

der Frosch

Rätsel 2

Eine Frau ist irgendwohin gegangen und hat sich irgendwas ausgeliehen. Irgendwann hat die Frau irgendwem erzählt, dass sie irgendwie ist. Warum?

✪ ihrem Freund ✪ Am Abend ✪ sehr traurig ✪ in die Bibliothek ✪ ein Buch ✪

E1 **21 Ordne zu und ergänze die Indefinitpronomen mit *irgend-*.**

~~irgendwo~~ · irgendwas · irgendwer · irgendwohin · irgendwie · irgendwann

a ⊙ Namibia liegt *irgendwo* in Afrika, oder? — 3
b ⊙ ______ kommt Peter zu Besuch.
c ⊙ Ich habe ______ Falsches gegessen.
d ⊙ Wo macht ihr Urlaub?
e ⊙ ______ müssen wir in die Stadt kommen.
f ⊙ ______ hat mein Handy genommen.

1 ◆ Wir wissen es noch nicht, wir fliegen einfach ______.
2 ◆ Ich glaube, das war Silvia.
3 ◆ Ja, im Südwesten.
4 ◆ Nehmen wir doch ein Taxi.
5 ◆ Vielleicht die Pommes frites mit Mayonnaise.
6 ◆ Ja, im Juli.

E2 **22 Falsche Hoffnungen. Ergänze die NACHHER-Sätze im Perfekt mit Modalverb wie im Beispiel.**

	VORHER	NACHHER
a	Wenn es nicht regnet, können wir am Nachmittag Fußball spielen.	Es hat geregnet. Wir *haben* nicht Fußball *spielen* *können*.
b	Wenn Georg uns mit dem Auto mitnimmt, können wir Lisa im Krankenhaus besuchen.	Georgs Auto war in der Werkstatt. Wir ______ Lisa nicht ______ ______.
c	Wenn die Eltern es erlauben, darf mein kleiner Bruder zur Party mitkommen.	Mein kleiner Bruder ______ nicht ______ ______. Meine Eltern haben es nicht erlaubt.
d	Wenn du ihn fragst, will er sicher zum Essen bleiben.	Ich habe ihn gefragt, aber er ______ nicht zum Essen ______ ______.
e	Wenn der Test erst am Mittwoch stattfindet, muss ich am Wochenende nicht lernen.	Der Test war am Montag. Ich ______ am Wochenende ______ ______.

E2 **23 Beschwerden und Reklamationen. Lies die Dialoge (1-2) und ergänze das Perfekt mit Modalverb. Wo spielen die Situationen?**

Dialog 1: In der ______

mit dem Bus fahren müssen · noch andere Fahrzeuge reparieren müssen · ~~ein Ersatzteil bestellen müssen~~ · nicht wissen können

Ersatzteil ≈ ein Teil, das man statt eines kaputten Teiles einbaut

⊙ Guten Tag, ich möchte mein Moped abholen.
◆ Tut mir leid, es ist noch nicht fertig, **a** *wir haben ein Ersatzteil bestellen müssen*.
⊙ Aber ich habe am Vormittag angerufen, und Ihr Chef hat gesagt, dass das Moped fertig ist.
◆ Er **b** ______, dass wir das Ersatzteil noch brauchen.
⊙ Ja, aber ich habe Ihnen das Moped vor zehn Tagen gebracht, das ist wirklich sehr unangenehm.
◆ Wir haben zuerst **c** ______, das hatten wir Ihnen aber gesagt.
⊙ Aber ich brauche das Moped, ich **d** ______ die ganze Woche ______.
◆ Ich weiß. Vielleicht können wir Ihnen ein Leihmoped geben, bis Ihr eigenes Moped fertig ist.

Dialog 2: Am Telefon, in der ....

✪ die Fruchtsäfte einladen müssen ✪ nicht nach der Straße fragen können ✪ die Schule nicht finden können ✪ nicht anrufen können ✪

⊙ Hallo, hier Lehmann. Wir haben bei Ihnen Getränke für das Schulfest bestellt, die sind aber noch nicht gebracht worden.

◆ Ja, tut mir leid, unser Fahrer **a** ....

⊙ Das ist unmöglich, die Schule liegt in der Bambergerstraße und die Bambergerstraße kennt jedes Kind.

◆ Er hatte leider Ihre Adresse nicht dabei, deshalb **b** .... er ....

⊙ Und warum hat er dann nicht angerufen?

◆ Er **c** ...., weil er sein Handy hier im Büro vergessen hat.

⊙ Wo ist er jetzt?

◆ Er ist jetzt hier in der Firma. Er **d** ...., die Sie bestellt haben. Die hatte er nämlich vergessen. In zwanzig Minuten ist er bei Ihnen.

⊙ Hoffentlich.

Finale: Fertigkeitentraining

(24) Lies den Text. Welche zwei Entwicklungsprojekte werden im Text beschrieben?

„Weißes Gold" und Riesenfische

1 Adama Ouédraogos Diarra Traoré ist Bauer in Burkina Faso. Jeden Tag arbeitet er zwölf
2 Stunden und länger auf den Baumwollfeldern rund um sein Dorf. Trotzdem verdient er
3 nicht genug Geld, um seine Familie zu ernähren.

4 Burkina Faso ist einer der ärmsten Staaten in Afrika. Die Weltbank hat versucht zu helfen.
5 Sie hat Burkina Faso Geld geliehen, um die Baumwollproduktion zu verbessern. Das ist
6 auch gelungen. Das Land produziert jedes Jahr viele Tonnen Baumwolle in bester Qualität.
7 Das hat bis jetzt aber weder der Wirtschaft des Landes noch der Bevölkerung wirklich
8 geholfen. Der Preis, den man für Baumwolle auf dem Weltmarkt bekommt, ist nämlich
9 sehr niedrig. Das bedeutet, dass Burkina Faso das Geld an die Weltbank wohl nicht so
10 schnell zurückzahlen kann. Das „Weiße Gold" ist auf dem Weltmarkt aber nur deshalb
11 so billig, weil reiche Länder ihre eigene Baumwollproduktion regelmäßig mit viel Geld
12 unterstützen.

13 Im ostafrikanischen Viktoriasee hat man vor fünfzig Jahren eine besondere Fischart ausgesetzt. Auch dort wollte man der
14 Bevölkerung helfen, ihre wirtschaftliche Situation zu verbessern. Der „Viktoriabarsch", der bis zu zwei Meter lang und
15 200 kg schwer werden kann, ist zu einem wichtigen Exportprodukt geworden. Es gibt aber Zweifel, ob das Projekt die
16 Lebensbedingungen der Menschen am Viktoriasee wirklich verbessert hat. Im Dokumentarfilm „Darwin's Nightmare" wird zum
17 Beispiel gezeigt, wie der Viktoriabarsch das biologische Gleichgewicht des Sees zerstört hat. Sowohl viele kleinere Fischarten
18 als auch wichtige Pflanzenarten sind dort heute ausgestorben. Die Fischindustrie, die rund um den See entstanden ist, hat
19 zwar neue Arbeitsplätze geschaffen, aber auch die Grundlage für die traditionelle Fischerei zerstört. Der Viktoriabarsch wird
20 nämlich zu 100 Prozent exportiert.

21 Die beiden Beispiele zeigen, wie schwierig es geworden ist, die Folgen und Wirkungen eines wirtschaftlichen Projektes
22 vorherzusagen. Viele Projekte, die der Bevölkerung helfen sollen, ihre Lebensbedingungen zu verbessern, haben oft auch
23 negative Konsequenzen. Deshalb ist es wichtig, die Interessen der Bevölkerung zu beachten und die Entwicklung eines
24 Projektes gut zu beobachten. Vielleicht kann es dann auch einmal notwendig und richtig sein, das Projekt entweder zu stoppen
25 oder einzelne Entscheidungen wieder zurückzunehmen. Doch das ist anscheinend für die Verantwortlichen schwierig und
26 passiert deshalb sehr selten ohne öffentlichen Druck.

25 **Lies den Text noch einmal und ergänze die Tabelle mit Stichwörtern.**

		In Burkina Faso	Am Viktoriasee
1	Was war das Ziel des Projektes?	*Baumwollproduktion sollte ...*	
2	Was ist in der Realität passiert? Warum?		
3	Was muss beachtet werden, damit ein Projekt erfolgreich sein kann?		

26 **Hör das Interview mit der Psychologin Professor Dr. Harting zum Thema „Richtig entscheiden". Prof. Harting berichtet in dem Interview auch über das sogenannte „Moroland"-Experiment. Wie funktioniert das „Moroland"-Experiment? Mach Notizen.** 2 12

27 **Lies die Sätze und hör noch einmal. Sind die Aussagen richtig oder falsch?** 2 12

		richtig	falsch
a	Im Alltag entscheiden wir meistens richtig.	☐	☐
b	Das „Moroland"-Experiment ist ein Computerspiel.	☐	☐
c	Die Moros sind ein armes Volk, das vom Fischfang lebt.	☐	☐
d	Die Spieler versuchen, am Computer die Lebensbedingungen der Moros positiv zu beeinflussen.	☐	☐
e	Nach zwanzig Jahren hat sich die Situation der Moros meist stark verbessert.	☐	☐
f	Die meisten Spieler erkannten rechtzeitig, dass ihre Entscheidungen falsch waren.	☐	☐
g	Bei komplizierten Entscheidungen kann uns unser Gefühl helfen.	☐	☐
h	In komplizierten Situationen entscheiden wir oft falsch.	☐	☐
i	Komplexe Entscheidungen sind für uns meist weniger interessant als Alltagsentscheidungen.	☐	☐

28 **Veränderungen: Martina soll einen Text zum Thema „Da war plötzlich alles anders ..." schreiben. Lies Martinas Text. Über welche Veränderung in ihrem Leben schreibt sie? Mach Notizen.**

Da war plötzlich alles anders ...

Als ich zehn Jahre alt war, ist meine Familie in eine andere Stadt gezogen.[1] Ich musste in eine andere Schule gehen. Dort kannte ich niemanden. Das war am Anfang sehr schwierig für mich.[2] Auch die Lehrer und der Unterricht waren anders als in meiner alten Schule. Daran musste ich mich erst langsam gewöhnen. Deshalb waren meine Noten anfangs auch nicht so gut.[3] Ich war ziemlich unglücklich. Doch dann ist ein neues Mädchen in unsere Klasse gekommen. Sie kam auch aus einer anderen Stadt und hatte dieselben Probleme wie ich.[4] Wir haben uns sofort gut verstanden und wurden die besten Freundinnen.

Martina

Veränderungen: *in andere Stadt gezogen, ...*

(29) Martina nennt wichtige Ereignisse, berichtet aber nicht über Details. Deshalb ist ihr Text nicht besonders interessant. Lies die Fragen zu den Textstellen (1-4) in Übung 28, finde mögliche Antworten und mach Notizen.

1 Warum ist Martinas Familie in eine andere Stadt gezogen?

....

....

2 Warum war die Situation schwierig für Martina? Was hat Martina in der Klasse erlebt? Wie haben die anderen Schülerinnen und Schüler reagiert?

....

....

3 Wie waren die Lehrer und der Unterricht in der neuen Schule? Warum hatte Martina Probleme? Welche Probleme hatte sie genau?

....

....

4 Wie haben sich Martina und die neue Mitschülerin kennengelernt? Was hat Martina an der neuen Schülerin gefallen? Was haben sie gemeinsam unternommen?

....

....

(30) Schreib Martinas Text noch einmal. Verwende deine Ideen aus Übung 29, um den Text interessanter zu machen.

(31) Schreib einen eigenen Text zum Thema „So ein Ärger ...“

Strategie – Vor dem Schreiben

- Bevor du mit dem Schreiben beginnst, solltest du Ideen sammeln und deinen Text gut planen.
  Hast du selbst Situationen erlebt, in denen du dich sehr geärgert hast?
  Hat dir jemand von einer Situation erzählt, über die er sich sehr geärgert hat?
  Wenn dir keine echte Situation einfällt, erfinde eine Geschichte. Denk an das Thema und schreib einfach alles auf, was dir dazu einfällt, oder stell W-Fragen zum Thema (Wer? Wo? Wie? Warum? ...) und schreib die Antworten auf.
- Mach Notizen zur Handlung.
  Wie beginnt deine Geschichte? Was passiert zuerst, was passiert danach? Wie endet die Geschichte?
- Wenn du die Geschichte aufschreibst, denk auch an interessante Details. Pass aber auf, dass du nicht zu viele Details beschreibst, da die Leser dann der Geschichte nicht so gut folgen können.

Lernwortschatz

* Modul Plus

Nomen

Recht, das, -e
Staat, der, -en
Schutz, der (Sg.)
Staatsangehörigkeit, die, -en
Eigentum, das, -e
Asyl, das, -e
Mehrheit, die (Sg.)
Gift, das, -e
Öffentlichkeit, die (Sg.)
Vertreter, der, –
Fortschritt, der, -e
Art, die, -en
Standpunkt, der, -e
Gold, das (Sg.)
Druck, der (Sg.)
Lage, die, -n
Rücksicht, die (Sg.)
Silber, das (Sg.)
Einfluss, der, ¨-e
Grundlage, die, -n
Feind, der, -e
Gegensatz, der, ¨-e
Arbeitgeber, der, –
Zweck, der, -e
Miete, die, -n
Ausstellung, die, -en
Eintritt, der, -e
Veranstaltung, die, -en
Gott, der, ¨-er
Stempel, der, –
Parkplatz, der, ¨-e
Einzel/Doppelzimmer, das, –
Tankstelle, die, -n
per Autostopp
Genehmigung, die, -en
Versicherung, die, -en
Risiko, das, -en
Liegewagen, der, –
Werkzeug, das, -e
Lokal, das, -e
Gelegenheit, die, -en
Schaufenster, das, –
Beilage, die, -n
Konsequenz, die, -en
Anlage, die, -n
* Demokratie, die, -n
Verwaltung, die, -en
Partei, die, -en
Abstimmung, die, -en
Kompromiss, der, -e
Minister, der, –
Parlament, das, -e
Reform, die, -en
Mitglied, das, -er
Demonstration, die, -en
Politik, die (Sg.)
Pfeife, die, -n
Bürgersteig, der, -e
Ausdruck, der, -e
Schwieger-

Verben

sich anstrengen
enthalten
behalten
bieten
fordern
zwingen
beachten
beantragen
(Geld) abheben
entwerten
sich anstellen
empfehlen
erhalten
* herrschen
einführen
bestehen aus
füllen
stinken
kleben

Adjektive

fest
regelmäßig
vergeblich
militärisch
sozial
heilig
gültig
stolz
* konservativ
liberal
national
gerecht

gleichberechtigt ....
wahnsinnig ....
mager ....

andere Wörter
dort ....
außen ....
* meinetwegen ....

Wichtige Wendungen

Kritik äußern und darauf reagieren
Könnten Sie etwas Rücksicht nehmen?
Das war doch keine Absicht.

Einkaufen
Das ist eine einmalige Gelegenheit.
Das muss ich mir noch überlegen.

Das kann ich jetzt ...

	... gut.	... mit Hilfe.	Das übe ich noch.

1 Wörter

Ich kann zu den Themen sechs Wörter nennen:

	... gut.	... mit Hilfe.	Das übe ich noch.
a Rechte: *Freiheit,*	○	○	○
b Dienstleistungen: *Stempel,*	○	○	○

2 Sprechen

	... gut.	... mit Hilfe.	Das übe ich noch.
a Kritik äußern: *Entschuldigen Sie, wäre es vielleicht möglich ...* *Das geht doch nicht!*	○	○	○
b Auf Kritik reagieren: *Daran habe ich gar nicht gedacht.* *Das tut mir schrecklich leid.*	○	○	○
c Einkaufsdialoge: *Was kann ich für Sie tun? – Guten Tag, ich hätte gern ...* *... kann ich Ihnen sehr empfehlen.*	○	○	○

3 Lesen und Hören

Die Texte verstehe ich:

	... gut.	... mit Hilfe.	Das übe ich noch.
a Menschenrechte. → KB S. 74	○	○	○
b Opfer des Fortschritts → KB S. 75	○	○	○
c Ärger → KB S. 78	○	○	○
d Die Reservierung → KB S. 79	○	○	○
e Reserviert oder bestellt? → KB S. 79	○	○	○
f Zwei Seiten einer Geschichte → KB S. 81/146	○	○	○

4 Schreiben

	... gut.	... mit Hilfe.	Das übe ich noch.
Eine E-Mail, in der von einem Problem erzählt wird.	○	○	○

Test: Modul 8

Grammatik

Punkte

1 Ergänze die richtigen Adjektivendung.

Polizeistation Nieberg: Täterbeschreibung

Gesucht werden eine 1 Meter 60 groß*e* Frau und ein 1 Meter 85 groß.......... Mann. Die Frau hat blond.......... Haare und trug zur Tatzeit eine dunkl.......... Sonnenbrille und ein dunkelrot.......... Kleid mit einer grau.......... Jacke. Der schwarzhaarig.......... Mann trug einen braun.......... Mantel. Fahrzeug: blau.......... Motorroller mit inländisch.......... Kennzeichen und silbern.......... Gepäckträger

1 |5

2 Schreib Relativsätze wie im Beispiel.

a Anita, das Mädchen, *(Mein Bruder geht mit dem Mädchen jeden Tag zur Schule.)* *mit dem mein Bruder jeden Tag zur Schule geht*, wohnt im Nachbarhaus.

b In dem Bus, *(Sie fahren jeden Tag mit dem Bus zur Schule.)* .... , sitzen sie nebeneinander.

c In der Schule teilen sie sich das Papier und die Stifte, *(Sie zeichnen mit den Stiften.)* ....

d Anita, *(Mein Bruder trägt ihr jeden Tag die Schultasche nach Hause.)* .... , wird nächste Woche sieben Jahre alt.

e Mein Bruder, *(Anita leiht ihm alle ihre Comicbücher.)* .... , ist sicher, dass Anita ewig seine Freundin bleibt.

2 |4

3 Ergänze die Verben im Konjunktiv II.

a Wenn er langsamer *(sprechen)* *sprechen würde*, *(verstehen können)* *könnte* ich ihn besser *verstehen*.

b Wenn ich einen Hund *(haben)* ...., *(spazieren gehen müssen)* .... ich jeden Tag mit ihm ....

c Was *(tun)* .... du .... , wenn du viel Geld *(gewinnen)* ....?

d Wenn ich du *(sein)* .... , *(gehen)* .... ich zum Zahnarzt ....

e Wenn das Wetter besser *(sein)* .... , *(machen können)* .... wir eine Radtour ....

f An seiner Stelle *(parken)* .... ich das Auto in der Garage ....

3 |5

4 Der Unfall. Ergänze die Sätze im Passiv Präteritum.

Sabrina *(anfahren)* *wurde* von einem Auto *angefahren*. Sie *(verletzen)* .... am Bein und am rechten Arm .... Sofort *(bringen)* .... sie ins Krankenhaus .... Dort *(röntgen)* .... das Bein und der Arm .... und dann *(operieren)* .... Sabrina .... Außerdem *(machen)* .... zwei Gipsverbände .... Im Krankenhaus *(besuchen)* .... Sabrina von allen ihren Freunden .... Nach drei Wochen *(schicken)* .... sie schließlich nach Hause ....

4 |7

Punkte

5 Sabrina erzählt von ihrem Unfall. Schreib vier Sätze aus Aufgabe 4 im Passiv Perfekt wie im Beispiel.

Ich bin von einem Auto angefahren worden. Ich …

5 |4

Wortschatz

6 Finde passende Gegenteile.

✪ schwach ✪ sich kennenlernen ✪ sich verzeihen ✪ rund ✪
✪ sich scheiden lassen ✪ untreu ✪ lockig ✪ ~~rücksichtslos~~ ✪ mutig ✪

Charaktereigenschaften		Aussehen und Kleidung		Beziehungen	
a rücksichtsvoll	*rücksichtslos*	d glatt (Haare)	....	g sich streiten	....
b treu	....	e kräftig	....	h sich trennen	....
c feig	....	f schmal (Gesicht)	....	i heiraten	....

6 |8

7 Straftaten. Finde die Wörter und ordne zu.

✪ LA-STAHL-DEN-DIEB ✪ ~~GE-ZEU~~ ✪ SCHÄ-SACH-GUNG-BE-DI ✪
✪ FER-OP ✪ WALT-AN ✪ PER-LET-KÖR-ZUNG-VER ✪

a Jemand verletzt eine andere Person. ≈ die ....

b Jemand stiehlt etwas in einem Geschäft. ≈ der ....

c Jemand zerstört oder beschädigt das Eigentum einer anderen Person. ≈ die ....

d Jemand, der durch ein Verbrechen einen Schaden hat ≈ das ....

e Jemand, der ein Verbrechen gesehen hat ≈ der *Zeuge*

f Jemand, der vor Gericht für einen Angeklagten spricht ≈ der ....

7 |5

Alltagssprache

8 Ergänze die Dialoge.

a ⊙ Das ist verrückt, Jürgen möchte wirklich ein Café aufmachen.
◆ Du glaubst wohl nicht, *B*

b ⊙ Kauf das Fahrrad, das ist die Gelegenheit.
◆ Aber es ist nicht billig. ☐

c ⊙ Deine Noten werden immer schlechter.
◆ Ich weiß, ☐ Ich muss etwas dagegen tun.

d ⊙ Ich bin sicher, du magst keine Horrorfilme.
◆ ☐ Manchmal schon.

e ⊙ Was kann ich für Sie tun?
◆ ☐ einen Pullover.

A Das kommt darauf an.
B ~~dass das etwas wird~~?
C so geht es nicht weiter.
D Das muss ich mir noch überlegen.
E Ich hätte gern

8 |4

Grammatik	Wortschatz	Phrasen	Wie gut bist du schon?
22-25	11-13	4	☺
13-21	7-10	3	😐
0-12	0-6	0-2	☹

Gesamt |42

Lektion **33**

Wenn er schneller gelaufen wäre, ...

A Text

A **1 Was weißt du noch? Sind die Sätze richtig oder falsch?**

		richtig	falsch
a	Wenn jemand die 100-Meter-Strecke eine halbe Sekunde schneller als Jesse Owens laufen würde, wäre das heute Weltrekord.	☐	☐
b	Experten glauben, dass es in Zukunft im Sport noch sehr viele Rekorde geben könnte.	☐	☐
c	Wenn man Spitzensportler nicht so gut betreuen würde, würden sie weniger gute Leistungen bringen.	☐	☐
d	Wenn die deutschen Radrennfahrer gewusst hätten, dass sie betrügen, hätten sie nicht gedopt.	☐	☐
e	Viele Sportler hätten heute weniger gesundheitliche Probleme, wenn sie in der Vergangenheit nicht gedopt hätten.	☐	☐
f	Wenn Birgit Dressels Sportarzt verantwortungsvoller gewesen wäre, wäre sie noch am Leben.	☐	☐

100-Meter-Siegeszeiten bei den Olympischen Spielen

Eine Verbesserung der Leistung ist in vielen Sportarten kaum mehr möglich.

B Grammatik

Konjunktiv II der Vergangenheit (mit Modalverben), vergleichende Nebensätze mit *als ob* + Konjunktiv II

B1 **2 Was passt? Ordne die Bilder (1-4) den Sätzen (a-d) zu.**

a ☐ Wenn es nicht so stark geregnet hätte, wären mehr Zuschauer gekommen.

b ☐ Er hätte das Rennen gewonnen, wenn er keine Probleme mit seinem Fahrrad gehabt hätte.

c ☐ Sie wäre Bestzeit gefahren, wenn sie nicht gestürzt wäre.

d ☐ Wenn er nicht k.o. gegangen wäre, hätte er den Kampf nach Punkten gewonnen.

(1) (2) (3) (4)

B1 **3 Was ist wirklich passiert? Schreib die Sätze aus Übung 2 mit *deshalb*.**

a Es hat stark geregnet, deshalb ...

b Sein Fahrrad ist ... , deshalb ...

....

....

B1 **4 Ergänze die Sätze (a-f) mit dem Konjunktiv II der Vergangenheit. Um welche Sportarten (1-6) geht es in den Sätzen? Ordne zu.**

① ② ③ ④ ⑤ ⑥

a [ ] Wenn er beim Start bessere Windbedingungen *(haben)* gehabt hätte, *(springen)* wäre er über 220 Meter weit gesprungen.

b [ ] Wenn das Wetter besser *(sein)* ...., *(erreichen)* .... Gerlinde Kaltenbrunner den Gipfel ....

c [ ] Wenn er die 100 Meter Kraul eine halbe Sekunde schneller *(schwimmen)* ...., *(schaffen)* .... er die Olympiaqualifikation ....

d [ ] Wenn sein Pferd nicht *(stürzen)* ...., *(erreichen)* .... Pferd und Reiter das Finalspringen ....

e [ ] Wenn der Schiedsrichter Elfmeter *(geben)* ...., *(gewinnen)* .... sie das Spiel vielleicht ....

f [ ] Wenn sein Vater mit ihm nicht Eislaufen *(gehen)* ...., *(werden)* .... er kein so guter Spieler ....

B1 **5 Verbinde die Sätze wie im Beispiel mit *wenn* und dem Konjunktiv II der Vergangenheit und schreib die Geschichte von Andrea und Georg.**

a Andrea hat von ihren Freunden eine Eintrittskarte für ein Rockkonzert bekommen. Andrea ist zu dem Konzert gegangen.

Wenn Andrea keine Eintrittskarte bekommen hätte, wäre sie nicht zu dem Rockkonzert gegangen.

b Andrea ist zum Konzert gegangen. Sie hat Georg getroffen.

Wenn Andrea nicht ...

c Andrea hat Georg getroffen. Sie haben miteinander gesprochen.

....

d Andrea und Georg haben sich auf dem Konzert kennengelernt. Sie sind am nächsten Tag in die Disco gegangen.

....

e Andrea und Georg sind in die Disco gegangen. Sie haben sich ineinander verliebt.

....

f Andrea und Georg haben sich ineinander verliebt. Ein Jahr später haben sie geheiratet.

....

B1 **6** **Was passt? Ordne zu und entscheide: früher** f **oder heute** h **?**

a	Er hätte ihr helfen können,	1	bevor sie Probleme in Mathematik bekommt.	h
b	Er kann ihr helfen,	2	bevor sie Probleme in Mathematik bekommen hat.	f
c	Sie hätten vor der Kreuzung stehen bleiben müssen,	3	weil die Kinder über die Straße gehen wollten.	
d	Sie müssen vor der Kreuzung stehen bleiben,	4	weil die Kinder über die Straße gehen wollen.	
e	Ich sollte auf meine Eltern hören,	5	weil ich denke, dass sie recht haben.	
f	Ich hätte auf meine Eltern hören sollen,	6	weil ich denke, dass sie recht hatten.	
g	Sie hätten den Film sehen dürfen,	7	weil sie über 16 Jahre alt sind.	
h	Sie dürfen den Film sehen,	8	weil sie über 16 Jahre alt waren.	
i	Sie hätte mit ihm ins Kino gehen wollen,	9	aber er hat keine Zeit.	
j	Sie will mit ihm ins Kino gehen,	10	aber er hatte keine Zeit.	

B1 **7** **Ordne zu und schreib Sätze im Konjunktiv II der Vergangenheit.**

länger bleiben wollen • mehr trainieren sollen • ~~den Wecker stellen müssen~~ • nicht spielen dürfen • sich wärmer anziehen sollen • helfen können

a Ich bin zu spät aufgestanden. ◆ *Du hättest den Wecker stellen müssen.*
b Sie hat einen Schnupfen. ◆ *Sie …*
c Marika hat das Geschirr alleine abgewaschen. ◆ *Du hättest ihr …*
d Er war schon nach 400 Metern müde und wurde Letzter. ◆ *Er …*
e Sie mussten den Zoo um 17:00 Uhr verlassen. ◆ *Sie …*
f Wir haben im Schlosspark Fußball gespielt. ◆ *Ihr …*

B2 **8** **Hätte ich doch nur …! Wäre ich doch nur …! Ordne zu und schreib Sätze zu den Bildern wie im Beispiel.**

1 *Hätte ich doch mehr gelernt!*

2 *Hätte ich doch unter der Brücke gewartet!*

3 *Hätte ich doch besser aufgepasst!*

- ~~mehr lernen~~
- ~~besser aufpassen~~
- ~~unter der Brücke warten~~
- immer die Hausaufgaben machen
- nicht im Zimmer Fußball spielen
- meine Regenjacke mitnehmen
- öfter zur Nachhilfe gehen
- meine Badehose anziehen
- eine billige Blumenvase kaufen

B2 **9** **Schreib die Sätze aus Übung 8 anders.**

Wenn ich …, hätte ich eine bessere Note bekommen.
Wenn ich …, wäre ich nicht nass geworden.
Wenn ich …, wäre der Schaden nicht so groß.

B3 **10** **Es sieht so aus, als ob ... Ordne die Satzhälften zu.**

a Das Haus ist leer. Es sieht so aus, — 3
b Das Auto ist voll bepackt. Es sieht so aus,
c Die Zimmer bei den Nachbarn sind frisch gestrichen. Es sieht so aus,
d Ein Wagen der Malerei Klecks steht bei den Nachbarn vor dem Haus. Es sieht so aus,
e Der Kühlschrank ist voll. Es sieht so aus,
f Markus geht in den Supermarkt. Es sieht so aus,

1 als ob er einkaufen würde.
2 als ob die Maler bei ihnen gewesen wären.
3 als ob sie weggefahren wären.
4 als ob die Maler bei ihnen wären.
5 als ob sie wegfahren würden.
6 als ob Markus eingekauft hätte.

B3 **11** **Hör die Dialoge (a-e) und ergänze die Sätze.** 2 13

a Der Kühlschrank hört sich an, als ob er nicht mehr sehr lange *funktionieren würde*. Aber in Wirklichkeit .... er noch wunderbar.

b Der Trainer sieht aus, als ob er sehr streng .... Aber in Wirklichkeit .... er sehr nett.

c Jans Moped sieht so aus, als ob man damit wirklich schnell .... Aber in Wirklichkeit .... man damit nicht schneller .... als mit einem ganz normalen Moped.

d Es sieht so aus, als ob die Insel ziemlich weit entfernt .... Aber in Wirklichkeit .... es nur eine halbe Stunde, dorthin zu schwimmen.

e Rex hört sich an, als ob er eine Erkältung .... Aber er .... gar nichts. Der Tierarzt sagt, er ist einfach alt.

B2 **12** **Wie heißen die Wörter? Finde die Wörter im Kursbuch (A-B) und lös das Silbenrätsel.**

BREM – FERN – GEN – HER – HIN – KE – LEIS – LIE – ~~SCHRIFT~~ – SEN – SIE – SPRIT – STAND – STREC – TER – TUNG – ~~VOR~~ – ZE – ZU

Lerntipp – Wortschatz
Sprachrätsel können dir helfen, neue Wörter zu lernen. Du kannst zum Beispiel Kreuzworträtsel, Silbenrätsel oder Buchstabenrätsel (s. Lektion 25 Übung 4) schreiben. Tauscht eure Rätsel aus und sammelt sie in einer „Rätselmappe“. Versucht, die Rätsel immer wieder zu lösen. Dabei übt ihr die neuen Wörter ganz intensiv.

a A© Regel, Gesetz ≈ *die Vorschrift*
b A© das Ergebnis einer Arbeit oder Anstrengung ≈ ....
c A© der Weg zwischen zwei Punkten ≈ ....
d A© wie etwas oder jmd. aussieht oder sich fühlt ≈ ....
e A© gewinnen ≈ ....
f A© ≈ ....
g B2© danach ≈ ....
h B2© langsamer werden ≈ ....
i A© etwas Bestelltes bringen ≈ ....

B2 **13** **Finde die Definitionen der Wörter im Kursbuch (A-B) und schreib ein eigenes Silbenrätsel wie in Übung 12.**

A1a die Droge A1a erwarten A1a anklagen A1a leiden A1c jmdn. betrügen A1c das System A1c sich verschlechtern B2a ausgehen B2a der Bach B2a jmdn. überreden

C Wortschatz

Gesundheit

C **14** **Ergänze die Wörter in den Situationen (1-7).**

~~erbrechen~~ ✪ Knie ✪ Lunge ✪ erkältet ✪ Grippe ✪ Wunde ✪ Herz

1 Ich habe noch immer schreckliche Magenschmerzen, ich glaube ich muss noch einmal *erbrechen*.
2 Er hat hohes Fieber. Es sieht so aus als ob er eine .... hätte.
3 Er hustet und er sagt, seine .... tut weh, wenn er atmet.
4 Stefan kann nicht weiter Fußball spielen. Sein .... tut weh.
5 Maria hatte einen Fahrradunfall. Sie hat eine .... am Kopf.
6 Ich habe einen Schnupfen, ich glaube, ich habe mich am Wochenende ....
7 Sein .... schlägt unregelmäßig. Er braucht unbedingt einen Arzt.

C **15** **Was hätte vorher getan werden sollen? Finde die Wörter in der Welle und ergänze die Sätze (a-g). Welche Sätze passen zu den Situationen (1-7) aus Übung 14?**

LUNGE|~~MAGENTROPFEN~~|NÄHENNOTAUFNAHMEUNTERSUCHENVERSCHREIBENIMPFEN

		Situation
a	Sie hätte die Wunde .... lassen sollen.	
b	Wir hätten sofort in die .... fahren sollen.	
c	Hätte er sich doch gegen Grippe .... lassen!	
d	Du hättest deine *Magentropfen* nehmen sollen.	*1*
e	Hätte er doch das Bein nach dem Unfall .... lassen!	
f	Dein Arzt hätte dir etwas gegen Schnupfen .... können.	
g	Sie hätten im Krankenhaus die .... röntgen sollen.	

Aussprache

16 **Schreib Sätze wie im Beispiel im Konjunktiv II der Vergangenheit.**

Bitte keinen Sport!

a Wenn ich meine Badehose vergessen hätte, müsste ich nicht schwimmen.
Hätte ich doch bloß die Badehose vergessen!

b Wenn ich nicht auf den 10-Meter-Turm geklettert wäre, müsste ich jetzt nicht hinunterspringen.
....

c Wenn sie mich nicht gefragt hätten, müsste ich jetzt nicht beim Fußball mitmachen.
....

d Wenn mein Fahrrad kaputt wäre, müsste ich nicht auf die Fahrradtour mitfahren.
....

e Wenn ich weiterschlafen könnte, müsste ich nicht mit meinen Freunden joggen gehen.
....

17 **Hör zu, markiere den Satzakzent in deinen Sätzen in Übung 16 wie im Beispiel und sprich nach.** 2 14

Hätte ich doch bloß die Badehose vergessen!

18 **Finde passende Antworten für deine Sätze aus Übung 16. Hör deine Sätze noch einmal und antworte mit den Sätzen (A-E).** 2 15

A [a] Geh einfach nicht ins Wasser.
B [ ] Schlaf doch einfach weiter.
C [ ] Bleib einfach daheim.
D [ ] Steig einfach wieder hinunter.
E [ ] Spiel einfach nicht mit.

D Hören: Alltagssprache und Wortschatz

D1 **19** **Ordne die Speisen (1-6) zu. Finde weitere Speisen.**

~~1 eine Portion Erdbeereis~~ 2 Pfeffersteak mit Pilzsoße und Kartoffelkroketten 3 Leberknödelsuppe 4 Marillen- oder Zwetschgenknödel 5 gebratene Entenbrust mit Bandnudeln 6 Geflügelsalat

a **Vorspeisen:** Blattsalat, Schafskäse gebacken, gebackene Pilze mit Mayonnaise, [ ], ...

b **Suppen:** Pfannkuchensuppe, Bohnensuppe mit Speck, [ ], ...

c **Hauptspeisen:** Nudeln mit Tomatensoße, Fischplatte, Sojaburger mit Gemüsereis, [ ], [ ], *Hähnchen, Gemüsefrikadellen, Eisbein mit Sauerkraut, Schnitzel mit Pommes frites, ...*
....

d **Nachtisch:** verschiedene österreichische Mehlspeisen, Käseplatte, [1], [ ], *Apfelkuchen, Kaiserschmarrn, Schokoladentorte,*

D1 **(20) Lies die Fragen (a-g) und finde für jede Frage eine Speise aus Übung 19. Finde weitere Fragen.**

Welche Speisen ...

a habe ich schon probiert / würde ich gern probieren? ....

b sind billig / teuer? ....

c sind gesund / ungesund? ....

d hätte ich als Kind nie gegessen? ....

e kann ich kochen / nicht kochen? ....

f kann man schnell zubereiten / dauern sehr lange? ....

g isst ... sehr gern? ....

D2 **(21) Was weißt du noch? Ergänze die Namen im Kasten in den Sätzen (1-4) und ordne die Dialogteile (A-D) zu.**

✪ Kevin ✪ Yvonne ✪ Andreas ✪

1 *Kevin* hat die Musik auf der Party nicht gefallen. [D]

2 .... war früher anders. [ ]

3 .... war nicht auf der Party. [ ]

4 .... und .... diskutieren über Essgewohnheiten. [ ]

A Andreas: Ich wäre ganz gern gekommen, aber ... wir hatten ein Volleyballspiel.

B Andreas: Seit wann mag Yvonne Indie?
Kevin: Seit sie mit Chris zusammen ist, hat sie sich ziemlich verändert. ...

C Kevin: Yvonne hat ... erklärt, warum vegetarisch essen so wichtig ist.
Andreas: Es gibt schon gute Argumente dafür: das Weltklima, ...
Kevin: Fang du nicht auch noch damit an!
Andreas: Wo sie recht hat, hat sie recht. Fette Hamburger sind ja wirklich das Letzte!

D Kevin: Den meisten hat's gefallen, trotz der schrecklichen Musik.
Andreas: Die war nicht dein Geschmack?
Kevin: Nein, Indie-Rock, furchtbar! Da hätte ich lieber Techno gehört.

D2 **(22) Ordne zu und ergänze den Dialog.**

Das ist ja wohl ...	... mein Geschmack
Fang du ...	... gute Argumente dafür
das ist nicht ...	... nicht auch noch an
Sie hat sich ...	... das Letzte
es gibt ...	... ziemlich verändert

Ines: Hast du gehört? Marie schreibt jetzt für eine Modezeitung.

Lea: **a** ....: Das hätte sie früher nie gemacht. Da war ihr Mode total egal.

Ines: Aber **b** ....: das Geld, zum Beispiel.

Lea: **c** ....: Geld ist nicht das Wichtigste. Ihr gefällt die Arbeit wahrscheinlich. Hast du ihren letzten Artikel über Modefarben gelesen? Schwarz ist wieder in.

Ines: Schwarz? Ich weiß nicht, **d** ...., ich mag Rosa.

Lea: Wirklich? Rosa? **e** *Das ist ja wohl das Letzte*!

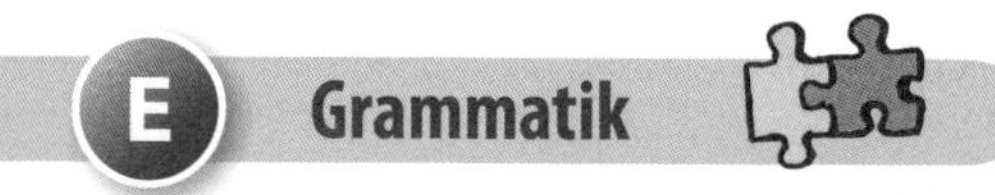

Präpositionen *trotz, wegen*; Konjunktionen *da, denn*; Adverbien *deswegen, nämlich*; temporale Nebensätze mit *bis, seit*

E2 **23** Lies die Zeitungsschlagzeilen (1-8) und ordne sie den Sätzen (a-h) zu. Ergänze *weil, obwohl* und andere Wörter, die fehlen, in den Sätzen.

1 Trotz Hitze neuer Marathon-Weltrekord!

2 Skilanglauf: Lebenslange Sperren wegen Dopings

3 Trotz hoher Kartenpreise: Spiel ausverkauft

4 Immer mehr Gesundheitsprobleme wegen Übergewicht

5 Grippewelle: Trotz Impfaktion Tausende Kranke

6 Trotz kritischer Stimmen: Fast Food immer beliebter

7 Trotz hoher Unfallgefahr: Rafting beliebtester Extremsport

8 Auslandsreise des Präsidenten wegen gesundheitlicher Probleme abgesagt

a Fast Food wird immer beliebter, obwohl es viel Kritik gibt. 6

b .... viele Menschen geimpft wurden, gibt es eine Grippewelle. ☐

c Der Präsident musste seine Auslandsreise absagen, ... gesundheitliche Probleme hat. ☐

d Es gab einen Marathon-Weltrekord, ... sehr heiß war. ☐

e Viele Menschen haben gesundheitliche Probleme, ... Übergewicht haben. ☐

f .... immer wieder viele Unfälle gibt, ist Rafting der beliebteste Extremsport. ☐

g .... gedopt hatten, bekamen sechs Skilangläufer lebenslange Sperren. ☐

h .... sehr hoch waren, war das Spiel ausverkauft. ☐

E2 **24** Wer sagt was (A-B)? Ordne zu und ergänze die Sätze mit passenden Konjunktionen und Adverbien.

✪ da (= weil) ✪ nämlich (2x) ✪ denn (2x) ✪ deswegen (= deshalb, darum) ✪

A Sportmuffel („Ich mag keinen Sport.")
B Sportskanone („Ich mag Sport.")

1 „Ich möchte mit meinem Sport auch Geld verdienen. Deshalb trainiere ich jeden Tag." B

2 „Sport ist wichtig. Wenn man Sport treibt, ist man .... fitter und sieht attraktiver aus." ☐

3 „Im Sport geht es nur darum, den Gegner zu besiegen. .... mag ich keinen Sport." ☐

4 „Ich mag keine Fitnessstudios. .... zu viele Muskeln finde ich hässlich." ☐

5 „Ich gehe nicht joggen, ... das viel zu anstrengend ist." ☐

6 „Ich spiele gern im Stadtpark Fußball, ... dort habe ich meine besten Freunde kennengelernt." ☐

7 „Ich würde nie Handball spielen, da kann man sich .... leicht verletzen." ☐

E3 (25) **Ergänze bei den Fragen *Bis wann* und *Seit wann*. Ergänze bei den Antworten *Bis* und *Seit*.**

a ⊙ Bis wann müssen wir den Projektbericht abgeben?
◆ Bis zum Freitag.

b ⊙ .... dürfen wir nicht mehr im Park Fußball spielen?
◆ .... letztem Monat.

c ⊙ .... willst du heute noch lernen?
◆ .... ich alles kann, dann höre ich auf.

d ⊙ .... hast du schon dein Handy?
◆ .... drei Monaten.

e ⊙ .... lebt dein Cousin in Deutschland?
◆ .... einem Jahr.

f ⊙ .... dauert der Film?
◆ .... 23:00 Uhr.

g ⊙ .... sprichst du Italienisch?
◆ .... ich einen Sprachkurs in Venedig gemacht habe.

h ⊙ .... ist Bulgarien ein Mitgliedsland der EU?
◆ .... 2007.

E3 (26) **Schlüsselerlebnisse. Ordne zu.**

a Seit Martina Foers Buch „Tiere essen" gelesen hat, — 1 ist sie Vegetarierin.
b Bevor Martina Foers Buch „Tiere essen" gelesen hat, — 2 hat sie fast jeden Tag Fleisch gegessen.

c Seit Markus den Mopedunfall hatte, — 3 ist er immer viel zu schnell gefahren.
d Bevor Markus den Mopedunfall hatte, — 4 fährt er vorsichtiger.

e Seit Verena bei der Jugendmeisterschaft gewonnen hat, — 5 trainiert sie jeden Tag.
f Bevor Verena bei der Jugendmeisterschaft gewonnen hat, — 6 wollte sie oft nicht trainieren.

g Seit Alex in Amerika war, — 7 mochte er Western überhaupt nicht.
h Bevor Alex in Amerika war, — 8 mag er Western.

E3 (27) **Schreib fünf persönliche Sätze zu „Schlüsselerlebnissen" wie in Übung 26.**

Seit ich/mein Vater/meine Mutter/meine Schwester/mein Freund/.....
Bevor ich/er/sie ...

....

....

....

....

....

Finale: Fertigkeitentraining

(28) Lies den Text und ordne die Fotos (1-3) den Textabschnitten (A-C) zu.

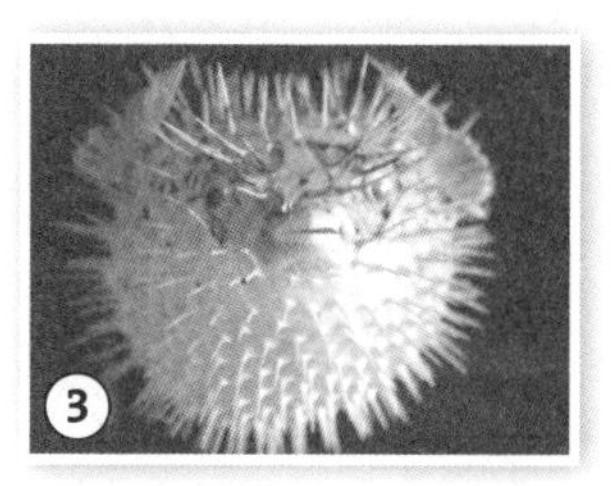

Tödliche Spezialitäten

A ☐ Sushi ist eine japanische Fischspezialität, die auch in Deutschland gern gegessen wird. Auch Fugu ist in Japan ein beliebtes Fischgericht. Wer aber in Deutschland Fugu essen möchte, sucht vergeblich nach einem Restaurant, in dem diese Speise angeboten wird. Die Zubereitung von Fugu ist in deutschen Restaurants nämlich verboten. Fugu ist der Name des Kugelfisches, dessen Fleisch sehr gut schmeckt, der aber auch extrem giftig sein kann. Meist dauert es nur wenige Stunden, bis beim Menschen durch das Nervengift des Fisches die Atmung aussetzt und das Herz zu schlagen aufhört. Das Gift des Fisches befindet sich allerdings nicht im Fleisch, sondern nur in den Innereien, wie zum Beispiel der Leber. Der Koch muss in der Küche sehr sorgfältig und genau arbeiten, damit nicht Spuren des Giftes in die Mahlzeit kommen. In Japan müssen Fugu-Köche deshalb eine spezielle Prüfung ablegen. Man bekommt Fugu auch nur in speziellen Restaurants. Dort kann diese Spezialität bis zu 500 Euro kosten. Trotz dieser strengen Regeln sterben in Japan jedes Jahr mehrere Menschen an den Folgen einer Fugu-Vergiftung.

B ☐ In Deutschland ist man vor einer Vergiftung durch den Kugelfisch zwar sicher, es gibt aber andere gefährliche Nahrungsmittel, die auch Todesopfer fordern können. So sammeln viele Menschen im Herbst Pilze, die sie zu Hause zubereiten. Unter den mehr als 5000 Pilzarten gibt es ungefähr 150 giftige Arten. Am gefährlichsten ist wohl der Grüne Knollenblätterpilz, da man ihn leicht mit guten Speisepilzen verwechseln kann. Schon das Gift eines Pilzes kann einen Menschen töten. Es dauert relativ lange, bis das Gift zu wirken beginnt und dann langsam die Leber zerstört. Nur eine schnelle Lebertransplantation kann helfen.

C ☐ Doch nicht nur im Herbst, sondern auch im Frühling müssen Menschen vorsichtig sein, wenn sie sich die Zutaten für ihre Mahlzeiten aus der Natur holen. Bärlauch ist eine Wildpflanze, die wegen ihres charakteristischen Geschmacks sehr beliebt ist. So werden im Frühling viele Suppen, Fleischspeisen, Fischgerichte, Salate und Soßen mit Bärlauch zubereitet oder gewürzt. Doch auch Bärlauch kann leicht mit anderen Pflanzen verwechselt werden. Die Herbstzeitlose sieht so ähnlich wie der Bärlauch aus, ist aber sehr giftig. Wie beim Knollenblätterpilz spürt man die Folgen der Vergiftung erst relativ spät. Meist sind Übelkeit, Durchfall, sowie Herz- und Kreislaufbeschwerden die ersten Zeichen einer Vergiftung.

Selbst Pilze oder Bärlauch zu sammeln, kann also gefährlich sein. Besser ist es, sie auf dem Markt zu kaufen oder Pilz- und Bärlauchgerichte in guten Restaurants zu essen. Dort ist es noch nie zu Problemen gekommen.

(29) Beantworte die Fragen.

1. Warum kann man in Deutschland kein Fugu essen?
2. Wie wirkt das Gift des Kugelfisches?
3. Wer darf Fugu in Japan zubereiten?
4. Wie viele giftige Pilzarten gibt es in Deutschland?
5. Warum ist der Grüne Knollenblätterpilz so gefährlich?
6. Wie wirkt das Gift des Grünen Knollenblätterpilzes?
7. Wozu wird Bärlauch verwendet?
8. Wie wirkt das Gift der Herbstzeitlosen?
9. Wie kann man sich vor giftigen Speisen schützen?

(30) **Hör die Hörtexte (1-3) und ergänze den letzten Satz der Erzählungen. Achtung: Nicht alle Ausdrücke passen.** 2 16

✪ sehr gefährlich ✪ einen Stau ✪ einen schrecklichen Unfall ✪ zu seiner Prüfung ✪ langsam ✪ abgeholt hätte ✪ ~~gebremst hätte~~ ✪ ins Krankenhaus ✪ angerufen hätte ✪

Hörtext 1
Wenn Marias Fahrlehrer nicht *gebremst hätte*, hätte es .... gegeben.

Hörtext 2
Wenn ihre Mutter nicht mit Silvia .... gefahren wäre, hätte die Situation .... werden können.

Hörtext 3
Wenn Miriam ihren Freund nicht ...., wäre er zu spät .... gekommen.

(31) **Hör noch einmal und ergänze die Sätze.** 2 16

Hörtext 1

a Maria
- ☐ hat ihre Fahrprüfung gemacht.
- ☐ hatte eine Fahrstunde.
- ☐ hatte Probleme beim Linksabbiegen.

b Der Fahrlehrer hat
- ☐ wegen eines Mopedfahrers
- ☐ wegen eines Kindes
- ☐ wegen eines Reifenschadens

gebremst.

Hörtext 2

c Georgs Schwester
- ☐ hat etwas Schlechtes gegessen.
- ☐ hatte wegen der Mathearbeit Bauchschmerzen.
- ☐ musste operiert werden.

d Silvia wollte
- ☐ nicht ins Krankenhaus fahren.
- ☐ nicht in die Schule gehen.
- ☐ nichts essen.

Hörtext 3

e Miriam wollte
- ☐ mit ihrem Freund telefonieren.
- ☐ mit ihrer Nachbarin telefonieren.
- ☐ ihren Freund vor seiner Prüfung treffen.

f Die Nachbarin hat
- ☐ Mario Glück gewünscht.
- ☐ Miriam angerufen.
- ☐ Mario geweckt.

32 **Lies die zwei Texte (1-2). Welcher Text ist interessanter? Warum? Unterstreiche die Unterscheide.**

Strategie – Beim Schreiben

Wenn du sprachlich interessante Texte schreiben möchtest, denk an die folgenden fünf Tipps:

1. Versuche Wörter und Ausdrücke zu verwenden, die möglichst genau beschreiben, was du ausdrücken möchtest. Statt einem sehr allgemeinen Wort wie *schön* könntest du zum Beispiel *hübsch, attraktiv, wunderbar* oder *herrlich* verwenden.
2. Verwende Adjektive und Adverbien, um genauer zu beschreiben, was passiert ist.
   Zum Beispiel: *Mario hat intensiv gelernt, ... er hat tief und fest geschlafen, ...*
3. Verbinde deine Sätze mit Wörtern wie *weil, da, deshalb, obwohl* usw. (= Konjunktionen) oder mit Wörtern wie *zuerst, dann, dort,* usw. (= Adverbien).
4. Versuche, Wörter nicht zu oft hintereinander zu wiederholen, sondern verwende Pronomen oder Wörter, die eine ähnliche Bedeutung haben.
5. Beginne deine Sätze nicht immer mit dem Subjekt.

Versuche, mithilfe der Tipps (1-5) die folgenden Sätze zu verbessern.

1. *Das Essen war gut.*
2. *Er kam ins Zimmer und setzte sich auf das Sofa.*
3. *Sein Wecker läutete. Er stand auf.*
4. *Mein Lieblingsrestaurant ist ein italienisches Restaurant. Das Restaurant ist das beste Restaurant in der Stadt.*
5. *Er fuhr in die Stadt. Er parkte sein Auto vor dem Postamt. Er holte dann ein Paket ab.*

1 Mein Freund Mario hatte gestern um 10:00 Uhr eine wichtige Prüfung. Er hat am Tag vor der Prüfung lange gelernt. Ich wollte ihn gestern um halb zehn anrufen. Ich wollte ihm Glück wünschen. Er hat sich nicht gemeldet. Ich habe seine Nachbarin angerufen. Sie hat an Marios Tür geläutet. Er hatte noch geschlafen.

2 Gestern um 10:00 Uhr hatte mein Freund Mario seine mündliche Abiturprüfung in Physik. Weil die Prüfung für ihn sehr wichtig war, hat er am Tag vor der Prüfung bis spät in die Nacht intensiv gelernt. Am Prüfungstag wollte ich ihn um halb zehn anrufen, um ihm viel Glück zu wünschen. Da er sich am Telefon nicht gemeldet hat, habe ich mir Sorgen gemacht und schließlich mit seiner Nachbarin telefoniert. Sie hat dann ganz lange an Marios Wohnungstür geläutet und hat es schließlich geschafft, ihn zu wecken. Mario hatte nämlich tief und fest geschlafen.

33 **Was wäre passiert, wenn ...? Erzähle eine Geschichte. Der letzte Satz muss ein *Wenn*-Satz im Konjunktiv II der Vergangenheit sein.**

siehe auch Strategie auf S. 121

Wenn ... hätte / wäre, wäre / hätte ...

Wenn ... hätten / wären, wären / hätten ...

Lernwortschatz

Nomen

Spritze, die, -n ....
Droge, die, -n ....
Rekord, der, -e ....
Leistung, die, -en ....
Mittel, das, – ....
Vorschrift, die, -en ....
Profi, der, -s ....
Liste, die, -n ....
Zustand, der, ¨-e ....
Bremse, die, -n ....
Stein, der, -e ....
Bach, der, ¨-e ....
Pilz, der, -e ....
Magen, der, ¨ ....
Knie, das, – ....
Husten, der (Sg.) ....
Brust, die, ¨-e ....
Lunge, die, -n ....
Notaufnahme, die, -n ....
Impfung, die, -en ....
Tropfen, der, – ....
Treppenhaus, das, ¨-er ....
Notruf, der, -e ....
Vorspeise, die, -n ....
Mayonnaise, die, -n (Sg.) ....
Geflügel, das (Sg.) ....
Pfannkuchen, der, – ....
Leber, die, -n ....
Knödel, der, - ....
Bohne, die, -n ....
Speck, der (Sg.) ....
Pfeffer, der (Sg.) ....
Nachtisch, der, -e ....
Mehl, das (Sg.) ....
Marille, die, -n ....
Zwetschge, die, -n ....
Portion, die, -en ....
Erdbeere, die, -n ....
Soße, die, -n ....
Aprikose, die, -n ....
Schwein, das, -e ....
Ente, die, -n ....
Steak, das, -s ....
Tischtennis, das (Sg.) ....
Kalender, der, – ....
Stadion, das, -en ....
Ausnahme, die, -n ....
Metall, das, -e ....
Freude, die, -n ....

Verben

siegen ....
liefern ....
leiden (an/unter) ....
betrügen ....
entschließen ....
abrechnen ....
ausgehen ....
überreden ....
landen ....
erbrechen ....
nähen ....
sich erkälten ....
verschreiben ....
untersuchen ....
husten ....
ernähren ....
eröffnen ....

Adjektive

rein ....
hell ....

andere Wörter

als ob ....
voraus ....
innerhalb ....
hinterher ....
jedenfalls ....
trotz ....
deswegen ....
daher ....
an-/abwesend ....

Wichtige Wendungen

Gespräche beim Arzt

Ich habe mich erkältet.
Es sieht so aus, als ob Sie auch die Grippe hätten.
Ich verschreibe Ihnen ein Medikament.

Alltagssprache

Sie hat sich ziemlich verändert.
Das ist nicht mein Geschmack.
Es gibt gute Argumente dafür.
Fang du nicht auch noch damit an!
Fette Hamburger sind ja wirklich das Letzte!

Das kann ich jetzt ...

	... gut.	... mit Hilfe.	Das übe ich noch.

1 Wörter

Ich kann zu den Themen sechs Wörter nennen:

	... gut.	... mit Hilfe.	Das übe ich noch.
a Sport: *Weltrekord,*	○	○	○
b Gesundheit: *Husten,*	○	○	○
c Essen und Trinken: *Soße,*	○	○	○

2 Sprechen

	... gut.	... mit Hilfe.	Das übe ich noch.
a Über Schuld und Verantwortung sprechen:	○	○	○

Ich glaube, die größte Schuld an ... trägt.
Aber auch ... ist verantwortlich dafür, dass ...

	... gut.	... mit Hilfe.	Das übe ich noch.
b Über Chancen und Fehler in der Vergangenheit sprechen:	○	○	○

Was wäre geschehen, wenn ...?
Wenn ich nicht ..., dann hätte ich nicht ...

3 Lesen und Hören

Die Texte verstehe ich:

	... gut.	... mit Hilfe.	Das übe ich noch.
a Grenzen den Sports. → KB S. 91	○	○	○
b Das tut mir heute noch leid ... → KB S. 92	○	○	○
c Beim Arzt → KB S. 94	○	○	○
d Tiere essen → KB S. 95	○	○	○
e Hamburger statt Sojaburger → KB S. 95	○	○	○
f Luz Long und Jesse Owens → KB S. 97	○	○	○
g Lebensmenschen → KB S. 146/147	○	○	○

4 Schreiben

	... gut.	... mit Hilfe.	Das übe ich noch.
Eine Person beschreiben, die im eigenen Leben eine wichtige Rolle gespielt hat	○	○	○

Lektion 34 Was wird die Zukunft bringen?

A Text

A **1** **Was weißt du noch? Tausche die unterstrichenen Satzteile (1-5) aus Text A mit den unterstrichenen Satzteilen (a-e) aus Text B.**

A **Städte im Weltraum**
Experten glauben, **1** dass es in Zukunft Städte auf dem Wasser geben wird, **2** wo 50.000 Menschen leben und arbeiten können. Die Raumstation wird **3** wie die Blüte einer Seerose aussehen. Als Energiequelle werden die Menschen die Sonne nutzen. Im Inneren des Ringes werden Pflanzen wachsen. **4** Auch der Abfall kann so im Weltraum produziert werden. Von der Raumstation werden **5** der Wind, die Sonne und das Wasser in den Weltraum fliegen.

B **Städte auf dem Wasser**
Die Stadt der Zukunft, **a** wo bis zu 10.000 Menschen leben und arbeiten können, wird vielleicht **b** wie ein Ring aussehen. Deshalb nennt Vincent Callebaut sein Zukunftsprojekt auch „Lilypad". Der belgische Architekt meint, **c** dass man in Zukunft im Weltraum Raumstationen bauen wird. „Lilypad" wird eine ökologische Stadt sein, denn **d** Menschen mit Raumschiffen werden die Energie für die Stadt auf dem Wasser liefern. **e** Alles, was man zum Leben braucht, soll genutzt werden, um Energie zu erzeugen.

1 ⇄ c **2** ⇄ ___ **3** ⇄ ___ **4** ⇄ ___ **5** ⇄ ___

B Grammatik

Relativsätze mit Relativpronomen *was, wo*; Futur I (Vorhersage)

B1 **2** **Wer sagt was (A-B)? Ordne zu und ergänze *was* oder *wo*.**

A Ein Bewohner/Eine Bewohnerin der Raumstation
B Ein Bewohner/Eine Bewohnerin der Stadt auf dem Wasser

a [A] Das, *was* mir manchmal fehlt, ist ein Sonnenuntergang am Meer.
b [ ] Der kleine Bootshafen am Ende der Stadt ist der Ort, ... ich morgens am liebsten bin.
c [ ] Außerhalb des Ringes gibt es eine Stelle, ... die Raumschiffe von der Erde landen können.
d [ ] Es gibt nichts, ... man auf der Inselstadt nicht kaufen kann.
e [ ] Oberhalb des Meeresspiegels, ... es mehr Sonnenlicht gibt, sind die Wohnungen teurer.
f [ ] Im Inneren des Ringes gibt es Felder, ... auch Obst und Gemüse wachsen.
g [ ] Überall, ... du einen Aufzug siehst, kannst du in den Stadtteil unterhalb des Meeresspiegels fahren.
h [ ] Alles, ... wir von der Erde brauchen, bringen die Transportraumschiffe.

B1 **3** **Ergänze den Dialog. Warum findet Jan sein Hotel nicht?**

nichts • ~~dort~~ • der Ort • dort • überall • alles • ~~das~~

Jan: Hallo, Margit. Das Hotel ist nicht **a** *dort*, wo du gesagt hast.
Margit: Weißt du, wo du bist?
Jan: **b** ...., was ich weiß, ist, dass ich hier falsch bin.
Margit: Jan, wie heißt **c** ...., wo du jetzt bist?
Jan: Weiß ich nicht. Es gibt hier kein Ortsschild. Es gibt hier absolut **d** ...., was mir weiterhelfen könnte.
Margit: Aber du kannst vielleicht jemanden fragen.
Jan: Hier ist niemand! **e** ...., wohin man schaut, sind nur Wiesen und Felder. Das ist wirklich nicht **f** *das*, was ich mir unter Urlaub vorstelle.
Margit: Okay. Beginnen wir am besten **g** ...., wo du ausgestiegen bist. Wo war das?
Jan: Das war in Rognitz.
Margit: Jetzt ist alles klar. Du wolltest doch zum Erlachsee, und der liegt bei Regnitz, nicht bei Rognitz.

B1 **4** **Ergänze die richtigen Relativpronomen. Wie heißen die Plätze in der Stadt? Lös das Kreuzworträtsel. Wie heißt das Lösungswort?**

was • den • ~~wo~~ • was • in dem • wo • das • die • die

a So heißt der Ort, *wo* ich mich mit meinen Freunden am Wochenende zum Tanzen treffe.
b Meine Großmutter, ... dort drei Wochen bleiben musste, ist jetzt wieder gesund.
c Den Brief, ... ich an Peter geschrieben habe, habe ich da aufgegeben.
d Das Flugzeug, ... mich nach Schweden gebracht hat, ist von dort gestartet.
e Wenn man krank ist, kann man in diesem Geschäft etwas kaufen, ... hilft.
f Der Ort in einer Stadt, ... viele Bäume und Pflanzen wachsen, heißt so.
g Schüler, ... das Abitur geschafft haben, können dort studieren.
h In diesem Haus bekommt man alles, ... man braucht, wenn man in einer fremden Stadt übernachten will.

i **Lösungswort:**
Das ist ein Geschäft, ... man Seifen, Shampoos und andere Mittel zur Körperpflege kaufen kann.

i a b c d e f g h

B1 **5** **Schreib die Sätze mit *was* oder *wo* wie im Beispiel. Welche Wohnsituation findest du gut ☺, welche findest du weniger attraktiv ☹? Zeichne Smileys.**

a Dort drüben wohne ich. Die Autobahn führt direkt vorbei.
Ich wohne dort drüben, wo die Autobahn direkt vorbeiführt.

b Ein eigenes Zimmer, das wünsche ich mir.
Ein eigenes Zimmer ist etwas, ...

c Das Haus steht mitten im Wald. Dort ist es zwar ruhig, aber auch einsam.
Das Haus steht mitten im Wald, ...

d Er hat in seiner Wohnung alles: Fernseher, DVD-Rekorder, Computer ... Alle Geräte sind gut und teuer.
Er hat in seiner Wohnung alles, ...

e Die Aussicht aus seinem Fenster ist furchtbar. Man kann gar nichts Schönes sehen.
Man sieht aus seinem Fenster nichts, ...

f Er wohnt mitten im Stadtzentrum. Dort gibt es viele Parks.
Er wohnt mitten im Stadtzentrum, ...

B1 **6** **Mach Notizen zu den drei Themen (a-c) und schreib persönliche Sätze mit *wo* oder *was* wie in den Beispielen.**

a Mein Lieblingsort ist dort, ...
sich entspannen

gut riechen
b Mir gefällt alles, ...

c Ich mag nichts, ...
nervös machen

a Mein Lieblingsort ist dort, wo ich mich entspannen kann. b Mir gefällt alles, was gut riecht. ...

B2 **7** **Veränderungen in der Stadt. Ergänze die Sätze.**

soll geschlossen werden • werden ... besuchen • ~~wird ... gebaut~~ • wird ... moderner • will ... werden • wird ... bauen

a Am Stadtrand *wird* ein neues Einkaufszentrum *gebaut*.

b Die Innenstadt .... immer ....

c Das alte Kino im Stadtzentrum ....

d Die Stadträtin Elena Schuster .... Bürgermeisterin ....

e Der Fußballverein .... ein neues Trainingszentrum ....

f Viele Touristen .... im Sommer die Stadt ....

B2 **8 Ordne die Verben aus Übung 7 zu.**

werden als Hauptverb	Passiv (*werden* + Partizip II)	Futur I (*werden* + Infinitiv)
wird ... moderner		

B2 **9 Gespräche über die Zukunft. Ordne Fragen und Antworten zu. Unterstreiche die Wörter und Zeitformen, die in den Sätzen die Zukunft anzeigen, und ordne sie zu.**

a ⊙ Wie wird das Leben wohl mit 30 sein?
b ⊙ Nächstes Wochenende gibt's bei mir eine Party. Wir werden grillen und Musik hören. Kommst du auch?
c ⊙ Was machst du in den Sommerferien?

1 ◆ Im Juli arbeite ich vier Wochen für ein Fast-Food-Restaurant. Ich werde ein bisschen Geld verdienen. Danach fahre ich nach Spanien.
2 ◆ Mit 30 Jahren bin ich entweder berühmt oder verrückt. Ich werde entweder viel Geld verdienen oder auf der Straße landen. Das Leben muss man extrem leben.
3 ◆ Tut mir leid. Ich fahre diesen Freitag nach Hamburg und bleibe dann über das Wochenende.

Zeitangaben: mit 30, ...

Futur I: wird ... sein, ...

B2 **10 Horoskope. Lies die Wochenhoroskope aus verschiedenen Zeitschriften und ergänze das Futur I. Welche Personen (A-D) fühlen sich wohl angesprochen? Ordne zu.**

A Jugendliche **B** ältere Menschen **C** Menschen mit Haustieren **D** Singles

1 ☐ Widder: 21. März – 20. April

Die nächsten Tage **a** *(sein)* werden anstrengend sein. Deine guten Ergebnisse bei Prüfungen und Tests **b** *(überraschen)* .... dich und andere .... Auf dem Weg zur Schule **c** *(treffen)* .... du jemanden ...., der dir früher viel bedeutet hat.

2 ☐ Skorpion: 24. Oktober – 22. November

Ein guter Freund **a** *(enttäuschen)* .... Sie in den nächsten Tagen .... Bei der Arbeit **b** *(kennenlernen)* .... Sie jemanden ...., der Sie interessiert. Warten Sie nicht darauf, dass Ihr Gegenüber aktiv wird. Sie **c** *(verpassen)* .... sonst die Chance Ihres Lebens ....

3 ☐ Fische: 20. Februar – 20. März

Wenn Sie optimistisch bleiben, **a** *(fühlen)* .... Sie sich bald auch gesundheitlich wieder besser .... Aus dem Familien- und Freundeskreis **b** *(kommen)* .... unerwartet Hilfe .... Ein Foto **c** *(erinnern)* .... Sie an ein wichtiges Ereignis aus ihrer Jugendzeit ....

4 ☐ Löwe: 23. Juli – 23. August

Ihr treuer Freund **a** *(versuchen)* ...., Ihre Gewohnheiten zu ändern. Lassen Sie sich nicht zu sehr von ihm beeinflussen. Wenn Sie Ihren Liebling so wie immer behandeln, **b** *(bemerken)* .... er schnell ...., dass sein Verhalten ihm nicht **c** *(helfen)* ...., zu mehr Futter zu kommen.

B2 **11** **So stellt sich Mark die Zukunft vor. Schreib Vorhersagen zu Marks Diagramm. Verwende Futur I.**

a	in zwei Jahren	in einer eigenen Wohnung wohnen
b	in vier Jahren	im Ausland Architektur studieren
c	in sechs Jahren	meine Brüder gründen eine Computerfirma
d	in acht Jahren	Architekturbüro aufmachen
e	in zehn Jahren	meine Eltern hören auf zu arbeiten
f	in zwölf Jahren	Wohnung mit großer Dachterrasse kaufen

a Mark glaubt, dass er in zwei Jahren in einer eigenen Wohnung wohnen wird. b In vier Jahren wird er ...

c Er denkt, dass ...

B2 **12** **Zeichne ein eigenes Diagramm wie in Übung 11 und mach Notizen. Denk dabei auch an Familienmitglieder und Freunde. Schreib Sätze. Vergleicht eure Vorhersagen im Kurs.**

In zwei Jahren werde ich ...
In ... wird meine Schwester / mein Bruder ...
Meine Eltern werden ...

C Wortschatz & Grammatik

Wohnen, Einrichtung (Wiederholung), Präpositionen mit Genitiv

C **13** **Lies die E-Mails (1-2) und schreib die Wörter richtig. Wer wird bald auf dem Land wohnen, wer wohnt zurzeit in der Stadt?**

1 Nachricht

An ... Arno — Betreff: Urlaub

Hallo Arno,
Manuel und ich sind jetzt hier in Amsterdam bei meinem Onkel. Es ist toll. Wir wohnen in einem Hausboot mitten in der Stadt. Das Hausboot hat ein großes **a** WIHNMROZME mit Glaswänden. Eigentlich glaubt man, man sitzt im Freien. Das **b** LASCHMMFZEIR ist zwar ein bisschen klein, aber wenn es nicht regnet, sind wir sowieso auf der **c** ERSSATRE oder in der Stadt. Es gibt auch noch eine **d** ÜKECH, und ein kleines **e** DBA mit einer **f** USCHDE und einer **g** LTEOITTE. Zuerst habe ich gehofft, wir können mit dem Boot auch Ausflüge auf dem Fluss machen, aber das geht leider nicht. Auch egal. In Amsterdam wird es nie langweilig, da ist immer etwas los!
Bis bald Gerda

a .... d .... f ....
b .... e .... g ....
c *Terrasse* *Gerda wohnt ...*

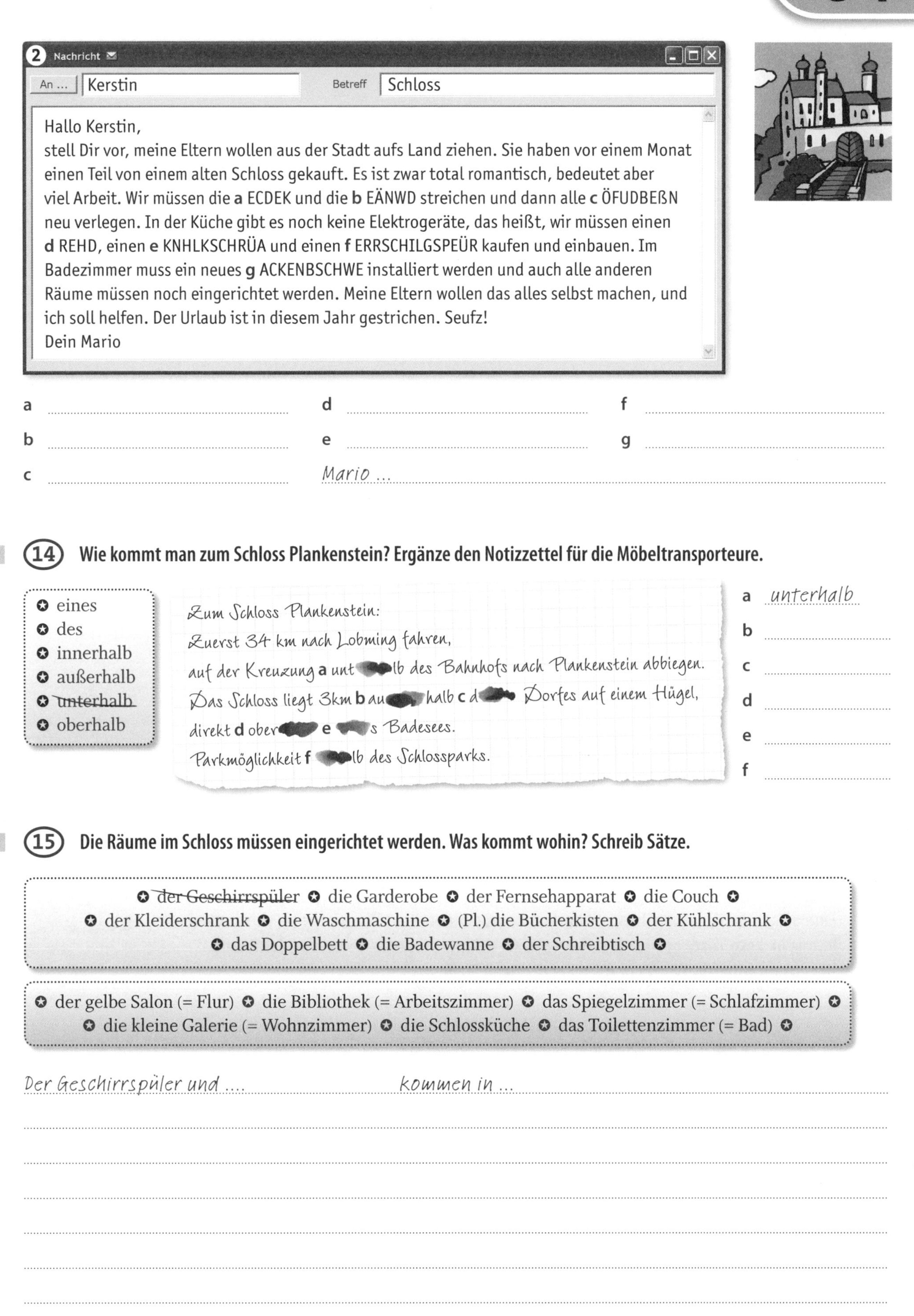

2 Nachricht

An ... Kerstin Betreff Schloss

Hallo Kerstin,
stell Dir vor, meine Eltern wollen aus der Stadt aufs Land ziehen. Sie haben vor einem Monat einen Teil von einem alten Schloss gekauft. Es ist zwar total romantisch, bedeutet aber viel Arbeit. Wir müssen die **a** ECDEK und die **b** EÄNWD streichen und dann alle **c** ÖFUDBEßN neu verlegen. In der Küche gibt es noch keine Elektrogeräte, das heißt, wir müssen einen **d** REHD, einen **e** KNHLKSCHRÜA und einen **f** ERRSCHILGSPEÜR kaufen und einbauen. Im Badezimmer muss ein neues **g** ACKENBSCHWE installiert werden und auch alle anderen Räume müssen noch eingerichtet werden. Meine Eltern wollen das alles selbst machen, und ich soll helfen. Der Urlaub ist in diesem Jahr gestrichen. Seufz!
Dein Mario

a .... d .... f ....
b .... e .... g ....
c .... *Mario ...*

14 **Wie kommt man zum Schloss Plankenstein? Ergänze den Notizzettel für die Möbeltransporteure.**

- eines
- des
- innerhalb
- außerhalb
- ~~unterhalb~~
- oberhalb

Zum Schloss Plankenstein:
Zuerst 34 km nach Lobming fahren,
auf der Kreuzung **a** *unt...lb des Bahnhofs nach Plankenstein abbiegen.*
Das Schloss liegt 3km **b** *au...halb* **c** *d... Dorfes auf einem Hügel,*
direkt **d** *ober...* **e** *...s Badesees.*
Parkmöglichkeit **f** *...lb des Schlossparks.*

a *unterhalb*
b ....
c ....
d ....
e ....
f ....

15 **Die Räume im Schloss müssen eingerichtet werden. Was kommt wohin? Schreib Sätze.**

~~der Geschirrspüler~~ • die Garderobe • der Fernsehapparat • die Couch • der Kleiderschrank • die Waschmaschine • (Pl.) die Bücherkisten • der Kühlschrank • das Doppelbett • die Badewanne • der Schreibtisch

der gelbe Salon (= Flur) • die Bibliothek (= Arbeitszimmer) • das Spiegelzimmer (= Schlafzimmer) • die kleine Galerie (= Wohnzimmer) • die Schlossküche • das Toilettenzimmer (= Bad)

Der Geschirrspüler und .... kommen in ...

....

....

....

....

....

....

C **16** **Wohnen in der Stadt – Wohnen auf dem Land. Was sind die Vorteile? Ordne die Argumente zu und schreib zwei Texte.**

gute Luft ✪ freundliche Menschen ✪ ein tolles Freizeitangebot ✪ Museen, Theater, Kinos ✪ wenig Verkehr ✪ eine wunderbare Landschaft ✪ kein Lärm ✪ viele Schulen ✪ viel Platz ✪ ein großes Jobangebot ✪ viele Geschäfte

Wohnen in der Stadt – Vorteile	Wohnen auf dem Land – Vorteile

Es gibt viele Vorteile, wenn man in der Stadt wohnt. In der Stadt gibt es ... Man kann ...
Es ist aber auch schön, auf dem Land zu leben. Auf dem Land gibt es ...

C **17** **Schreib eine E-Mail an einen Freund oder eine Freundin und beschreibe ihm oder ihr, wo du wohnst.**

... ist ... Stadt / Dorf / Ort in ...
... liegt im Norden / Süden / ... östlich / westlich / ... von
... am Meer / im Gebirge / an der Küste / in der Nähe der Hauptstadt
... hat ... Einwohner
ist bekannt für ... wegen ...
... gibt viele /einige / wenige Kinos / Geschäfte / Museen / ...
... liegt direkt im Stadtzentrum / draußen am Stadtrand / in einem Vorort / außerhalb / innerhalb der Stadt / in einem ruhigen / lauten / schönen Stadtteil
... hat drei / ... Zimmer / eine Wohnküche / ...
.... steht ein Schreibtisch / Schrank / ...

C **18** **Emma hat eine Skizze von ihrem Wohnzimmer gezeichnet. Neue Wörter, die sie sich merken will, hat sie in diese Skizze geschrieben. Jetzt erklärt sie ihrer Freundin Hanna ihre Zeichnung. Hör zu und ordne die Wörter (a-g) an der richtigen Stelle zu.**

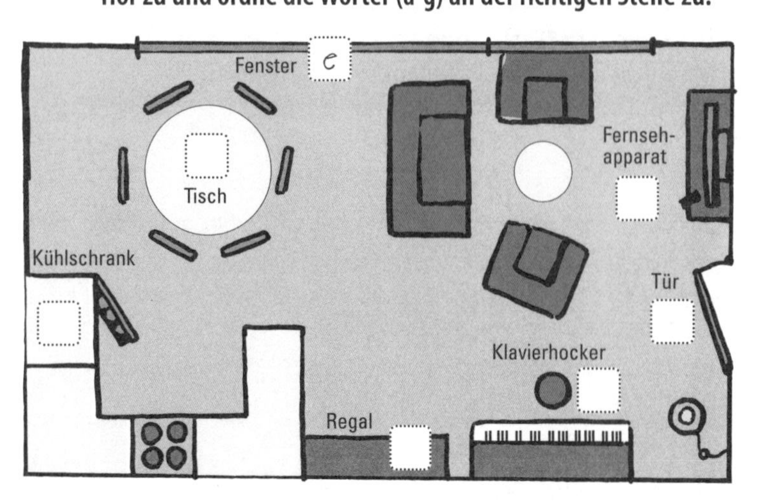

- **a** die Blüte
- **b** (Pl.) Gebrauchsanweisungen
- **c** vernünftig
- **d** vorschlagen
- **e** ~~die Aussicht~~
- **f** das Heimweh
- **g** drehen/niedrig

Lerntipp – Wortschatz
Wenn du dir neue Wörter merken willst, dann stell dir einen Ort vor, den du sehr gut kennst, zum Beispiel dein Zimmer, deine Wohnung, die Klasse, dein Lieblingscafé, usw. Zeichne eine Skizze von diesem Ort und versuche in dieser Skizze Plätze zu finden, die zu deinen Wörtern passen.
Probiere die Übung mit neuen Wörtern aus Lektion 34 aus, wie z.B. C *Bildschirm,* Aa *Getreidefeld,* Aa *Kosten,* Ab *leiten,* B2c *Verkehrsmittel,* Ab *wachsen,* Aa *sich beschäftigen mit.*

Aussprache

19 **„S" spricht man nicht immer gleich. Hör zu und vergleiche. Hör dann noch einmal und sprich nach.** 2 18

stimmhaft ≈ wie eine Biene

stimmlos ≈ wie eine Schlange

	1 rosa	2 das Wasser	3 das Glas	4 Socken	5 der Fußball	6 süß
stimmhaft	[X]	[ ]	[ ]	[X]	[ ]	[X]
stimmlos	[ ]	[X]	[X]	[ ]	[X]	[X]

	7 das Monster	8 dreißig	9 der Käse	10 riesig	11 der Sonnenhut	12 groß
stimmhaft	[ ]	[ ]	[X]	[X]	[X]	[ ]
stimmlos	[X]	[X]	[ ]	[ ]	[ ]	[X]

Lerntipp – Aussprache
Meistens spricht man stimmloses *s* .
Stimmhaftes *s* spricht man nur dann, wenn es am Beginn eines Wortes oder einer Wortsilbe steht. *(Sonne, ro-sa).*
Doppel-*s* und *ß* spricht man immer stimmlos.

20 **Wann schreibst du *s, ss,* oder *ß*? Wann sprichst du (*sch*)? Ergänze die Buchstaben und markiere wie im Beispiel.**

Im gemeinsamen Badezimmer von Samuel ♂ und Susanne ♀ herrscht Unordnung. Da gibt es ...

♂ ... (s ch)mutzige S ocken,
♂ ... einen Fu __ ball im Wä __ chekorb,
♀ ... eine Zahn (s p)ange im ro __ a Wa __ ergla __ ,
♀ ... ein __ ü __ e __ Ku __ chelmon __ ter,
♂ ... __ cheu __ liche, alte Zahnbür __ ten,
♂ ... eine __ chachtel mit drei __ ig __ treichhölzern,
♀ ... einen rie __ igen __ onnenhut,
♂ ... ein Pau __ enbrot mit Kä __ e,
♂ ... ein Fahrrad __ chlo __ ,
♀ ... einen kaputten __ ilbernen __ piegel,
♂ ... einen gro __ en __ chwarzen Ra __ ierapparat,
♀ ... ein Po __ ter mit __ eero __ en,
♀ und eine wei __ e __ ommerblu __ e.

→ Zur Aussprache von *sp* und *st* siehe Arbeitsbuch *Ideen 1*, Seite 76

(21) Ordne die Dinge aus Übung 20 zu, hör zu und sprich nach. 

Mich stören Samuels schmutzige Socken, Samuels ...

Susanne

Mich stören Susannes Zahnspange im rosa Wasserglas, Susannes ...

Samuel

D Hören: Alltagssprache und Wortschatz

D1 **(22) Ergänze den Dialog.**

✪ sich ... leisten ✪ einzahlen ✪ ~~Bank~~ ✪ ✪ abheben ✪ Verlust ✪ überweisen ✪ ✪ Kredit ✪ Schulden ✪

Nicole: Dort drüben ist eine **a** Bank. Ich brauche noch Geld von meinem Sparbuch. Was meinst du, wie viel Geld soll ich **b** ....?

Claudia: Ich weiß nicht, was hast du vor?

Nicole: Ich fahre am Nachmittag zu meinem Bruder nach Frankfurt. Er hat dort eine Wohnung gekauft.

Claudia: Wenn dein Bruder **c** .... eine neue Wohnung .... kann, dann kann er dich sicher einladen.

Nicole: So einfach ist das nicht. Robert hat für die Wohnung einen **d** .... aufgenommen.

Claudia: Ist er eigentlich schon mit dem Studium fertig?

Nicole: Klar, er verdient sein eigenes Geld, sonst würde er gar kein Geld von der Bank bekommen.

Claudia: Will er das Geld nicht lieber auf ein Sparbuch **e** ...., statt **f** .... zu machen?

Nicole: Wohnen ist teuer. Früher musste Robert monatlich Geld für die Miete **g** ...., jetzt zahlt er eben den Kredit zurück. In zwanzig Jahren gehört ihm dann die Wohnung. Robert meint, das Mieten ist für ihn nur ein **h** ....geschäft gewesen.

Claudia: Wenn du zwanzig Jahre warten musst, bis dein Bruder wieder Geld hat, solltest du viel abheben.

D2 **23** **Was weißt du noch? Ergänze die Sätze in der richtigen Form.**

- ihnen den Proberaum versprechen (Perfekt)
- Gewinn machen
- ~~die Theatergruppe nicht mehr proben dürfen~~
- mit Herrn Lehmann alles regeln (Perfekt)
- kein Wort sagen wollen
- nicht mehr Besitzer des Gasthauses sein

a Daniel ist wütend, weil *die Theatergruppe nicht mehr* im Gasthaus *proben darf.*

b Tina will Bennos Vater daran erinnern, dass er ……

c Obwohl er ……, will Daniel mitkommen.

d Herr Lehmann erklärt, dass er ……

e Der neue Mieter will Miete verlangen, um ……

f Der Mann, der ……, ist Daniels Vater.

D2 **24** **Was bedeuten die Sätze in der linken Spalte? Ordne die Erklärungen aus der rechten Spalte zu und ergänze dann die Lücken mit den Sätzen.**

Wie kann das sein?	Es gibt Probleme.
Es reicht mir!	Das ist nicht gerecht.
jetzt ist alles anders.	Alles hat sich geändert.
Das ist nicht fair.	Ich habe genug davon.
Es läuft nicht gut,	Wie ist das möglich?

Nadine: Was ist los? Warum schaust du so böse, Kevin?

Kevin: **a** …… Ich leihe Axel nie wieder Geld.

Nadine: Hat er dir das Geld für das Moped noch immer nicht zurückgegeben?

Kevin: Nein. Er hat gesagt, ich bekomme das Geld spätestens im Mai, aber **b** ……

Nadine: **c** *Wie kann das sein?* Hat er denn immer noch keinen Job?

Kevin: Nein. **d** …… sagt er. Ich muss noch warten.

Nadine: **e** …… Dann muss er eben zu seinen Eltern gehen.

Kevin: Das geht nicht, er hat ja nur noch seinen Vater, und der ist im Moment im Krankenhaus.

Nadine: Was machst du jetzt?

Kevin: Nichts. Warten. Ich bin ja nicht Al Capone.

Futur I (Versprechen, Vorsatz, Warnung / Drohung, Vermutung), *hin* und *her*

E1 **25 Probleme mit der Miete. Wer sagt was? Ordne die Personen (A-C) und die Bedeutung des Futurs (1-3) zu.**

A Mieter **B** Freund des Mieters **C** Vermieter

1 Warnung / Drohung **2** Versprechen **3** Vorsatz

a C 1 „Wenn Sie die Miete nicht bezahlen, werde ich einen neuen Mieter suchen."
b ☐ ☐ „Ich werde Ihnen die Wohnungsschlüssel wegnehmen."
c ☐ ☐ „Ich werde Ihnen meine Miete noch diese Woche überweisen."
d ☐ ☐ „Wenn du keine Arbeit hast, wird dir die Bank kein Geld mehr leihen."
e ☐ ☐ „Ich werde dir das Geld leihen."
f ☐ ☐ „Ich werde dir das Geld so schnell wie möglich zurückzahlen."
g ☐ ☐ „Nächste Woche werde ich einen Job suchen."
h ☐ ☐ „Im nächsten Jahr werde ich mehr Geld für die Miete sparen."

E1 **26 Warnungen / Drohungen, Versprechen oder Vorsätze? Ordne die Bedeutung des Futurs (1-3) zu und schreib die Sätze anders. Verwende Futur I.**

1 Warnung / Drohung **2** Versprechen **3** Vorsatz

a ☐ Ich habe vor, weniger Schokolade zu essen.
Ich werde ...

b ☐ Maria passt gern auf deine Katze auf.
Maria ...

c ☐ Wenn wir die Musik nicht leiser machen, ruft unser Nachbar die Polizei.
Wenn wir die Musik nicht leiser machen, ...

d ☐ Wir planen, am Wochenende öfter ins Kino zu gehen.
Wir werden ...

e ☐ Soll ich euch wirklich jeden Tag anrufen? Na gut, wenn es sein muss.
Ich ...

f ☐ Bleib ganz ruhig: Die Spritze tut sicher nicht weh.
Die Spritze ...

g ☐ Willst du, dass ich das deinen Eltern erzähle?
Ich ...

h ☐ Im nächsten Jahr will ich Tennis lernen.
Ich ...

E1 **(27) Daniel und Tina sind allein auf der Theaterprobe. Wo sind ihre Freunde? Schreib Daniels und Tinas Vermutungen.**

a Tim spielt am Freitag immer im Park Fußball.
b Annika wollte noch ins Einkaufszentrum.
c Claudio besucht seinen Großvater im Krankenhaus.
d Rosi hat angerufen, dass sie den Bus verpasst hat und später kommt.
e Manfred und Georg sind irgendwo unterwegs und haben den Probentermin vergessen.
f Klaus lernt mit Jasmin in der Bibliothek für den Biologietest.

a Tim wird noch im Park Fußball spielen. b Annika ...

E2 **(28) Hin und her. Zeichne die Pfeile wie im Beispiel ein und ergänze *hin* oder *her*.**

a Markus: Siehst du die Insel da draußen?
Morgen schwimme ich dorthin.
Markus →

b Sonja: Hallo Monika, bist du noch in der Schule?
Kommst du hier .... oder soll ich dort .... kommen?
Sonja

c Herr Berger: Lisa, ich muss mit dir und Klara sprechen.
Hol Klara doch bitte ...., Lisa.
Herr Berger Klara

d Timmy: Das ist mein Handy, gib es sofort ....!
Timmy

e Felix und Luka: Wir müssen zum Campingplatz.
Könnten Sie uns dort .... bringen?
Felix und Luka

f Lena: Kommt ihr zu mir, oder treffen wir uns bei euch?
Dieses ewige .... und .... nervt mich langsam.
Lena ihre Freunde

Finale: Fertigkeitentraining

A und B versuchen jeweils C davon zu überzeugen, dass sie ein Mensch sind.

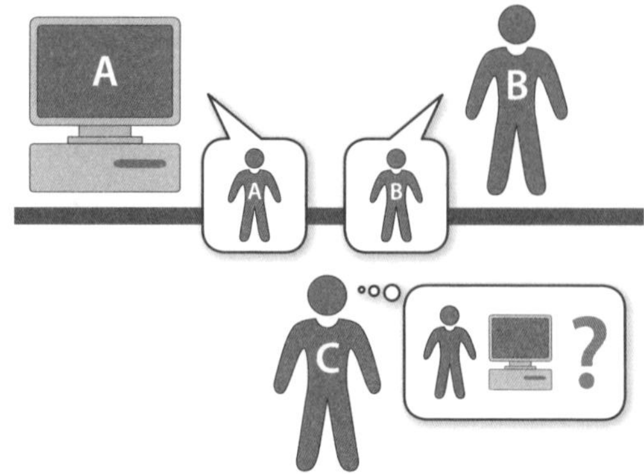

C versucht zu entscheiden, ob A und B Menschen oder Computer sind.

(29) Lies den Text und ordne die Überschriften (1-8) den Textabschnitten (A-F) zu. Achtung: Zwei Überschriften passen zu keinem Textabschnitt.

1 Maschinen regieren die Welt.
2 Ein Intelligenztest für Computer
3 Psychotherapie für den Computer
4 „ELIZAs“ Fähigkeiten
5 „ELIZAs“ Wettervorhersage
6 Die Grenzen des „Turing-Tests“
7 Fragen zur Gegenwart und Zukunft der Computer
8 „ELIZAs“ Fehler

Intelligente Maschinen

A ☐ Im Actionfilm „Terminator“ mit Arnold Schwarzenegger haben die Maschinen die Macht übernommen. Alle Computer auf der Erde haben begonnen, selbstständig zu denken. Die Menschen versuchen in Verstecken unterhalb der Erdoberfläche zu überleben. Doch sie haben kaum eine Chance.

B ☐ Wie realistisch ist dieses finstere Bild unserer Zukunft? Ist es möglich, dass Computer selbstständig und vernünftig denken lernen? Und wie lässt sich das, was einen Computer dem Menschen ähnlich machen könnte, überhaupt beschreiben?

C ☐ 1950 hat der britische Mathematiker Alan Turing einen Test entwickelt, den Computer bestehen müssen, um als „intelligent“ zu gelten. Beim „Turing-Test“ unterhält sich ein Mensch mit einem Computer und einem anderen Menschen, ohne aber seine beiden Gesprächspartner sehen zu können. Nach einiger Zeit muss der Fragesteller entscheiden, wer der Mensch und wer der Computer ist. Wenn er das nicht kann, hat die Maschine den Test bestanden.

D ☐ Eines der ersten Computerprogramme, das mit Menschen auf diese Weise kommuniziert hat, war „ELIZA“. „ELIZA“ benutzte dabei die Kommunikationsstrategien von Psychotherapeuten. So konnte das Programm Aussagen in Fragen umformen. Wenn der Benutzer zum Beispiel erklärte: „Ich habe ein Problem mit meinem Moped“, fragte ihn „ELIZA“: „Warum, sagst du, hast du ein Problem mit deinem Moped?“ Das Programm konnte aber auch Schlüsselwörter in einer Aussage erkennen und darauf reagieren. Wenn der Benutzer dem Computer mitteilte: „Ich streite oft mit meiner Schwester“, forderte „ELIZA“ ihn auf: „Erzähl mir mehr über deine Familie.“
Einige Psychotherapeuten waren von „ELIZA“ so begeistert, dass sie das Programm sogar zu Therapiezwecken für ihre Patienten einsetzen wollten.

E ☐ Den „Turing-Test“ konnte „ELIZA“ aber trotzdem nie bestehen. Auf Aussagen, die nicht wörtlich gemeint waren, wie zum Beispiel: „Das ist Schnee von gestern“ (= Das ist nicht mehr aktuell), konnte „ELIZA“ nämlich nur mit der Aufforderung: „Erzähl mir etwas über das Wetter“ reagieren. Das machte den Testpersonen natürlich sofort klar, dass sie mit einem Computer sprachen.

F ☐ Alan Turing hatte gedacht, dass der erste Computer schon im Jahr 2000 seinen Test bestehen würde. Bis zum Jahr 2011 hat das jedoch kein Computer geschafft. Doch sogar wenn das einmal der Fall sein sollte, bleiben viele Fragen offen. Wir wissen heute nämlich, dass das, was der „Turing-Test“ testet, wohl nur einen kleinen Teil der menschlichen Intelligenz ausmacht.

(30) Was wird die Zukunft bringen? Hör die Interviews (a-d). Sind die Sätze richtig oder falsch? 2 20

		richtig	falsch
a	Die Sprecherin denkt, dass der technische Fortschritt nicht nur Vorteile hat.	☐	☐
b	Der Sprecher denkt, dass auch Computer und das Internet die Probleme auf der Welt nicht lösen können.	☐	☐
c	Der Sprecher glaubt, dass man nicht wissen kann, was die Zukunft bringt.	☐	☐
d	Die Sprecherin denkt, dass wir heute schon ziemlich genau wissen, wie die Zukunft aussehen wird.	☐	☐

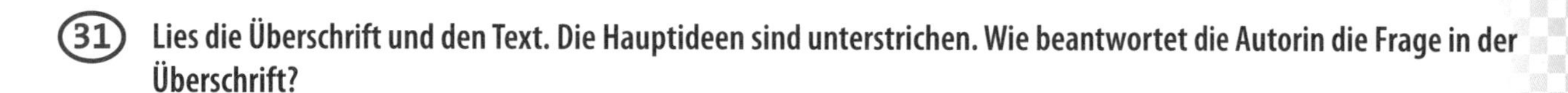

(31) Lies die Überschrift und den Text. Die Hauptideen sind unterstrichen. Wie beantwortet die Autorin die Frage in der Überschrift?

Wird es in der Zukunft noch Schulen, Lehrer und Lehrerinnen geben?

A Manche Zukunftsforscher meinen, dass es in Zukunft nicht mehr notwendig sein wird, in die Schule zu gehen, weil sich das Lernen verändern wird. Sie glauben, dass die Schüler das, was sie wissen müssen, zu Hause lernen werden. Manche Schüler finden diese Idee vielleicht toll, ich glaube aber nicht, dass es so weit kommen wird.

B Es stimmt natürlich, dass wir heute anders als vor fünfzig Jahren lernen können. Wir haben das Internet, wo wir sehr schnell alles finden, was wir wissen möchten. Und wir können mit unseren Freunden überall, wo wir sind, kommunizieren. In der Schule arbeiten wir in Partner- und Gruppenarbeit an Aufgaben und führen selbstständig Projekte durch. Selbstständig lernen ist auch in der Schule wichtig geworden und das Lernen wird sich weiter verändern.

C Die Schule ist aber mehr als nur ein Ort, wo man Wissen aufnimmt. In der Schule treffe ich Mitschüler und Freunde. Wir teilen Erlebnisse und Erfahrungen, die für uns wichtig sind. Man kann andere Menschen nicht über das Internet kennenlernen. Man muss miteinander arbeiten, lernen, aber auch Spaß haben. Dazu brauchen wir die Schule und Personen, die uns helfen, zu lernen und uns miteinander sinnvoll zu beschäftigen.

D Zusammenfassend glaube ich daher, dass wir immer Schulen und Lehrer brauchen werden, auch wenn wir in der Zukunft anders lernen werden als heute. Wir werden immer Orte brauchen, wo wir einander zum Lernen treffen können, und wir werden Personen brauchen, die uns dabei unterstützen.

Die Antwort der Autorin: ....

....

(32) Lies den Text noch einmal und kreuze die richtigen Antworten an.

a In Abschnitt A erklärt die Autorin,
- ☐ was das Thema des Textes und ihre Meinung dazu ist.
- ☐ warum sie denkt, dass Schüler nicht zu Hause lernen werden.
- ☐ wie man am besten lernt.

b In Abschnitt B sagt die Autorin, dass
- ☐ Schüler in Zukunft weniger selbstständig lernen werden.
- ☐ selbstständig lernen nicht so wichtig ist.
- ☐ wir heute anders als früher lernen.

c In Abschnitt C erklärt die Autorin,
- ☐ warum sie nicht gern in die Schule geht.
- ☐ warum Lehrer und Schulen wichtig sind.
- ☐ wie die Schule der Zukunft aussehen wird.

d In Abschnitt D fasst die Autorin zusammen,
- ☐ was Schulexperten zum Thema sagen.
- ☐ was ihre Meinung zum Thema ist.
- ☐ was Zukunftsforscher zu diesem Thema denken.

(33) Schreib einen Text zu einem der folgenden Themen. Schreib ungefähr 150 Wörter.

- Werden Computer in Zukunft intelligenter als Menschen sein?
- Werden die Menschen in Zukunft ewig leben?
- Werden in Zukunft Roboter alle Arbeiten im Haushalt machen?

Strategie – Beim Schreiben

- Verwende Textmodelle, um dein eigenes Schreiben zu organisieren (zum Beispiel den Text in Übung 31).
- Plane deinen Text:
  Erkläre in der Einleitung das Thema.
  Präsentiere andere Meinungen und Argumente.
  Präsentiere deine eigene Meinung.
  Fasse deine Meinung im Schlussteil noch einmal zusammen.
- Erkläre in jedem Abschnitt in einem Satz deine Hauptidee. Die anderen Sätze sollten diese Idee unterstützen. Im Text in Übung 31 sind die Hauptideen unterstrichen.

Lernwortschatz

Nomen
Heimweh, das (Sg.) ....
Kosten, die (Pl.) ....
Aussicht, die, -en ....
Tätigkeit, die, -en ....
Blüte, die, -n ....
Aufzug, der, ¨-e ....
Autor, der, -en ....
Fläche, die, -n ....
Hafen, der, ¨-
Quadratmeter, der, – ....
Fahrt, die, -en ....
Verkehrsmittel, das, – ....
Appartement, das, -s ....
Garderobe, die, -n ....
Couch, die, -en ....
Bildschirm, der, -e ....
Gebrauchsanweisung, die, -en ....
Bargeld, das (Sg.) ....
Kredit, der, -e ....
Schulden, die (Pl.) ....
Konto, das, -en ....
Vermieter, der, – ....
Verlust, der, -e ....
Gaststätte, die, -n ....
Beitrag, der, ¨-e ....
Gas, das, -e ....
Bedarf, der (Sg.) ....
Stern, der, -e ....
Himmel, der, – ....

Verben
sich beschäftigen mit ....
betragen ....
leiten ....
wachsen ....
realisieren ....
einziehen ....
treiben ....
sichern ....
vermieten ....
mieten ....
angehen ....
einzahlen ....
überweisen ....
sich leisten ....
zahlen ....
regeln ....
beschädigen ....
borgen ....
erhöhen ....
gründen ....

Adjektive
niedrig ....
fern ....
vernünftig ....
finanziell ....
automatisch ....
monatlich ....
feucht ....
realistisch ....

andere Wörter
außer-/innerhalb ....
unter-/oberhalb ....
innen ....
per ....
höchstens ....
hin ....

Wichtige Wendungen

über Zukunftsprognosen sprechen
Wie werden die Menschen in Zukunft leben?
Im Jahr 2100 werden die Menschen nicht mehr arbeiten müssen.

über Geldangelegenheiten sprechen
Sie hebt Geld vom Konto ab.
Sie zahlt Geld auf ein Sparbuch ein.
Er hat Schulden gemacht.
Er hat einen Kredit aufgenommen.
Er überweist Geld an die Bank.
Wir konnten unsere Kredite nicht zurückzahlen.
Das Gasthaus macht keinen Gewinn. Das ist ein reines Verlustgeschäft.

Alltagssprache
Jetzt ist alles anders.
Das ist nicht fair.
Irgendetwas wird sich schon finden.
Fürs Erste wird es schon gehen.
Wie kann das sein?
Es reicht mir!
Es läuft nicht gut.

Das kann ich jetzt ...

	... gut.	... mit Hilfe.	Das übe ich noch.

1 Wörter

Ich kann zu den Themen sechs Wörter nennen:

	... gut.	... mit Hilfe.	Das übe ich noch.
a Wohnen/Einrichtung: *Garderobe,*	○	○	○
b Geld: *Geld abheben,*	○	○	○

2 Sprechen

	... gut.	... mit Hilfe.	Das übe ich noch.
a Über Zukunftsprognosen sprechen: *In 100 Jahren wird es Städte auf dem Wasser geben.*	○	○	○
b Eine Absicht/Einen Vorsatz ausdrücken: *Ich werde im nächsten Jahr öfter zum Friseur gehen.*	○	○	○
c Eine Vermutung ausdrücken: *Sie wird wohl noch zu Hause sein.*	○	○	○
d Ein Versprechen geben: *Ich werde dir helfen.*	○	○	○
e Eine Warnung/Drohung ausdrücken: *Wenn Sie nicht sofort wegfahren, werde ich die Polizei rufen!*	○	○	○

3 Lesen und Hören

Die Texte verstehe ich:

	... gut.	... mit Hilfe.	Das übe ich noch.
a Städte der Zukunft → KB S. 99	○	○	○
b Die Wohnung der Zukunft gibt es schon heute ... → KB S. 102	○	○	○
c Der Proberaum → KB S. 103	○	○	○
d Die Stadt auf dem Mond → KB S. 105	○	○	○

4 Schreiben

	... gut.	... mit Hilfe.	Das übe ich noch.
Eine E-Mail aus der Zukunft.	○	○	○

Lektion **35**

Gefeierte Musiker, begeisternde Konzerte

A Text

A2 (1) **Was weißt du noch? Ergänze die Zusammenfassung mit den Satzteilen (1-10). Achtung: Zwei Satzteile passen nicht.**

1 schwangere Frauen **2** ein auf der ganzen Welt gefeierter Opernsänger **3** In seinem Buch **4** die Qualität seiner Musik **5** Kinder in Deutschland **6** gegen die Vorurteile der Gesellschaft **7** gegen den Geschmack des Publikums **8** ~~behindert~~ **9** Die schädliche Wirkung **10** die völlig ungeeigneten Erziehungsmethoden

Thomas Quasthoff ist seit seiner Geburt **a** [8]. In den 1960er Jahren wurden viele **b** [ ] mit dem Medikament Contergan behandelt. Auch Thomas Quasthoffs Mutter bekam dieses Medikament. **c** [ ] für die ungeborenen Kinder hatte man leider viel zu spät erkannt.

Quasthoff musste in eine Schule für Schwerbehinderte gehen. **d** [ ] „Die Stimme" beschreibt er **e** [ ] in dieser Schule. Als er schließlich doch in eine normale Schule kam, wurde sein musikalisches Talent entdeckt. Seine Eltern bemühten sich, Thomas eine gute musikalische Ausbildung zu ermöglichen. Immer wieder mussten sie dabei **f** [ ] kämpfen. Es dauerte relativ lange, bis Thomas Quasthoffs Karriere als Musiker begann. Heute ist er **g** [ ]. Aber auch seine Jazzkonzerte begeistern das Publikum. Thomas Quasthoff ist in vielen Musikrichtungen zu Hause. Wichtig ist ihm einzig und allein **h** [ ].

B Grammatik und Wortschatz

Partizipien als Attribute, Attribute (Wiederholung)

B1 (2) **Welche CD (A-D) passt zu welchem Text (1-4)? Ordne zu und ergänze die Adjektivendungen.**

1 [ ] Schon in ihrem **a** erst*en* Album konnte die **b** jung...... Musikerin mit selbst **c** komponiert...... Liedern ihr Publikum überzeugen. Jetzt ist Nora Lamontes **d** zweit......, nicht weniger **e** gelungen...... Album (n) erschienen.

2 [ ] Millionen Zuschauer erleben jedes Jahr das **a** groß...... Neujahrskonzert der Wiener Philharmoniker live im Fernsehen. Die **b** preisgünstig...... Sonderausgabe präsentiert Höhepunkte aus den **c** letzt...... zehn Jahren. Ein Muss für alle, die **d** klassisch...... Musik lieben.

3 Zehn **a** bekannt........ und weniger **b** bekannt........ Punkrockgruppen stellen sich auf dieser CD vor. Wer **c** rockig........ Gitarren, **d** wild........ Schlagzeugsolis und **e** hart........ Songs liebt, wird an dieser vor Kurzem **f** erschienen........ CD nicht vorbeikommen.

4 Fans der „Alpenjäger" werden die **a** neu........ CD ihrer Stars wohl mit einem **b** weinend........ und einem **c** lachend........ Auge hören. Die seit 30 Jahren gemeinsam **d** musizierend........ Schweizer (Pl.) wollen damit ihren **e** endgültig........ Abschied (m) aus dem **f** kommerziell........ Musikleben feiern. Wird es wirklich die **g** letzt........ CD der beliebten Musiker sein?

B1 **3 Such in den Texten in Übung 2 die sechs Partizipien mit Adjektivendung und ordne zu.**

Partizip I – zum Beispiel *singend*-	**Partizip II** – zum Beispiel *gesungen*-

B1 **4 Ordne die Zeichnungen (1-6) den Ausdrücken (a-f) zu.**

a kochendes Gemüse 5
b gekochtes Gemüse
c das landende Flugzeug
d das gelandete Flugzeug
e ein sinkendes Schiff
f ein gesunkenes Schiff

1 2 3 4 5 6

B1 **5 Ergänze das Partizip I und die Ausdrücke im Kasten.**

✪ letzten Fußballspiel ✪ seiner Firma ✪ ~~den Sommer~~ ✪ meine Schule ✪

1 Wenn ich an **a** *den Sommer* denke, sehe ich **b** *(baden) badende* Menschen, Sandburgen **c** *(bauen)* ....e Kinder und einen in seinem Rettungsboot **d** *(schlafen)* ....en Bademeister.

2 Ich sehe **a** *(rechnen)* ....e, **b** *(lesen)* ....e, und **c** *(lernen)* ....e Schüler, im Gang Fußball **d** *(spielen)* ....e Jungen und einen **e** *(schimpfen)* ....en Schulwart, wenn ich an **f** .... denke.

3 Ich treffe **a** *(telefonieren)* ....e Sekretärinnen, **b** *(kopieren)* ....e Praktikanten, an ihren Computern **c** *(arbeiten)* ....e Mitarbeiter und einen dicken, Kaffee **d** *(trinken)* ....en Chef, wenn ich meinen Vater in **e** .... besuche.

4 **a** *(protestieren)* ....e Spieler, ein mit seinen Linienrichtern **b** *(diskutieren)* ....er Schiedsrichter und ein sich auf den Elfmeter **c** *(vorbereiten)* ....er Tormann sind die Bilder, die ich vom **d** .... noch immer im Gedächtnis habe.

B1 **6** **Schreib die Sätze aus Übung 5 anders wie im Beispiel.**

1 Wenn ich an den Sommer denke, sehe ich Menschen, die baden, Kinder, die ...

B2 **7** **Lies den Text und achte nicht auf die Markierungen. Beantworte die Fragen (1-3) in der Tabelle.**

Musik als Lebensinhalt

1 Trotz ihrer Behinderung schrieben sie Musikgeschichte: Musiker, denen die Musik in schwierigen
2 Lebensabschnitten Mut gab und die mit ihrer Kunst das Publikum begeistern konnten. Der durch seine
3 Hits „Georgia On My Mind“ und „Hit The Road Jack“ weltberühmt gewordene US-amerikanische Sänger
4 Ray Charles war seit seinem fünften Lebensjahr blind.
5 Im Ersten Weltkrieg verlor der in Österreich geborene Pianist Paul Wittgenstein seinen rechten Arm.
6 Trotzdem spielte er weiterhin Konzerte. Das im Jahr 1929 komponierte „Klavierkonzert für die linke
7 Hand“ hat der französische Komponist Maurice Ravel speziell für seinen behinderten Freund geschrieben.
8 Am schlimmsten ist es für einen Musiker aber wohl, wenn er die von ihm selbst komponierte Musik nicht
9 mehr hören kann. Ludwig van Beethoven, der in Bonn geborene und später in Wien berühmt gewordene
10 Komponist, wurde mit 32 Jahren taub. Die von ihm danach komponierten Werke zählen aber zu den
11 berühmtesten Stücken der Wiener Klassik, wie beispielsweise die 1824 zum ersten Mal gespielte „9.
12 Symphonie“, deren Schlusschor „An die Freude“ heute die Hymne der Europäischen Union ist.

		Ray Charles	Paul Wittgenstein	Ludwig van Beethoven
1	Woher kommt er?			
2	Welche Behinderung hatte er?			
3	Welche wichtigen Musikstücke werden oft mit seinem Namen verbunden?			

B2 **8** **Lies den Text noch einmal, unterstreiche die Nomen und Artikel zu den Partizipialattributen und markiere die Partizipien wie im Beispiel in Übung 7.**

B2 **9** **An der Schule gibt es eine Projektausstellung zum Thema „Pop seit den 80ern". Wie wurde die Ausstellung vorbereitet? Schreib Sätze im Passiv Präteritum.**

Einladung zur Projektausstellung **Pop seit den 80ern**	Ausstellungseröffnung: Mo, 2. Oktober, 18:00 Uhr, Sporthalle

a Informationen im Internet sammeln *Informationen wurden im Internet gesammelt.*

b Bilder ausdrucken *Bilder ...*

c Plakate zeichnen und malen ....

d Musikbeispiele auswählen ....

e Eltern und Verwandte einladen ....

f die Eröffnungsrede vorbereiten ....

B2 **10** **Positive und negative Reaktionen auf die Ausstellung. Ergänze die Partizipien aus Übung 9. Welche Kommentare sind positiv ☺, welche sind negativ ☹? Zeichne Smileys.**

a „Die *ausgewählten* Musikbeispiele waren viel zu lang."

b „Wir hätten nicht alle im Internet ....*en* Informationen auf die Plakate kleben sollen."

c „Die selbst ....*en* und ....*en* Plakate wirken viel besser als professionelle Plakate."

d „Die ....*en* Bilder haben die Plakate richtig interessant gemacht."

e „Nicht alle ....*en* Eltern und Verwandten sind gekommen."

f „Kerstin konnte ihre ....*e* Rede gar nicht halten, weil alle schon zum Buffet gegangen waren."

B2 **11** **Lies den Text und ergänze die unterstrichenen Informationen im Kasten als Attribute. Warum war das Konzert früher als geplant zu Ende?**

Nach dem fünften Lied war es vorbei ...

Marina konnte es nicht glauben, als sie den Namen **1** *ihres Ex-Freundes* auf dem **2** .... Plakat **3** .... las. Gernot war Sänger **4** ....! Gernot konnte doch gar nicht singen! Natürlich besorgte sie sich eine Karte **5** .... für das Konzert **6** .... Die Band begann zu spielen. Und Gernot, **7** ...., sang. Doch nach dem **8** .... Lied passierte es. Die **9** ....*wirkenden* Musiker wiederholten eine Zeile **10** .... wieder und immer wieder. „Warum bist du ganz ohne mich ... Warum bist du ganz ohne mich ... Warum bist du ..." Plötzlich waren alle Musiker verschwunden. Die **11** .... Zuschauer hörten allerdings noch immer die Liedzeile. „Warum bist du ..." Es dauerte nämlich einige Zeit, bis die Musiker den **12** .... CD-Spieler ausschalten konnten.

1. Es war der Name ihres Ex-Freundes.
2. Das Plakat war riesengroß.
3. Es hing am Schultor.
4. Gernot sang in einer Band.
5. Die Karte war in der ersten Reihe.
6. Das Konzert war in der Stadthalle.
7. Gernot stand direkt vor ihr.
8. Es war das fünfte Lied.
9. Die Musiker wirkten plötzlich etwas unsicher.
10. Es war eine Zeile des Liedes.
11. Die Zuschauer waren überrascht worden.
12. Der CD-Spieler war in der Halle versteckt.

Das Konzert war früher als geplant zu Ende, weil ...

B2 **12** **Ordne die Attribute aus Übung 11 zu.**

Adjektiv/Zahlwort: ....

Partizipialattribut: ....

Präposition + Nomen: ....

Relativsatz: ....

Genitiv: *1, ...*

B2 **13** **„Laute" und „leise" Wörter. Ergänze die Situationen mit den Wörtern. Zu welchen Situationen würde wohl das Adjektiv „laut" passen, zu welchen Situationen würde das Adjektiv „leise" passen? Finde die Wörter auch im Kursbuch (A-B).**

Lerntipp – Wortschatz
Assoziationen helfen dir beim Wortschatzlernen. Die Wörter *Tisch, Stuhl* und *Lampe* merkt man sich zum Beispiel leichter, wenn man sie mit dem Thema *Wohnen* oder *Möbelstücke* assoziiert. Es kann aber auch sinnvoll sein, Wörter mit persönlichen Erlebnissen und/oder ungewöhnlichen Begriffen zu assoziieren, wie in Übung 13. Wenn ihr eure Assoziationen im Unterricht austauscht, übt ihr die neuen Wörter und bildet neue Assoziationen. Ein gutes Netz von Assoziationen in deinem Gedächtnis hilft dir, dich an die Wörter zu erinnern.
Wähle eines der folgenden Wortpaare und finde Assoziationen zu den neuen Wörtern aus Lektion 35:
hohe/tiefe, männliche/weibliche Wörter, ICH-/WIR-Wörter, Zukunfts-/Vergangenheitswörter
Wörter aus Lektion 35: *schwanger, das Vorurteil, die Jugend, erziehen, das Ticket, grundsätzlich, ausschließen, der Rollstuhl, die Gesellschaft, die Hochschule, privat, der Trend*

A1b ~~die Darstellung~~ A2a ebenfalls A2a festhalten A2a das Wohl
B2b die Nachfrage A1b ausverkauft A2a bitter A2a füllen

a Die *Darstellung* der Urwaldtiere ist großartig. Ich habe eine halbe Stunde vor dem Bild im Museum gesessen. (*leise*)

b Das Endspiel am Samstag ist ....: Tausende Fans im Stadion, das wird toll! ( )

c Der Sturm war so stark, er konnte sich am Boot nicht mehr ....( )

d Die Geburtstagsfeier war toll. Wir haben wohl zwanzigmal auf sein .... getrunken, dann haben wir die ganze Nacht getanzt. ( )

e Sie haben sich nach drei Jahren getrennt. Das war eine .... Erfahrung für Luka. Jetzt will er allein sein und seine Ruhe haben. ( )

f Unsere Nachbarn hassen Lärm. Kinder mögen sie .... keine. ( )

g Es ist ein bisschen ruhig um die Popgruppe „Red Heads" geworden. Die .... nach den CDs ist nicht sehr groß. ( )

h Nirgends gab es Häuser, nirgends war ein Fluss, ein Bach oder ein See, wo er seine Trinkflasche mit Wasser .... konnte. ( )

C Wortschatz

Kunst und Kultur

14 **Ordne die Wörter in der Tabelle zu. Finde selbst weitere Wörter zu den Themen.**

~~die Ausstellung~~ ✪ die Vorstellung ✪ veröffentlichen ✪ malen ✪ das Streichinstrument ✪ die Galerie ✪ der Autor ✪ das Blasinstrument ✪ das Orchester ✪ der Opernsänger ✪ das Denkmal ✪ die Rolle ✪ der Roman ✪ die Szene

Musik	Theater	Malerei/Bildhauerei	Literatur
		die Ausstellung	

15 **Ingo oder Laura? Wer sagt was? Ordne zu und ergänze die Sätze mit Wörtern aus Übung 14.**

I Ingo hat ein neues Buch gelesen und war im Theater.
L Laura mag Musik und interessiert sich für Malerei und Bildhauerei.

a *I*: „Das ist sein erster *Roman*, der Autor hat außer ein paar Gedichten noch nichts ...."

b ...: „Ich würde gern ein .... spielen, Flöte vielleicht."

c ...: „Wir hatten Glück, dass wir noch Karten bekommen haben. Die .... war fast ausverkauft."

d ...: „Hast du das neue .... im Rathaus gesehen? Es sieht aus, als ob es aus billigem Plastik wäre. Warum gerade dieser Künstler den Auftrag bekommen hat, ist mir ein Rätsel."

e ...: „Gestern war ich bei der Eröffnung der Ausstellung in der neuen .... Die Bilder, die dort hängen, sind toll."

f ...: „Am Ende des Stückes konnte die Polizei den Täter fassen. Die .... war toll gespielt, sie müssen sie hundertmal geprobt haben."

g ...: „Im Museum zeigen sie Kleidungsstücke und Schmuck aus der Renaissance. Ich habe die .... schon gesehen, sie ist toll."

D Hören: Alltagssprache und Wortschatz

D1 **16 Regeln im Verkehr. Schreib die Wörter richtig und entscheide: Ist die Regel richtig oder falsch?**

		richtig	falsch
a	In einem Auto muss es für jeden Sitz einen (GURT-ER-HEIT-S-SICH) *Sicherheitsgurt* geben.	☐	☐
b	Auf den hinteren Sitzen muss man sich im Auto nicht (EN-SCHNALL-AN)	☐	☐
c	Bei einer (S-KUR-LINK-VE) .... darf man auf der linken Fahrspur fahren, um schneller zu sein.	☐	☐
d	Bei einer (NE-PAN) .... muss man ein Warndreieck aufstellen.	☐	☐
e	Vor einem Krankenhaus darf man nicht (PEN-HU)	☐	☐
f	Ein Motorradfahrer darf auf der Autobahn einen Fahrradfahrer nicht (ÜB-HO-ER-LEN)	☐	☐
g	Wenn es auf der Straße keinen Bürgersteig gibt, sollten (GER-GÄN-FUß) .... auf der linken Straßenseite gehen.	☐	☐
h	An einer (LE-TANK-STEL) .... ist das Rauchen verboten.	☐	☐
i	Umleitung — Ein (SCHILD-S-LEI-UM-TUNG) .... bedeutet, dass LKWs auf dieser Straße nicht fahren dürfen.	☐	☐

D2 **17 Was weißt du noch? Ergänze die Namen (M, J, N) und die Wörter.**

M Miriam **J** Julia **N** Niko

entlang • überfahren • abschleppen • Lautsprechern • vollgetankt • ~~Picknick~~ • verirrt • konzentrieren • Gegend

Miriams Bruder **a** *N* hat vor zwei Monaten den Führerschein gemacht. Er fährt mit **b** *M*, ihrer Freundin Julia und Jens zu einem **c** *Picknick*. Bei der Abfahrt übersieht er ein Stoppschild und hätte fast einen Fußgänger **d** .... Die anderen Autofahrer hupen. **e** ☐, die ein bisschen Angst hat, sitzt neben den **f** .... und kann sich bei Nikos lauter Techno-Musik nicht entspannen. Miriam will Niko eine andere CD geben, aber **g** ☐ meint, dass Niko sich auf das Fahren **h** .... muss. Nach einer Umleitung fahren die Jugendlichen einen Fluss **i** .... Da die **j** .... menschenleer ist, denkt Julia, dass sie sich **k** .... haben. Plötzlich bleibt der VW-Bus stehen. Sie haben kein Benzin mehr, obwohl **l** ☐ behauptet hat, dass der Bus **m** .... ist. Die Jugendlichen müssen sich **n** .... lassen.

D2 **18** **Ordne zu und ergänze den Dialog.**

Sind wir ...	... gut geht
Ob das ...	... uns verirrt
Wir haben ...	... es eilig
Du kannst ...	... hier richtig
du hast ...	... ganz ruhig bleiben

Karla: Da biegen wir links ab, und nach der Kurve sofort rechts.

Ruth: Die Gegend kenne ich überhaupt nicht.

a *Sind wir hier richtig*?

Karla: Na ja, ich glaube schon. So hat es mir Erik jedenfalls aufgeschrieben.

Ruth: Aber hat er nicht irgendetwas von einem Einkaufszentrum gesagt? Ich glaube, wir sind falsch. **b** ....

Karla: Einkaufszentrum ... Mhmmm, ... stimmt ... lass mich auf der Karte nachsehen ...

Ruth: Karla ... Es ist schon spät!

Karla: Ich weiß, **c** .... Wir könnten über den Hühnerberg fahren.

Ruth: Ich weiß nicht, es wird schon dunkel. **d** ....?

Karla: **e** .... Mein Auto hat Scheinwerfer ... ☺

Aussprache

19 **Hör zu und ergänze die fehlenden Buchstaben.** 2 21

1 das I____ume__
2 das Verke____eichen
3 die Ta____elle
4 veröffe___ichen
5 der Fu__änger
6 der____ift__eller
7 der Ru___unk
8 das Sta___ebiet
9 die U__eitung
10 das Diale___edi___
11 das Ko__ert
12 a_____eppen
13 das De___al
14 der __asti_____uck
15 die Li____urve
16 e___a___ahren

Lerntipp – Aussprache
In deutschen Wörtern und Sätzen findest du oft mehrere Konsonanten direkt hintereinander (= Konsonantenhäufung), z.B. ***Instrument*** oder ***Komm doch mit.*** Zwischen den Konsonanten solltest du beim Sprechen keine Pausen machen und auch keine Vokale sprechen.

20 **Welche Wörter passen zum Thema „Kunst", welche Wörter passen zum Thema „Verkehr"? Ordne die Wörter aus Übung 19 zu. Hör dann zu und sprich nach.** 2 22

Kunst: *das Instrument, ...* ....

....

Verkehr: ....

....

(21) **Hör die Wörter. Welches Wort hörst du zweimal? Kreuze an.** 2 23

1	2	3	4	5	6	7
☐ getankt	☐ Freude	☐ rechts	☐ entschloss	☐ betrunken	☐ Schmutz	☐ verbinden
☐ gedacht	☐ Freunde	☐ rechtes	☐ ein Schloss	☐ betrugen	☐ Schutz	☐ verbringen

8	9	10	11	12	13	14
☐ günstig	☐ spricht	☐ er stand	☐ Keller	☐ gab	☐ Mitschrift	☐ trocken
☐ künstlich	☐ sprichst	☐ entstand	☐ Kellner	☐ knapp	☐ mit Stift	☐ trocknen

E Grammatik

Temporale Nebensätze mit *sobald, solange*; Adjektivdeklination: Genitiv

E1 (22) **Sag es anders. Schreib Sätze mit *sobald* oder *solange*.**

a „Ich schreibe die E-Mail, dann beginne ich mit den Hausaufgaben."

„Sobald ich die E-Mail geschrieben habe, beginne ich mit den Hausaufgaben."

b „Ich muss meine Hausaufgaben machen, da will ich nicht Musik hören."

„........ ich meine Hausaufgaben mache, ..."

c „Ich rufe dich gleich an, Hannes. Ich muss vorher nur noch eine CD brennen."

„Ich ...., ... ich die CD gebrannt habe."

d „Ich kann mich nicht auf die Rechenaufgabe konzentrieren, der Fernseher läuft."

„Ich ...., ... der Fernseher läuft."

e „Ich telefoniere jetzt, da lese ich sicher keine E-Mails."

„........ ich telefoniere, ..."

f „Ich muss den Chat über das Schulfest lesen, später suche ich die Informationen im Internet."

„........ ich den Chat über das Schulfest gelesen habe, ..."

E1 (23) **Maria ist ein „Multitasker". Sie macht alles gleichzeitig. Schreib die Sätze aus Übung 22 mit *während*.**

a Während Maria eine E-Mail schreibt, beginnt sie mit den Hausaufgaben.

....

....

....

....

....

E1 **24** **Urlaubsfotos. Unterstreiche die richtigen Konjunktionen in den Sätzen (a-f). Jeweils zwei Sätze passen zu einem Bild (1-3). Ein Satz beschreibt, was vor der Situation auf dem Foto geschehen ist, der andere, was nachher passiert ist. Ordne die Bilder zu und kreuze an.**

1 2 3

			vorher	nachher
a		Solange | Während | Bevor wir die alte Kirche besichtigt haben, haben wir am Strand gebadet.		
b		Bis | Nachdem | Solange Carina die Fischerboote im Hafen gesehen hatte, wollte sie, dass wir ein eigenes Fischerboot kaufen.		
c		Seit | Während | Bis wir das Obst und Gemüse nach Hause getragen haben, ist Carina zum Strand gegangen.		
d		Bis | Seit | Solange Carina die Zitronenbäume bei der alten Kirche gesehen hat, will sie auch bei uns zu Hause Zitronenbäume im Garten haben.		
e		Während | Sobald | Bevor wir zum Hafen gegangen sind, haben wir gefrühstückt.		
f		Es hat ziemlich lange gedauert, während | nachdem | bis wir schließlich doch den Markt gefunden haben.		

E1 **25** **Schreib zu den Fotos aus Übung 24 jeweils zwei eigene Sätze mit den Konjunktionen im Kasten. Verwende auch eigene Fotos. Zeig deine Fotos im Unterricht, die anderen versuchen, die Sätze zuzuordnen.**

✪ als ✪ nachdem ✪ bis ✪ seit ✪ bevor ✪ solange ✪ sobald ✪ während ✪

E2 **26** **Was ist für dich Lärm, was ist (fast) wie Musik? Unterstreiche die richtigen Adjektive und ordne die passenden Zahlen zu.**

Lärm (unangenehm)				Musik (angenehm)
-2	-1	0	1	2

a Der Gesang meiner kleine | kleiner | kleinen Schwester und ihrer Freundinnen, wenn sie ein bekannte | bekanntes | bekannter Volkslied für das kommende | kommendes | kommenden Kindergartenfest üben.

b Das Brüllen der hungrige | hungrigen | hungrig Kühe des Bauern, das man abends im ganze | ganzes | ganzen Dorf hört.

c Das laute | lautes | lauten Hupen des riesiges | riesigen | riesige Müllautos, das uns zeigt, dass wir unsere grau | grauen | graue Mülltonne auf die Straße schieben müssen.

d Die kleinen | klein | kleine Vögel, die auf dem schmales | schmale | schmalen Fensterbrett um Futter kämpfen.

e Die kleinen | kleiner | kleine Tochter unserer Nachbarn, die immer wieder dasselbe klassisches | klassischen | klassische Stück auf ihrer neue | neuer | neuen Violine übt.

f Max, der mit seinen lange | langer | langen Fingernägeln über die grün | grüne | grüner Tafel in unserem Klassenzimmer kratzt.

g Die hellen | helle | heller Blitze und der lauter | laute | lautes Donner des heranziehendes | heranziehenden | heranziehende Gewitters, das uns auf unserer Wanderung überrascht.

E2 (27) **Erinnerungen. Ergänze die Sätze mit den richtigen Wörtern im Genitiv.**

✪ Milch (frisch) ✪ Socken (ungewaschen) ✪ Kirchturmglocken (riesig) ✪ ~~Kaffee (heiß)~~ ✪ Katzen (klein) ✪

a Der Geruch heißen Kaffees erinnert mich an die alte Kaffemaschine im Büro meines Großvaters.

b Der Anblick .... erinnert mich an Dara, mein erstes Haustier.

c Der Geschmack .... erinnert mich an unseren Urlaub auf dem Bauernhof.

d Der Geruch .... erinnert mich an unseren Turnsaal in der Schule.

e Der Klang .... erinnert mich an die Silvesterfeier in der Hauptstadt.

Finale: Fertigkeitentraining

(28) **Lies den Text und beantworte die Fragen.**

Alles gleichzeitig ...

1 „Ich mache meistens alles gleichzeitig: Während ich meine Hausaufgaben mache, höre ich Musik und chatte im Internet. Manch-
2 mal lese ich E-Mails, brenne gleichzeitig eine CD, telefoniere mit dem Handy und spiele Computerspiele. So spart man Zeit",
3 erzählt Katrin. Katrin ist ein „Multitasker". Multitasking bedeutet, mehrere Tätigkeiten zur selben Zeit durchzuführen. Menschen,
4 die gleichzeitig Briefe diktieren und Zeitungen lesen konnten, gab es zwar früher auch schon. Im Computerzeitalter ist Multitas-
5 king aber zur Normalität geworden, vor allem unter Jugendlichen.

6 Man könnte nun meinen, dass ein geübter „Multitasker" besser in der Lage ist, schnell von einer Aktivität zur anderen zu wech-
7 seln und dabei auch beide Aktivitäten schneller und besser durchführen kann. Doch das Gegenteil stimmt, wie Gehirnforscher
8 und Psychologen zeigen konnten.

9 In mehreren unterschiedlichen Experimenten hat man durch Fragebögen herausgefunden, welche Testpersonen „Multitasker"
10 und welche Testpersonen „Nicht-Multitasker" sind. Dann wurden sie beim Lösen von Aufgaben beobachtet und ihr Verhalten
11 verglichen. Alle Experimente zeigen, dass „Nicht-Multitasker" konzentrierter arbeiten, sich besser auf die wichtigen Schritte
12 beim Lösen einer Aufgabe konzentrieren können und dadurch auch schneller als „Multitasker" sind.

Das Experiment		
Erster Durchgang:	Zweiter Durchgang:	Dritter Durchgang:
BÖDIGG ▲▲	LGVLUL ▲ ▲	PJTCSHGS ▲ ▲

13 In einem Experiment zeigte man den Versuchspersonen beispiels-
14 weise verschiedene Buchstaben (vgl. Tabelle). Sobald sie in einem
15 ersten Durchgang denselben Buchstaben zweimal hintereinander
16 sahen, sollten sie auf einen Knopf drücken. Im zweiten Durchgang
17 sollten sie immer dann den Knopf drücken, wenn der vorletzte
18 Buchstabe und der Buchstabe, den sie gerade sahen, gleich waren. Im dritten Durchgang sollten sie den Knopf drücken, sobald
19 der drittvorletzte Buchstabe mit dem gerade gezeigten Buchstaben identisch war. Beide Gruppen machten im dritten Durchgang
20 natürlich mehr Fehler, für die „Nicht-Multitasker" war es aber viel einfacher, sich auf wichtige Informationen zu konzentrieren
21 und unwichtige Informationen (in diesem Fall alle Buchstaben zwischen den identischen Buchstaben) zu vergessen. Sie machten
22 wesentlich weniger Fehler.

23 Auch einige andere Experimente bestätigen diese Ergebnisse. Die Wissenschaftler meinen, dass sich durch Multitasking unser
24 Denken verändert. Als „Multitasker" gewöhnen wir uns daran, Informationen anders aufzunehmen. Statt uns auf eine Aufgabe
25 zu konzentrieren, machen wir vieles gleichzeitig, können dabei aber nicht mehr so gut zwischen Wichtigem und weniger Wich-
26 tigem unterscheiden. Vielleicht sollten wir uns also doch wieder daran gewöhnen, Dinge hintereinander und nicht gleichzeitig
27 zu erledigen.

1. Was ist der Unterschied zwischen Multitasking früher und Multitasking heute?
2. Was mussten die Versuchspersonen bei dem im Text beschriebenen Experiment tun?
3. Welche unterschiedlichen Testergebnisse gab es zwischen „Multitaskern" und „Nicht-Multitaskern"?
4. Wie erklären die Wissenschaftler diese Unterschiede?

29 **Lies Roberts Bericht über ein Konzert und ordne die Überschriften (1-5) den Abschnitten (A-E) zu.**

1 Ort und Preise **2** Zum Schluss **3** Künstler **4** ~~Einleitung~~ **5** Atmosphäre

A *Einleitung*

In diesem Text berichte ich von einer Live-Veranstaltung, die ich vor Kurzem besucht habe. Die Veranstaltung war ein Benefiz-Konzert, bei dem mehrere Sänger und Bands gespielt und gesungen haben. Ein Teil des Geldes aus dem Kartenverkauf wurde für **a** .... gespendet.

B ____________

Das Konzert fand in der Wiener Stadthalle statt und war ausverkauft. Die Karten kosteten zwischen **b** .... und **c** .... Euro.

C ____________

Das Publikum war gemischt, es gab jüngere und ältere Fans. Zu Beginn gingen die Fans noch nicht richtig mit der Musik mit, doch dann wurde es besser. Außerdem gab es anfangs Probleme mit **d** .... Die Probleme konnten aber bald gelöst werden. Die Lichtregie und die Shows waren toll.

D ____________

Zu Beginn spielten drei Gruppen, die ich vorher noch nicht gekannt hatte. „Dread Circus" hat mir **e** .... gefallen. Dann kamen „Ich + Ich", und danach die Hauptgruppe „Söhne Mannheims". Sie präsentierten eine tolle Show, und das Publikum war begeistert. Die mehrstimmigen Lieder waren **f** .... Der Star des Abends war Xavier Naidoo. Bei seinen Liedern sangen alle im Publikum mit.

E ____________

Zusammenfassend bin ich sicher, dass das Konzert für alle Besucher ein tolles Erlebnis war. Es dauerte fast **g** .... Stunden. Man bekam also sehr viel Musik für den Preis seiner Eintrittskarte. Nicht alle Gruppen und Sänger waren aber gleich gut. Man kann das Konzert noch in einigen anderen europäischen Städten erleben. Wenn du einen oder zwei der Künstler im Programm gut findest, solltest du dir unbedingt Karten besorgen.

30 **Hör Roberts Erzählung und ergänze die fehlenden Informationen (a-g) in seinem Bericht in Übung 29.**

Strategie – Schreiben

Ein Bericht soll ein Ereignis möglichst klar und sachlich beschreiben. Er ist meist in mehrere Abschnitte unterteilt. Überschriften helfen dem Leser, die gesuchte Information zu finden. Am Ende steht oft eine Empfehlung, in der du deine persönliche Meinung sagen kannst.

- Versuche, Überschriften für die einzelnen Abschnitte zu finden. Sie helfen dir, deinen Text zu planen, und die Leser können deinen Bericht besser lesen.
- Lerne wichtige Wörter und Phrasen, die du in deinem Bericht verwenden kannst, **zum Beispiel**:
  In diesem Text berichte ich ...
  Das ist ein Bericht über ...
  Die Veranstaltung fand ... statt
  Zusammenfassend glaube ich ...
- Versuche, deine Informationen so sachlich wie möglich zu präsentieren. Deine persönliche Meinung solltest du erst am Schluss sagen.
- Am Ende solltest du positive und negative Punkte beschreiben. Du solltest aber nicht einfach wiederholen, was du vorher gesagt hast.

31 **Für ein Projekt soll jeder in der Klasse einen Bericht über eine Veranstaltung schreiben, die er oder sie besucht hat. Das kann ein Konzert, eine Theater- oder Tanzaufführung, ein Sportereignis, usw. sein. Geh in deinem Bericht (ca. 150 Wörter) auf folgende Punkte ein.**

- Ort • Kosten • positive und negative Punkte • Verbesserungsvorschläge
- Empfehlung, die Veranstaltung (nicht) zu besuchen

Lernwortschatz

Nomen

Jugend, die (Sg.)
Erziehung, die (Sg.)
Wirkung, die, -en
Darstellung, die, -en
Ticket, das, -s
Qualität, die, -en
Vorurteil, das, -e
Rollstuhl, der, ¨-e
Gesellschaft, die, -en
Hochschule, die, -n
Wohl, das (Sg.)
Geschmack, der, ¨-e
Hit, der, -s
Trend, der, -s
Nachfrage, die, -n
Haupt-
Galerie, die, -n
Instrument, das, -e
Orchester, das, –
Innenstadt, die, ¨-e
Plastik, das (Sg.)
Schmuck, der (Sg.)
Denkmal, das, ¨-er
Auftrag, der, ¨-e
Material, das, -ien
Kunststoff, der, -e
Werk, das, -e
Schild, das, -er
Verkehrszeichen, das, –
Gurt, der, -e
Kurve, die, -n
Fußgänger, der, –
Panne, die, -n
Umleitung, die, -en
Vorfahrt, die (Sg.)
Abschnitt, der, -e
Führerschein, der, -e
Picknick, das, -s
Gegend, die, -en
Lautsprecher, der, –
Serie, die, -n
Verkehr, der (Sg.)
Dialekt, der, -e
Liebe, die (Sg.)
Höhe, die, -n
Linie, die, -n
Nebel, der (Sg.)

Verben

erziehen
ausschließen
zusammenleben
veröffentlichen
hassen
kopieren
fassen
sich anschnallen
überholen
hupen
sich konzentrieren
abschleppen
sich verirren
überfahren
tanken
grillen
mischen
begründen

Adjektive

schwanger
behindert
grundsätzlich
kommerziell
bitter
privat
geeignet
üblich
vorläufig
endgültig
großzügig
künstlich
senkrecht

andere Wörter

entlang
solange

Wichtige Wendungen

über Musik und Kunst sprechen

Graffiti hat nichts mit Kunst zu tun.
Wir haben eine Theaterprobe.
Am Samstag ist die Aufführung.
Ich würde gern später einmal irgendetwas mit Kunst machen.
Wenn ich zeichne, kann ich total abschalten.

Alltagssprache
Jetzt geht's los!
Du kannst ganz ruhig bleiben.
Ich weiß nicht, ob das gut geht?
Ich habe es eilig.
Sind wir hier richtig? Ich glaube, wir haben uns verirrt.
Na fein, jetzt können wir uns abschleppen lassen.

Das kann ich jetzt ...

	... gut.	... mit Hilfe.	Das übe ich noch.
1 Wörter			
Ich kann zu den Themen sechs Wörter nennen:			
a Kunst und Kultur: *Galerie,*	○	○	○
b Verkehr: *Sicherheitsgurt,*	○	○	○
2 Sprechen			
a Über Behinderung sprechen: *Ich kenne jemanden, der ... Es ist für sie/ihn schwierig, ...*	○	○	○
b Über Musik und Kunst sprechen: *Bei Jazzmusik denke ich an ...* *Graffiti hat nichts mit Kunst zu tun.*	○	○	○
3 Lesen und Hören			
Die Texte verstehe ich:			
a Die Stimme → KB S. 107	○	○	○
b U-Musik aus Deutschland → KB S. 109	○	○	○
c Jan, Mona und Stefan → KB S. 110	○	○	○
d Musik beim Autofahren → KB S. 111	○	○	○
e Falco → KB S. 113	○	○	○
f Die Toten Hosen → KB S. 113	○	○	○
4 Schreiben			
Einen Text über Musik im eigenen Leben für einen Aufsatzwettbewerb.	○	○	○

Lektion **36**

Die Arbeit ist interessanter, als ich gedacht habe.

A Text

A2 **1 Was weißt du noch? Ordne zu und ergänze die Sätze.**

Bibel · ~~unterscheiden~~ · Sinn · berufstätig · Lohn · Pflicht · Gesellschaft

a Es ist nicht immer einfach,
b Die .... erzählt die Geschichte von Adam und Eva,
c Für viele Arbeiten bekommen
d Wenn Arbeit keinen Spaß macht, dann arbeiten wir trotzdem,
e Philosophen meinen,
f In unserer .... bestimmt unsere Arbeit sehr oft,
g Wenn man nicht .... ist,

1 die das Paradies verlassen und danach hart arbeiten mussten.
2 wer wir sind.
3 fühlt man sich in unserer Arbeitsgesellschaft oft ausgeschlossen.
4 weil wir eine .... erfüllen.
5 die Menschen in Deutschland keinen ....
6 dass Arbeit unserem Leben .... gibt.
7 Arbeit von anderen Tätigkeiten zu *unterscheiden*.

B Grammatik

Nebensätze mit *so ... dass;* Vergleichssätze mit *je ... desto*, *als* und *wie*.

B1 **2 Ordne die Nebensätze zu. Zu welchen Berufen (A-F) passen die Aussagen?**

A der Bankkaufmann **B** ~~der Chauffeur~~ **C** der Mechanikermeister **D** der Metzger **E** der Elektriker **F** der Bäcker

a [*B*] Er hat **so** lange im Auto gewartet,
b [ ] Seine Steaks und Leberwürste sind **so** beliebt,
c [ ] Er steht **so** früh auf,
d [ ] Er musste **so** viele Leitungen legen und Lampen montieren,
e [ ] Die Bremsen waren **so** schlecht,
f [ ] Er hatte **so** große Angst,

1 **dass** er das Auto noch einen Tag in der Werkstatt behalten musste.
2 **dass** er schließlich eingeschlafen ist.
3 **dass** er dem Mann mit dem Strumpf über dem Kopf das ganze Geld gab.
4 **dass** sie jedes Wochenende ausverkauft sind.
5 **dass** alle noch schlafen, wenn er schon den großen Backofen einschaltet.
6 **dass** er erst zwei Stunden später nach Hause kam.

B2 **3 Lies die Sätze (a-g) und ergänze jeweils die zwei richtigen Adjektive im Komparativ. Achtung: In jedem Satz passt ein Adjektiv nicht.**

a *(aufregend | ~~kompliziert~~ | schnell)* Je *komplizierter* eine Gebrauchsanleitung ist, desto .... landet sie im Mülleimer.
b *(oft | kurz | lang)* Je .... du deine Haare wachsen lässt, desto .... musst du sie kämmen.
c *(viel | hungrig | praktisch)* Je .... Reden gehalten werden, desto .... werden die Gäste.
d *(kühl | lang | weit)* Je .... wir hier im Schatten sitzen, desto .... wird es.

e *(einfach | höflich | viel)* Je .... wir beim Training schwitzen, desto .... wird es für uns im Wettkampf.

f *(faul | schnell | oft)* Je .... das Gras wächst, desto .... müssen wir mähen.

g *(einsam | vorsichtig | selten)* Je .... meine Großtante im Altenheim Besuch bekommt, desto .... fühlt sie sich.

B2 **4** **Profisport. Wie geht die Geschichte weiter? Lies den Text und ergänze die Wörter.**

Je älter er wurde, desto anstrengender fand er das Training.

a Je anstrengender er *das Training* fand, desto weniger trainierte er.

b Je .... *trainierte*, desto schlechter spielte er.

c Je ...., desto unzufriedener wurden die Fans.

d ...., desto seltener ließ ihn der Trainer spielen.

e .... er spielte, ... öfter bekam ein junger Spieler seine Chance.

f ...., ... wichtiger wurde dieser junge Spieler für die Mannschaft. Doch je älter der junge Spieler wurde, desto anstrengender ...

Aussprache

5 **Hör zu und ergänze zuerst die Wörter. Hör dann noch einmal und ergänze die Satzzeichen (, / .) und die Großschreibung am Anfang eines neuen Satzes.** 2 25

Je genauer ich weiß, *was* mich wirklich interessiert .... leichter wird es sein den richtigen Job .... finden .... ist .... schön eine interessante Arbeit .... haben wichtiger .... ist .... möglichst viel Geld .... verdienen in dem Beruf .... mir gefällt möchte ich .... in einem Büro sitzen .... in einem Geschäft stehen müssen ich möchte in meinem Beruf .... selbstständig arbeiten können .... ich zur Arbeit kommen kann .... ich möchte .... einen sicheren Job .... haben .... mit netten Arbeitskollegen zusammenarbeiten .... können muss toll sein

6 **Welcher Aussage in Übung 5 stimmst du zu ✔, welcher Aussage stimmst du nicht zu —? Markiere nach jedem Satz.**

7 **Hör noch einmal und ergänze dann in Übung 5 die Betonung und die Pausen || wie im Beispiel.** 2 26

Je genauer ich weiß, || *was* mich wirklich interessiert, || *desto* leichter wird es sein, || den richtigen Job *zu* finden.

8 **Hör die Sätze noch einmal und sprich sie nach.** 2 27

B3 **(9) Komparativ + *als* oder *so* + Adjektiv + *wie*? Ergänze die Sätze (a-f) und ordne ihnen die Bilder (1-6) zu.**

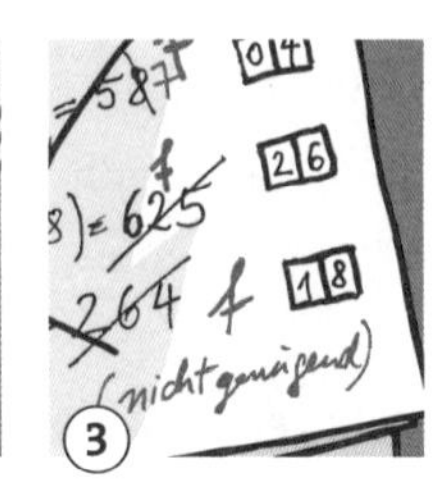

a [6] Das Kabel ist nur fünf Meter lang. Es ist *(kurz)* kürzer, als man mir im Geschäft gesagt hat.

b [ ] Es regnet. Das Wetter ist *(schlecht)* ...., ... der Wetterbericht vorausgesagt hat.

c [ ] Ich wollte den Film eigentlich gar nicht sehen. Er war aber *(gut)* ...., ... ich gedacht habe.

d [ ] Ich habe 45 € bezahlt. Die Lampe hat *(wenig)* .... gekostet, ... in der Zeitungsanzeige gestanden hat.

e [ ] Ich hatte kein gutes Gefühl, weil ich wenig gelernt hatte. Mein Test war dann auch *(schlecht)* ...., ... ich gedacht habe.

f [ ] Ich habe mehr als eine halbe Stunde für den Pudding gebraucht. Das Kochen war *(kompliziert)* ...., ... es im Rezept beschrieben war.

B3 **(10) Sag es anders. Verbinde die Sätze mit Komparativ + *als* oder *so* + Adjektiv + *wie*.**

a Er hat mir gesagt, dass er um sechs kommt. Er war aber erst um sieben da.

Er ist später gekommen, als er gesagt hat.

b Mein kleiner Bruder ist einfach in den zwei Meter tiefen Pool gesprungen. Er hat gedacht, dass das Wasser nicht tief ist.

Das Wasser im Pool war ...

c Ich habe nur 15 Bonbons gezählt. Auf der Packung steht aber, dass 20 Bonbons in der Schachtel sein sollten.

In der Schachtel sind ...

d Ich habe gehofft, dass das Konzert toll wird, und das war es dann auch.

Das Konzert war ...

e Alle meinen, dass der neue Mathelehrer gar nicht streng ist. Das finde ich nicht.

Ich finde, dass der neue Mathelehrer ...

f Meine Eltern sagen, dass es in Jakobs Zimmer sehr unordentlich aussieht, und das stimmt auch.

Im Zimmer meines Bruders sieht es ...

Wortschatz

Arbeitssuche, Bewerbung

C **11** **Lies die Liste mit freien Stellen aus dem Internet und Carolines Bewerbungsschreiben. Für welche Stelle bewirbt sie sich? Möchte sie Teilzeit oder Vollzeit arbeiten? Unterstreiche die Antworten im Text.**

www.einen-job-finden.de

Ergebnisse

Gesucht	Von wem?	Details
Friseur/Friseurin	Sonjas Stylingstudio	→
Kellner/in	Restaurant Murhof	→
Erzieher/in	Kindergarten Westend	→
Sicherheitsbeauftragter/e	Diskothek Nachtschicht	→
Verkäufer/in	Sporthandlung Berger	→
Altenpfleger/in	Caritas	→
Ingenieur/in Informatiker/in	Metallbau Kern	→

a ☐ Caroline Hofer
Mörikegasse 16
69115 Heidelberg
Tel: 06221/63289102
caroline.hofer@edv.de

b ☐ An den
Kindergarten Westend
Kirchenstraße 24
69237 Heidelberg

Bewerbung als Erzieherin

c ☐ Heidelberg, 16. April 20..

d ☐ Sehr geehrte Damen und Herren,

e ☐ ich habe Ihre Anzeige in der Zeitung gelesen und möchte mich für die Stelle in Ihrem Kindergarten bewerben. Ich denke, dass ich aus mehreren Gründen sehr gut dafür geeignet bin.

f ☐ Wie Sie meinen Unterlagen entnehmen können, habe ich selbst zwei jüngere Geschwister. Ich bin es also gewohnt, mit kleinen Kindern umzugehen und Verantwortung zu übernehmen. Ich bin kontaktfreudig und kommunikativ, und es fällt mir leicht, das Vertrauen von Kindern zu gewinnen. Deshalb hatte ich schon sehr früh den Wunsch, auch in meinem Beruf mit Kindern zu arbeiten.

g ☐ Ich bin für die Stelle sehr gut qualifiziert. Nach der Realschule habe ich eine fünfjährige Ausbildung zur Erzieherin begonnen, die ich im letzten Jahr abgeschlossen habe. Während der Ausbildung konnte ich im Berufspraktikum in einem Kindergarten praktische Erfahrungen sammeln.
Im Sommer habe ich zweimal als Betreuerin in einem Kinderlager in Kroatien gearbeitet. Außerdem habe ich als Babysitterin und Nachhilfelehrerin Geld verdient. Ich spiele Gitarre und Klavier, was mir bei der Arbeit in den Kinderlagern sehr geholfen hat.

Ich freue mich darauf, in einem Team von erfahrenen Kolleginnen und Kollegen zu arbeiten. Ich bin sicher, dass ich dabei viel lernen und meine Fähigkeiten weiterentwickeln kann. Ich würde gern ganztags arbeiten und bin auch bereit, Überstunden zu machen.

h ☐ Ich bin über E-Mail oder telefonisch jederzeit erreichbar und würde mich über die Einladung zu einem Vorstellungsgespräch sehr freuen.

i ☐ Mit freundlichen Grüßen
Caroline Hofer

j ☐ Anlagen:
Lebenslauf
Zeugnisse (Mittlere Reife, Abschlusszeugnis der Fachschule für Sozialpädagogik, Praktikumszeugnis)
Empfehlungsschreiben (Kinderlager Savudrija, Kroatien)

C **12** **Lies das Bewerbungsschreiben in Übung 11 noch einmal und ordne die Fragen (1-10) den Textstellen (a-j) zu.**

1 Wo erklärt Caroline, warum sie sich für diesen Beruf interessiert?
2 Wo erklärt Caroline, warum sie ihren Brief schreibt?
3 Wo steht die Adresse der Personen, die den Brief bekommen?
4 Wo stehen Carolines Name und Adresse?
5 Wo beschreibt sie ihre Ausbildung und ihre beruflichen Qualifikationen?
6 Wie spricht Caroline die Personen an, die ihr Schreiben lesen werden?
7 Wie beendet sie ihren Brief?
8 Wo steht, welche Anlagen Caroline mitschickt?
9 Wo steht das Datum?
10 Wo beschreibt Caroline, wie sie erreichbar ist?

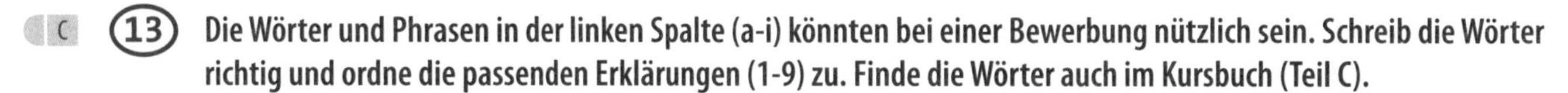
C **13** **Die Wörter und Phrasen in der linken Spalte (a-i) könnten bei einer Bewerbung nützlich sein. Schreib die Wörter richtig und ordne die passenden Erklärungen (1-9) zu. Finde die Wörter auch im Kursbuch (Teil C).**

a Ich spreche FLßDENIE Italienisch.
b WTEUNGRBILEID ist für mich sehr wichtig.
c Ich bin EVRZUSIGLÄS.
d Ich würde gern über mein GAHLTE sprechen.
e Ich bringe alle meine DEKUNOMTE mit, dann können Sie sich selbst ein Urteil über meine Qualifikationen machen.
f Ich mache auch SHCICTHARBEIT.
g Ich habe gelesen, dass Sie einen Ingenieur SLENTELEIN möchten.
h Ich habe den Kurs mit einem PODILM abgeschlossen.
i Ich habe in der SOMMERSONSAI im Alpenrestaurant gearbeitet.

1 Ich bin bereit, sowohl am Tag als auch in der Nacht zu arbeiten.
2 Ich möchte Kurse machen, bei denen ich etwas für meine Arbeit dazulerne.
3 Man kann sich auf mich verlassen.
4 Ich habe den Kurs mit einem Zeugnis beendet.
5 Ich kann sehr gut Italienisch sprechen.
6 Ich habe gelesen, dass Sie einen Ingenieur suchen.
7 Ich habe von Mitte Juni bis Mitte September im Alpenrestaurant gearbeitet.
8 Ich bringe alle meine Papiere mit, dann können Sie meine Qualifikationen prüfen.
9 Ich würde gern wissen, welchen Lohn Ihre Firma bieten kann.

a fließend, b ...

C **14** **Wähl einen Beruf aus der Liste in Übung 11 aus, oder entscheide dich für einen anderen Beruf. Schreib dann ein Bewerbungsschreiben. Unterstreiche zuerst in Carolines Schreiben wichtige Wörter und Phrasen, die du für deinen Text verwenden kannst wie im Beispiel. Verwende auch Wörter und Phrasen aus Übung 13.**

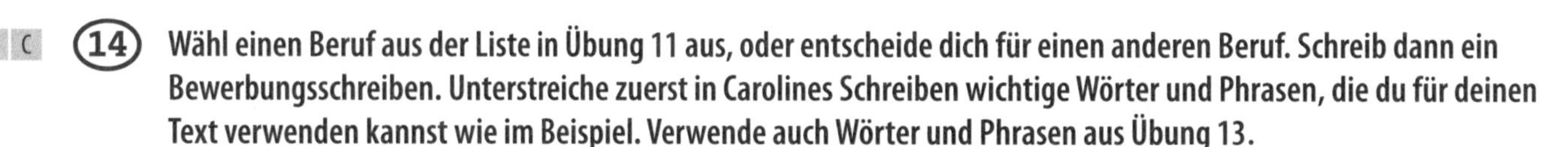
... ich habe Ihre Anzeige in der Zeitung gelesen und möchte mich für die Stelle in Ihrem Kindergarten bewerben. Ich denke, dass ich aus mehreren Gründen sehr gut dafür geeignet bin.

D Hören: Alltagssprache

D2 **15** **Was weißt du noch? Lies die Zusammenfassung und streich die Wörter durch, die falsch sind.**

Tamara ~~hat ihr Praktikum begonnen und~~ sucht einen Job. Sophie erzählt ihr, dass Markus mit einem Freund und einer Freundin eine Firma gegründet hat. Er arbeitet nur am Wochenende sehr viel und kann nicht mehr so oft auf Partys gehen wie früher. Tamara geht jeden Tag auf eine Party und kann das nicht verstehen. Sie ist Reiseführerin und am glücklichsten, wenn sie mit Freunden zusammen ist. Sophie ist das zu langweilig. Sie sieht jeden Tag viel fern und spielt am liebsten Basketball. Wenn sie viel ferngesehen und trainiert hat, fühlt sie sich richtig gut. Sophie meint, Tamara könnte später den Busführerschein machen und für ein Reisebüro arbeiten. Tamara schlägt Sophie vor, Sportlehrerin oder Sportjournalistin zu werden. Doch Sophie möchte lieber nicht selbstständig arbeiten, so wie Markus.

D2 **16** **Ordne zu und ergänze den Dialog.**

Sie war fix ...	... bei dir
Mit dem Sport ...	... von ihr gehört
wie läuft's ...	... und fertig
Schon lange nichts ...	... ist's vorbei
Für mich wäre ...	... das nichts

Badminton

Ben: Hallo Klara, **a** ....?
Klara: Nicht so gut, ich bin gerade auf Jobsuche und finde nichts Passendes.
Ben: Dann geht's dir so wie meiner Schwester.
Klara: Laura? Wie geht's ihr denn? **b** .... Spielt sie noch Badminton?
Ben: **c** .... Sie hatte in der letzten Saison eine Verletzung.
Klara: Beim Badminton kann man sich verletzen?
Ben: Ja, das ist gefährlicher, als man denkt. **d** *Sie war fix und fertig*. Der Sport war sehr wichtig für sie.
Klara: **e** ...., nur trainieren. Und dann die Verletzungen, ... sogar beim Badminton!

E Grammatik

Komparativ mit Adjektivendung, Nomen und Verben mit Präpositionen

E1 **17** **Schreib die Komparative (1-6). Ergänze dann die Dialoge (a-f) mit den passenden Komparativen.**

1 lang ....
2 gut *besser*
3 spannend ....
4 leise ....
5 groß ....
6 hübsch ....

a ⊙ Ich denke, wir sollten Mario in unser Fußballteam holen.
◆ Ich bin für Julian, er ist der *bessere* Fußballer.

b ⊙ Schau, dort drüben ist Harald.
◆ Das ist Harald? Der hatte doch früher .... Haare.

c ⊙ Im Parkkino spielen sie „Wie im Himmel". Wie wär's damit?
◆ Nein danke, können wir nicht (Akk.) einen .... Film sehen?

d ⊙ Wo ist denn das alte kleine Schwimmbad, da ist nur eine Baustelle.
◆ Sie bauen ein .... Schwimmbad.

e ⊙ Schau, die finde ich hübsch.
◆ Ja, aber dort drüben habe ich eine viel .... Bluse gesehen.

f ⊙ Die Band ist viel zu laut.
◆ Stimmt, gehen wir ins Café Mona, da spielen sie .... Musik.

E1 **18** **Hör zu und schreib Sätze mit *hatte* oder *hat* und dem Komparativ wie im Beispiel.** 2 28

a *(Ferien – schön)* *Mark hatte schönere Ferien als Sandra.*
b *(Arbeitszeiten – lange)* *Sandra hatte ...*
c *(Roller – teuer)* *Sandras ...*
d *(Schwester – jung)* *Marks ...*
e *(Zimmer – klein)* *Sandras ...*
f *(Prüfungen – hart)* *Mark hat jetzt ...* .... *als in der Schule.*

E2 **19** **Nomen und Verben mit Präpositionen. Ergänze die Schlagzeilen und die Fragen dazu.**

a **Kaum Interesse für Politik** — Wer *interessiert* sich kaum *für* Politik?

b .... **großen Geld** — Wer träumt vom großen Geld?

c **Beschwerden über Mülldeponie** — Wer .... sich .... die Mülldeponie?

d **Einigung über EKZ schon heute?** — Wer .... sich .... das neue Einkaufszentrum?

e .... **Schulreform** — Wer ist mit der Schulreform zufrieden?

f **Furcht vor neuem Erdbeben** — Wo .... man sich .... einem neuen Erdbeben?

E2 **20** **Finde die Nomen oder Verben und ergänze dann die Sätze. Finde mithilfe der Sätze auch die richtigen Präpositionen. Welche Erfahrungen wecken bei Jan und Sandra angenehme Gefühle ☺, welche unangenehme ☹? Zeichne Smileys.**

	Nomen	Verb	Präp.		
a	der Gedanke	*denken*	*an*	Jan *denkt* an den Test am nächsten Tag, er hatte nicht genug Zeit zum Lernen.	
b	die Frage	....	....	Jans Mannschaft hat das letzte Spiel gewonnen, doch niemand .... ihn nach dem Ergebnis.	
c	....	sich entschuldigen	.... *für*	Miro .... sich bei Jan für die Beleidigung beim letzten Spiel.	
d	die Verabredung	sich	....	Sandra freut sich wirklich auf die .... mit Jan.	
e	das Gespräch	....	....	Die ewig langen .... über Fußball findet sie aber nicht so toll.	
f	....	diskutieren	....	Sandra hasst die ständige .... über ihre Frisur.	
g	....	sich bemühen	....	Sandras .... um einen Praktikumsplatz waren erfolgreich.	
h	die Sorge	sich	....	Bello ist schon drei Tage nicht nach Hause gekommen. Sandra .... sich um ihren Hund.	

E2 **21** **Was macht dich glücklich ☺, was macht dich unglücklich ☹, was ist dir egal 😐? Zeichne Smileys. Unterstreiche dann die Nomen und finde eigene Beispiele.**

a Gedanken an mein Lieblingsurlaubsland ☺
b Diskussionen über Schulnoten
c Fragen nach meinem Lieblingslied
d eine Entschuldigung fürs Zuspätkommen
e die Lust auf Eiscreme
f eine Warnung vor Taschendieben
g Bemühungen um Konzertkarten
h der Ärger über schlechtes Essen
i die Sorge um einen kranken Freund
j die Enttäuschung über ein schlechtes Fußballspiel
k die Verabredung mit einem Freund aus der Grundschule
l meine Angst vor Spinnen
m die Erinnerung an den ersten Schultag
n die Freude über längere Ferien
o ein Gespräch über moderne Kunst

Gespräche über Mode ☹ ...

E2 **22** **Schreib sechs Sätze mit den Ideen aus Übung 21.**

1 ☺ Ich fühle mich gut, wenn *ich an mein Lieblingsurlaubsland denke.*

2 ☹ Ich fühle mich schlecht, wenn ...

3 😐 Es ist mir egal, wenn ...

Finale: Fertigkeitentraining

23 **Das große „Ideen"-Lesequiz.**
Lies die Ausschnitte aus den Lesetexten und beantworte die Fragen.

a Das erste „Wort", das Washoe lernte, war nicht „Mama" oder „Papa" wie bei einem Menschenkind, sondern das Zeichen für „mehr". ... In den nächsten Jahren lernte Washoe mehr als zweihundert weitere Zeichen: Zeichen für Gegenstände und Aktivitäten, aber auch Zeichen für Abstraktes wie Farben oder Formen.

Wer war Washoe?

Was lernte Washoe von ihren Pflegern?

→ L25, A2

b Frau Berger ist in einer Bäckerei und möchte ihre Einkäufe bezahlen. Während sie nach ihrem Geldbeutel sucht, nimmt der Verkäufer ein Brötchen aus ihrer Einkaufstüte und beginnt zu essen. ...

Wie reagiert Frau Berger?

Warum verhält sich der Verkäufer so seltsam?

→ L26, F1

c Manchmal verrät er sogar einen seiner Tricks: In einer Fernsehshow forderte er das Publikum auf, an einen Gegenstand zu denken und ihn auf ein Blatt Papier zu zeichnen. Mühelos erriet Horeth danach, woran seine Zuschauer gedacht hatten: Es war eine Zahnbürste.

Was ist Manuel Horeth von Beruf?

Wie konnte er erraten, woran die Zuschauer gedacht hatten?

L27, A2 →

d Monise Tiseni ist Taxifahrer von Beruf. Sehr weit kann Monise seine Fahrgäste allerdings nicht transportieren. Er lebt in Tuvalu, einem Inselstaat im Pazifik, und die längste Straße auf Monises Heimatinsel ist nur acht Kilometer lang.

Warum muss Monise Tiseni vielleicht bald seine Heimatinsel verlassen?

L28, A2 →

e Nun stand Selina vor der Wohnungstür und klingelte. Ihr Herz schlug bis zum Hals. War es dumm von ihr gewesen, in den Zug zu steigen und die siebzig Kilometer von Bremen nach Bremerhaven zu fahren? Vielleicht hatte Milan sie schon längst vergessen.

Warum ist Selina nach Bremerhaven gefahren?

Was erlebt Selina bei ihrem Besuch in Bremerhaven?

L29, A1 →

f Wenn Veith Bayer auf seinem Feld arbeitete, gingen ihm immer wieder dieselben Fragen durch den Kopf: „Warum können wir nicht in Frieden leben? Wer ist schuld an unserem Unglück? Wer ist schuld an all den täglichen Katastrophen?"

An welche Katastrophen denkt Veith Bayer?

Wer wird im Wirtshaus für das Unglück der Menschen verantwortlich gemacht?

L30, A →

g Einige Tage später wurden die „Gefangenen" von der Polizei verhaftet. Sie wurden in einen Raum im Keller der Universität gebracht, den man als „Gefängnis" umgebaut hatte.

Warum wurden die „Gefangenen" nicht in ein richtiges Gefängnis gebracht?

L31, A →

h Im südamerikanischen Amazonasgebiet lebt beispielsweise der Indianerstamm der Yanomami. Die Yanomami besitzen wertvolles Wissen über mehr als 500 verschiedene Arten von Pflanzen. Sie verwenden sie sowohl als Nahrungsmittel, als auch zum Hausbau oder als Medizin.

Warum könnte das Wissen der Yanomami verloren gehen?

Wie und von wem werden die Yanomami unterstützt?

L32, A3 →

i Der US-amerikanische Ausnahmeathlet Jesse Owens hat im 100-Meter-Lauf schon eine Goldmedaille gewonnen und gehört auch im Weitsprung zu den Favoriten. Doch es scheint, als ob ihn das Glück verlassen hätte.

Wer half Jesse Owens in dieser Situation?

Warum war diese Hilfe mutig?

L33, F1 →

j Wenn der Meeresspiegel durch den Klimawandel steigt, werden viele Menschen ihre Wohnungen und Häuser verlieren. Für diese Menschen müssen Alternativen gefunden werden.

Welche Alternative schlägt der belgische Architekt Vincent Callebaut vor?

L34, A →

k In seiner Lehrtätigkeit steht das Wohl seiner Studenten für Thomas Quasthoff im Mittelpunkt. ... Er weiß, was seine Schüler im Musikgeschäft erwartet. Er selbst hat in dieser meist von kommerziellen Interessen beherrschten Welt alle Prüfungen bestanden. Und diese Prüfungen waren für ihn härter als für die meisten seiner musizierenden Kollegen.

Warum war es für Thomas Quasthoff besonders schwierig, Karriere zu machen?

L35, A2 →

l Vor einigen Jahren machten Gehirnforscher eine spannende Entdeckung. Sie gaben Ratten die Möglichkeit, eine bestimmte Stelle ihres Gehirns zu stimulieren, indem sie auf eine Taste in ihrem Käfig drückten. Das war offensichtlich so angenehm für die Tiere, dass sie alles andere rund um sich vergaßen und mehr als tausendmal pro Stunde diese Taste antippten.

Was haben die Gehirnforscher bei ihrem Experiment entdeckt?

Wie kann man lernen, glücklich zu sein?

L36, F1 →

24 Das große „Ideen"-Hörquiz.

Hör die Teile aus den Hörtexten des Kursbuchs noch einmal und beantworte die Fragen.

Weißt du die Antwort nicht? Dann such sie in den D-Teilen des Kursbuchs.

a Warum ist Ben überrascht, dass Frau Dr. Lehnhardt ihren Hund frei laufen lässt? .... → L25, D

b Warum musste Lisa den Film alleine ansehen? .... → L26, D2

c Warum muss Tom am Abend babysitten? .... → L27, D

d Warum hat sich Ruth die Nase angestoßen? .... → L28, D2

e Warum soll Anna nach Duisburg ziehen? .... → L29, D

f Ist die Situation auf dem Video möglich? .... → L30, D

g Was ist Fabian passiert, und wie will Lena ihm helfen? .... → L31, D2

h Wie reagiert Thomas? .... → L32, D2

i Wohin sind Kevin und Sanja nach der Party gegangen? .... → L33, D2

j Warum dürfen Daniel und Tina den Proberaum nicht mehr benutzen? .... → L34, D2

k Warum haben die Jugendlichen eine Autopanne? .... → L35, D2

l Was macht Markus beruflich? .... → L36, D2

25 Lies Angelikas E-Mail. Was hat sich an Angelikas Wohnsituation geändert? Wie denkt Angelika über die Entscheidung ihrer Schwester Martina?

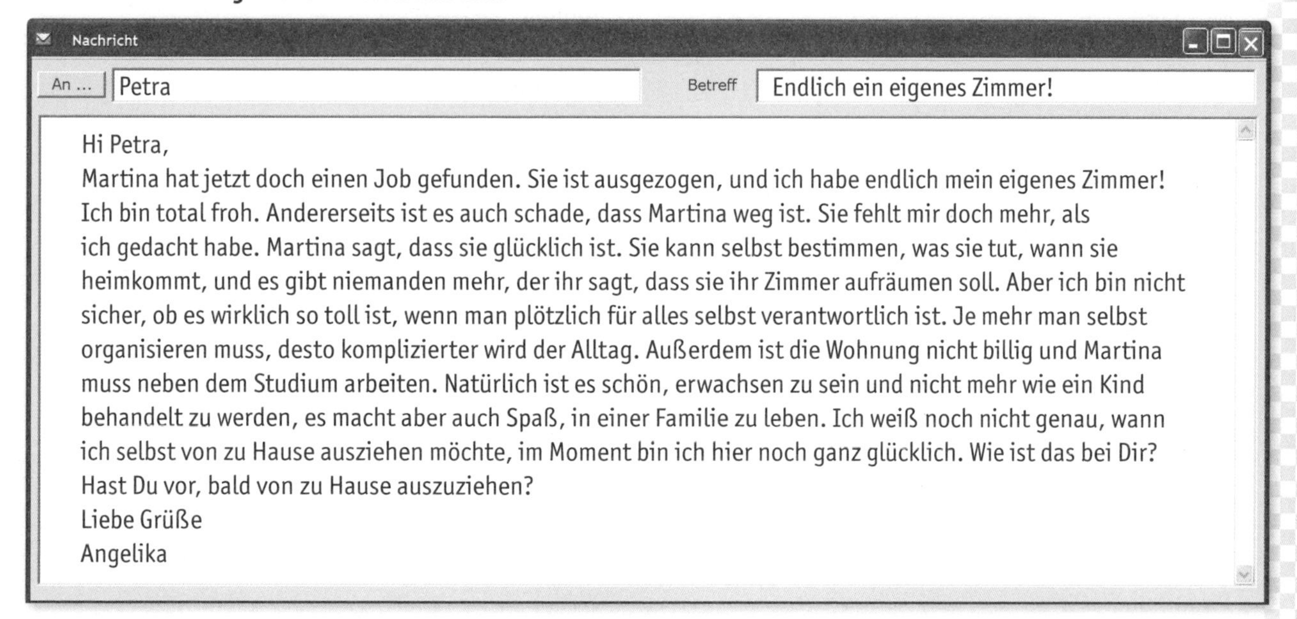
Nachricht

An ... Petra

Betreff: Endlich ein eigenes Zimmer!

Hi Petra,
Martina hat jetzt doch einen Job gefunden. Sie ist ausgezogen, und ich habe endlich mein eigenes Zimmer! Ich bin total froh. Andererseits ist es auch schade, dass Martina weg ist. Sie fehlt mir doch mehr, als ich gedacht habe. Martina sagt, dass sie glücklich ist. Sie kann selbst bestimmen, was sie tut, wann sie heimkommt, und es gibt niemanden mehr, der ihr sagt, dass sie ihr Zimmer aufräumen soll. Aber ich bin nicht sicher, ob es wirklich so toll ist, wenn man plötzlich für alles selbst verantwortlich ist. Je mehr man selbst organisieren muss, desto komplizierter wird der Alltag. Außerdem ist die Wohnung nicht billig und Martina muss neben dem Studium arbeiten. Natürlich ist es schön, erwachsen zu sein und nicht mehr wie ein Kind behandelt zu werden, es macht aber auch Spaß, in einer Familie zu leben. Ich weiß noch nicht genau, wann ich selbst von zu Hause ausziehen möchte, im Moment bin ich hier noch ganz glücklich. Wie ist das bei Dir? Hast Du vor, bald von zu Hause auszuziehen?
Liebe Grüße
Angelika

26 Schreib eine Antwort und gehe auf folgende Punkte ein.

- Was ist deine Meinung zu Angelikas Situation?
- Was ist deine Meinung zu Martinas Situation?
- Wie wichtig ist es für dich persönlich, selbstständig zu leben?
- Wie wichtig ist die Familie für dich?
- Wie möchtest du in Zukunft wohnen und leben?

Lernwortschatz

* Modul Plus

Nomen

Gottesdienst, der, -e
Umkleidekabine, die, -n
Kostüm, das, -e
Puppe, die, -n
Föhn, der, -e
Rede, die, -n
Waschmittel, das, –
Altenheim, das, -e
Schatten, der, –
Kamin, der, -e
Rasen, der, –
Gras, das, ¨-er
Angehörige, der/die, -n
Rente, die, -n
Pflicht, die, -en
Bibel, die, -n
Haushalt, der, -e
Betrieb, der, -e
Schuss, der, ¨-e
Zitrone, die, -n
Pudding, der, -s
Lohn, der, ¨-e
Metzger, der, –
Installateur, der, -e
Mechaniker, der, –
Elektriker, der, –
Kabel, das, –
Meister, der, –
Gehalt, das, ¨-er
Fachhochschule, die, -n
Bewerbung, die, -en
(Arbeits-)Stelle, die, -n
Studium, das, -ien
Arbeitnehmer, der, –
Saison, die, -en
Urteil, das, -e
Dokument, das, -e
Diplom, das, -e
Schicht, die, -en
Weiterbildung, die, -en
Stimmung, die, -en
Praktikum, das, -a
Reisebüro, das, -s
Bericht, der, -e
Taste, die, -n
Verfahren, das, –
Kenntnisse, die (Pl.)
* Österreicher, der, –
Umgebung, die, -en
Start, der, -s
Haken, der, –
Club, der, -s
Stufe, die, -n
Tuch, das, ¨-er
Werkstatt, die, ¨-en
Tradition, die, -en
Wissenschaft, die, -en
Forschung, die, -en
Abgas, das, -e

Verben

beten
anprobieren
kämmen
schwitzen
schießen
unterscheiden
kündigen
einschlafen
sich lohnen
einstellen
abschließen
verpassen
blühen
entlassen
(an)tippen
berühren
* (sich) binden

Adjektive

ausgezeichnet
wesentlich
berufstätig
gering
fließend
momentan
zuverlässig
(un)günstig
preiswert
fett
lecker
passiv
* zäh
reif
schick
roh
blass
bleich

andere Wörter

mittler- ....

je ... desto ....

gegenüber ....

genauso ....

Wichtige Wendungen

ein Bewerbungsgespräch führen

Ich war als ... bei ... tätig.

Ich arbeite gern selbstständig.

Ich würde gern Teilzeit/Vollzeit arbeiten.

Alltagssprache

Wie läuft's bei dir? – Na ja, könnte besser gehen.

Schon lange nichts von ihr gehört.

Mit dem Sport ist's vorbei.

Für mich wäre das nichts, nur arbeiten.

Ich bin fix und fertig.

Das kann ich jetzt ...

	... gut.	... mit Hilfe.	Das übe ich noch.

1 Wörter

Ich kann zu den Themen sechs Wörter nennen:

	... gut.	... mit Hilfe.	Das übe ich noch.
a Arbeitssuche, Bewerbung: *Gehalt,*	○	○	○
b Nomen und Verben mit Präposition: *Zufriedenheit mit / zufrieden sein mit, ...*	○	○	○

2 Sprechen

	... gut.	... mit Hilfe.	Das übe ich noch.
a Über Berufswünsche sprechen:	○	○	○

Was ist für dich in deinem zukünftigen Beruf wichtig?
Ein gutes Gehalt ist sehr wichtig.

	... gut.	... mit Hilfe.	Das übe ich noch.
b Ein Bewerbungsgespräch führen:	○	○	○

Warum haben Sie sich für die Stelle bei uns beworben? Ich habe gelesen, dass ...
Welche Berufserfahrungen haben Sie denn schon gemacht? Ich war als ... bei ... tätig.

3 Lesen und Hören

Die Texte verstehe ich:

	... gut.	... mit Hilfe.	Das übe ich noch.
a Was ist Arbeit? → KB S. 115	○	○	○
b Was willst du werden? → KB S. 117	○	○	○
c Die Bewerbung → KB S. 118	○	○	○
d Ein schöner Gedanke ... → KB S. 119	○	○	○
e Überschriften → KB S. 120	○	○	○
f Glücklichsein kann man lernen ... → KB S. 121	○	○	○

4 Schreiben

	... gut.	... mit Hilfe.	Das übe ich noch.
Eine E-Mail über Erfahrungen in der Arbeitswelt.	○	○	○

Test: Modul 9

Grammatik

Punkte

1 Schreib Sätze wie im Beispiel. Verwende *wenn* und den Konjunktiv II der Vergangenheit.

a Ich habe meinen Regenschirm vergessen und bin nass geworden.
Wenn ich meinen Regenschirm nicht vergessen hätte, wäre ich nicht nass geworden.

b Jan hat zu wenig gelernt und hat die Prüfung nicht geschafft.
....

c Meine kleine Schwester hat so viel Eiscreme gegessen, dass sie Bauchschmerzen bekommen hat.
....

d Veronika hat Fabian auf einer Party kennengelernt, und sie haben sich verlobt.
....

① |3

2 Ergänze die richtige Form des Futurs und ordne die passende Bedeutung (A-E) zu.

A Vorhersage **B** ~~Versprechen~~ **C** Warnung/Drohung **D** Vorsatz **E** Vermutung

a Macht euch keine Sorgen. Wir *(anrufen)* *werden* jeden Tag *anrufen*. [B]

b Wenn ihr die Musik nicht leiser stellt, *(rufen)* .... wir die Polizei .... [ ]

c In 50 Jahren *(geben)* .... es keine Autos mehr ...., die mit Benzin fahren. [ ]

d Renate ist vor zwei Stunden weggefahren, sie *(sein)* .... wohl schon bei ihrer Tante .... [ ]

e Nächstes Jahr *(treiben)* .... ich mehr Sport .... [ ]

② |4

3 *bis, seit, sobald* oder *solange*? Unterstreiche die richtigen Konjunktionen.

a Ich kenne Mario, seit | bis | sobald er ein Kind war.

b Bis | Sobald | Solange wir mit dem Kochen fertig sind, können wir essen.

c Bis | Solange | Seit die Sonne scheint, sollten wir noch hier im Freien bleiben.

d Seit | Bis | Solange der Zug abfährt, dauert es noch eine Viertelstunde.

e Es ist jetzt schon eine Stunde vergangen, bis | seit | solange wir den Pannendienst angerufen haben.

③ |4

4 Ergänze die passenden Adjektive im Komparativ oder Superlativ mit der richtigen Endung.

✪ klug ✪ billig ✪ klein ✪ ~~kompliziert~~ ✪ streng ✪

a Das ist eine *kompliziertere* Reparatur, als du denkst. Du musst dein Moped in die Werkstatt bringen.

b Marianne hat ein .... Zimmer als ihr Bruder.

c Rollo ist nicht besonders intelligent, trotzdem ist er ein .... Hund als Sabrinas Rex.

d Wie viel kostet das .... Handy, das Sie haben? Ich habe nicht viel Geld.

e Volleyball macht gar keinen Spaß mehr. Wir haben jetzt einen viel .... Trainer als früher.

④ |4

Wortschatz

Punkte

(5) Ergänze die richtigen Wörter.

Patient

✪ hustet ✪ Grippe ✪ ~~erkältet~~ ✪ ✪ erbrochen ✪ Knies ✪

a Frau Huber hat sich *erkältet* und ....

b Max hat etwas Schlechtes gegessen und ....

c Katrin hat eine Schnittwunde oberhalb des ....

d Herr Lechner hat Angst vor einer ....

Arzt

✪ impft ✪ Magenschmerzen ✪ verschreibt ✪ ✪ Lunge ✪ Hustentropfen ✪ näht ✪

1 Der Arzt röntgt die .... und verschreibt ....

2 Der Arzt .... ein Medikament gegen ....

3 Der Arzt .... die Wunde.

4 Der Arzt .... ihn gegen Grippe.

(5) | 10

(6) Ergänze die richtigen Wörter.

✪ BEIT-SCHICHT-AR ✪ HALT-GE ✪ TE-KU-MEN-DO ✪ ✪ BE-BEN-WER ✪ ~~STEL-EIN-LEN~~ ✪ ZEIT-TEIL ✪

a einer Person Arbeit geben ≈ jmdn. *einstellen*

b sagen oder schreiben, dass man sich für eine Stelle interessiert ≈ sich um eine Stelle ....

c ein Teil der Arbeiter arbeitet am Vormittag, ein Teil am Nachmittag ≈ die ....

d Geld, das man für seine Arbeit bekommt ≈ das ....

e weniger als 100% der Zeit arbeiten ≈ .... arbeiten

f Zeugnisse und andere wichtige Unterlagen ≈ (Pl.) ....

(6) | 5

Alltagssprache

(7) Ergänze die Dialoge.

A wir haben es eilig.
B ~~das ist nicht mein Geschmack.~~
C Es reicht mir,
D wir haben uns verirrt.
E Für mich wäre das nichts,

a ⊙ Kommst du mit? Wir möchten einen Kung-Fu-Film sehen.
◆ Nein danke, [*B*]

b ● [ ] ich habe dir hundertmal gesagt, dass du dein Moped nicht vor meiner Garage parken sollst.

c ⊙ Nina macht einen Kletterkurs.
◆ [ ] das wäre mir zu gefährlich.

d ● Sind wir hier wirklich richtig? Ich denke, [ ]

e ⊙ Komm doch, [ ] Der Zug fährt in fünf Minuten ab.

(7) | 4

Grammatik	Wortschatz	Phrasen	Wie gut bist du schon?
13-15	13-15	4	☺
8-12	8-12	3	😐
0-7	0-7	0-2	☹

Gesamt | 34

Verben mit Präpositionen aus *Ideen 1 bis 3*

abhängen von + Dat.
abstimmen über + Akk.
achten auf + Akk.
sich amüsieren über + Akk.
anfangen mit + Dat.
(jmdm.) antworten auf + Akk.
appellieren an + Akk.
arbeiten mit + Dat. /
für + Akk. / an + Dat.
sich ärgern über + Akk.
etw. assoziieren mit + Dat.
jmdn. auffordern zu + Dat.
aufhören mit + Dat.
aufpassen auf + Akk.
sich aufregen über + Akk.
(Geld) ausgeben für + Akk.
sich bedanken bei + Dat. für + Akk.
jmdn. begeistern für + Akk.
beginnen mit + Dat.
jmdn. befragen zu + Dat.
beginnen mit + Dat.
sich bemühen um + Akk.
berichten über + Akk. / von + Dat.
sich beschäftigen mit + Dat.
sich beschweren bei + Dat. über + Akk.
bestehen auf / aus + Akk.
sich bewerben um + Akk.
sich beziehen auf + Akk.
jmdn. bitten um + Akk.
jmdm. danken für + Akk.
denken an + Akk.
diskutieren mit + Dat. über + Akk.
sich einigen über + Akk.
jmdn. einladen zu + Dat.
sich einigen auf/über + Akk.
sich entscheiden für/gegen + Akk.
sich entschuldigen bei + Dat. für + Akk.
sich erinnern an + Akk
sich erkundigen bei + Dat. über + Akk.
erschrecken über + Akk.

jmdm. erzählen von + Dat. /
über + Akk.
jmdn. fragen nach + Dat.
sich freuen auf / über + Akk.
führen zu + Dat.
sich fürchten vor + Dat.
gehören zu + Dat.
gelten als + Nom.
sich gewöhnen an + Akk.
glauben an + Akk.
graben nach + Dat.
greifen nach + Dat.
jmdn./etw. halten für + Akk. /
von + Dat.
sich halten an + Akk.
handeln von + Dat.
sich handeln um + Akk.
jmdm. helfen bei + Dat.
jmdn. hindern an + Dat.
hoffen auf + Akk.
hören auf + Akk. / von + Dat.
jmdn./sich impfen gegen + Akk.
jmdn./sich informieren über + Akk.
sich interessieren für + Akk.
kämpfen gegen + Akk.
klettern auf / über + Akk.
sich konzentrieren auf + Akk.
sich kümmern um + Akk.
lachen über + Akk.
leiden an / unter + Dat.
liegen an + Dat.
nachdenken über + Akk.
protestieren gegen + Akk.
reagieren auf + Akk.
rechnen mit + Dat.
riechen nach + Dat.
schauen nach + Dat.
schicken an + Akk.
schimpfen auf / über + Akk.
schmecken nach + Dat.

schreiben an / über + Akk.
schuld sein an + Dat.
sehen nach + Dat.
senden an + Akk.
sorgen für + Akk.
sich sorgen um + Akk.
sprechen mit + Dat. über + Akk.
springen über / auf + Akk.
steigen über / auf + Akk.
streiten mit + Dat. über + Akk.
stürzen über + Akk.
teilnehmen an + Dat.
telefonieren mit + Dat.
träumen von + Dat.
sich treffen mit + Dat.
sich trennen von + Dat.
jmdn. überraschen mit + Dat.
jmdn. überreden zu + Dat.
jmdn. überzeugen von + Dat.
sich umdrehen nach + Dat.
sich unterhalten mit + Dat.
(sich) unterscheiden von + Dat.
sich verabreden mit + Dat.
sich verabschieden von + Dat.
verbinden mit + Dat.
jmdn./etw. vergleichen mit + Dat.
verlangen nach + Dat.
sich verlassen auf + Akk.
sich verlieben in + Akk.
vertrauen auf + Akk.
sich vorbereiten auf + Akk.
jmdn. warnen vor + Dat.
warten auf + Akk.
wissen von + Dat.
sich wundern über + Akk.
ziehen in / an + Akk. / nach + (Ort)
zurechtkommen mit + Dat.
zusammenhängen mit + Dat.
jmdn. zwingen zu + Dat.
zweifeln an + Dat.

Lösungen

Seite 52, Lektion 28, Übung 10

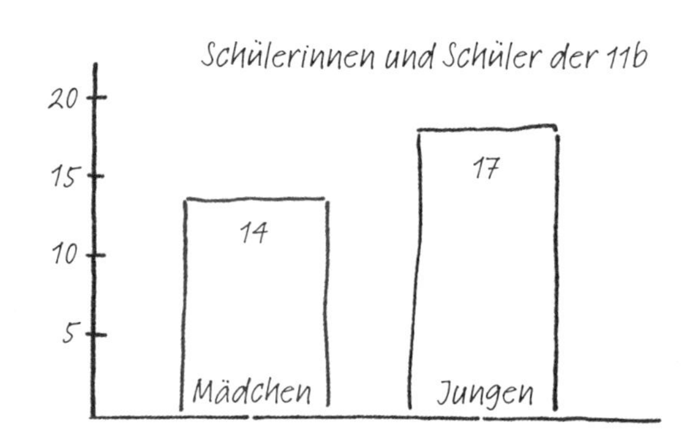

Beispiel für eine Situation (a)

Die Grafik zeigt die Zahl der Schülerinnen und Schüler in unserer Klasse. Es gibt mehr Jungen als Mädchen, nämlich 17 Jungen und 14 Mädchen.

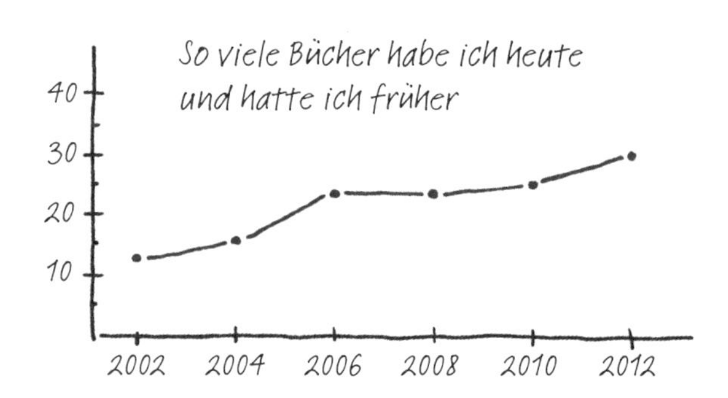

Beispiel für eine Entwicklung (d)

In den zehn Jahren von 2002 bis 2012 hat sich die Zahl meiner Bücher fast verdoppelt. 2002 hatte ich 14 Bücher, heute habe ich 29. Die Zahl der Bücher hat jedes Jahr zugenommen. Im Jahr 2006 habe ich viele Bücher zum Geburtstag geschenkt bekommen, da ist die Zahl stärker gestiegen, als in den anderen Jahren.

Seite 77, Lektion 29, Übung 29

Senkrecht: 1 Wie heißt der Junge, der nie in der Schulmensa isst?
Waagrecht: 2 Wie heißt das Mädchen, mit dem ich ...

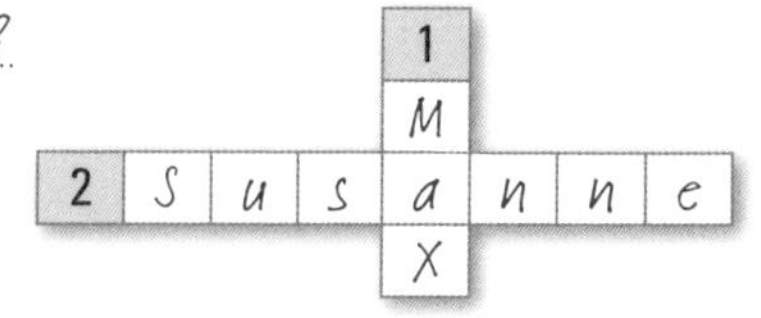

Seite 86, Lektion 30, Übung 12

Lösung

1896 = 1. Olympische Spiele in Athen
1861 = Italien wird ein selbstständiger Staat.
1835 = Die erste deutsche Bahnlinie entsteht.
1886 = Benz und Daimler bauen das erste deutsche Auto.

Seite 117, Lektion 32, Übung 20

Lösung Rätsel 1:

Im Märchen „Froschkönig" der Brüder Grimm hilft ein Frosch der Königstochter, ihren goldenen Ball wiederzufinden. Dafür muss sie ihm versprechen, dass er in ihrem Bett schlafen darf. Als der Frosch aber wirklich in ihr Schlafzimmer kommt, wirft sie ihn an die Wand. Da wird aus dem Frosch plötzlich ein schöner Königssohn. Der Königssohn und die Königstochter heiraten und werden glücklich.

Lösung Rätsel 2:

Die Frau war Autorin. Vor einem Jahr hatte sie in ihr eigenes Buch in der Bibliothek 10 Euro gelegt. Am Abend erzählte sie ihrem Freund, dass sie in der Bibliothek war. Sie hat die 10 Euro wiedergefunden und war traurig, weil niemand ihr Buch gelesen hatte.

Lösungsschlüssel zu den Modul-Tests

Test: Modul 7

Grammatik

1 b nachdem c Immer wenn d Als e Während

2 b hatte, –, berührt, hatte c kamen, –, hatte, angefangen d war, geflogen, war, –

3 a dafür b darum c Wovor, Davor d Worüber, darüber

4 b dürfen, mitgenommen werden c will gefüttert werden d soll, gebaut werden e kann, repariert werden

Wortschatz

5 1 sich verändern 2 steigen 4 abnehmen b abgenommen c verändert d gestiegen

6 b zornig c einsam d überrascht e eifersüchtig f besorgt

Alltagssprache

7 b D c F d A e B f C

Test: Modul 8

Grammatik

1 großer, blonde, dunkle, dunkelrotes, grauen, schwarzhaarige, braunen, blauer, inländischem, silbernem

2 b mit dem sie jeden Tag zur Schule fahren c mit denen sie zeichnen d der mein Bruder jeden Tag die Schultasche nach Hause trägt e dem Anita alle ihre Comicbücher leiht

3 b hätte, müsste, spazieren gehen c würdest, tun, gewinnen würdest d wäre, würde, gehen e wäre, könnten, machen f würde, parken

4 wurde, verletzt; wurde, gebracht; wurden, geröntgt; wurde, operiert; wurden, gemacht; wurde, besucht; wurde, geschickt

5 Ich bin am Bein und am rechten Arm verletzt worden. Ich bin sofort ins Krankenhaus gebracht worden. Dort sind das Bein und der Arm geröntgt worden und dann bin ich operiert worden. Außerdem sind zwei Gipsverbände gemacht worden. Im Krankenhaus bin ich von allen meinen Freunden besucht worden. Nach drei Wochen bin ich schließlich nach Hause geschickt worden.

Wortschatz

6 b untreu c mutig d lockig e schwach f rund g sich verzeihen h sich kennenlernen i sich scheiden lassen

7 b Ladendiebstahl c Sachbeschädigung d Opfer e Zeuge f Anwalt

Alltagssprache

8 b D c C d A e E

Test: Modul 9

Grammatik

1 b Wenn Jan mehr gelernt hätte, hätte er die Prüfung geschafft. c Wenn meine kleine Schwester nicht so viel Eiscreme gegessen hätte, hätte sie keine Bauchschmerzen bekommen. d Wenn Veronika Fabian nicht auf der Party kennengelernt hätte, hätten sie sich nicht verlobt.

2 b werden, rufen, C c wird, geben, A d wird, sein, E e werde, treiben, D

3 b Sobald c Solange d Bis e seit

4 b kleineres c klügerer d billigste e strengeren

Wortschatz

5 **Patient:** a hustet b erbrochen c Knies d Grippe **Arzt:** 1 Lunge, Hustentropfen 2 verschreibt, Magenschmerzen 3 näht 4 impft

6 b bewerben c Schichtarbeit d Gehalt e Teilzeit f Dokumente

Alltagssprache

7 b C c E d D e A

Quellenverzeichnis

Seite **8**: *Mädchen* © iStockphoto / kevinruss, *Junge* © iStockphoto / JBryson

Seite **11**: *Text aus* Unsere nächsten Verwandten © 1997 by Roger Fouts

Seite **17** / **Ü23**: *Text aus* Nachbars Kaninchen © Rolf Wilhelm Brednich: Die Spinne in der Yucca-Palme. Sagenhafte Geschichten von heute. Verlag C.H. Beck oHG, München. ISBN 978-3-406-57037-7

Seite **22**: *Porträt* © iStockphoto / jameswimsel

Seite **45**: *Porträt* © iStockphoto / Blend_Images

Seite **49**: *Portrait oben* © mauritius images / Photo Alto, *Portrait unten* © iStockphoto / Knape

Seite **51**: *Quelle Daten:* Kraftfahrtbundesamt der Bundesrepublik Deutschland

Seite **52**: *Zahl der PKWs in Deutschland – Quelle Daten:* Deutsches Verkehrsforum, *Wasserversorgung der Weltbevölkerung – Quelle Daten:* Deutsche Stiftung Weltbevölkerung

Seite **61**: *Sonnenkraftwerk* © dpa-Report, *Portät A* © PantherMedia, *Porträt B* © fotolia, *Porträt C* © PantherMedia

Seite **78**: *Text aus* Gut gegen Nordwind © Daniel Glattauer: Gut gegen Nordwind © Deuticke im Paul Zsolnay Verlag Wien 2006

Seite **82**: *Krieg* © iStockphoto / belterz, *Unwetter* © PantherMedia / Daniel Wagner

Seite **87**: *Radfahrer* © fotolia / lilufoto, *Lastwagen* © fotolia / S_E

Seite **91**: *Illustration* © die Kleinert / Gregor Schöner

Seite **112**: *Verkehrsschilder* © fotolia

Seite **119**: *Baumwollfeld* © getty images / Nigel Pavitt

Seite **127**: *Piktogramme* © fotolia

Seite **135**: *Knollenblätterpilz* © fotolia, *Herbstzeitlose, Kugelfisch* © PantherMedia

Seite **143**: *Tierkreiszeichen* © iStockphoto

Seite **151**: *Campingplatzzeichen* © fotolia

Seite **156**: *CD-Cover A und B* © fotolia, *CD-Cover C und D* © iStockphoto

Seite **158**: *Ray Charles* © Jazz Archiv Hamburg / akg-images, *Paul Wittgenstein* © Scherl / sz photo, *Ludwig van Beethoven* © iStockphoto

Seite **162**: *Verkehrsschilder* © fotolia

Seite **165**: © Wilfried Krenn

Seite **175**: *Piktogramm* © fotolia

Florian Bachmeier Fotografie, Schliersee

Titelfoto, *Seiten* 14, 18, 27, 55, 68, 87, 149